à donner

JUDITH KELMAN

# *Le Rôdeur*

TRADUIT DE L'AMÉRICAIN PAR JEAN-PIERRE AOUSTIN

J.C. LATTÈS

*Titre original :*

SOMEONE'S WATCHING
publié aux États-Unis par Bantam Books en accord avec
Peter Lampack Agency, Inc.

*Pour Ed : époux, âme sœur,*
*et précieux auxiliaire domestique.*

*Je remercie tout spécialement Peter Lampack,*
« agent extraordinaire »,
*et Kate Miciak, brillante directrice éditoriale.*

*Je remercie également*
*les docteurs Harry Romanowitz*
*et Lew Siegel.*

# 1

Le car scolaire était encore à deux arrêts de là. Malcolm Cobb se représenta le véhicule trapu et jaune rempli d'enfants turbulents. Il songea à l'enivrante pulsion vitale de leurs jeunes énergies et en ressentit dans son propre corps une poussée d'adrénaline. Sa bouche était sèche, et un violent frisson le parcourut en un éclair, de sa nuque à son bas-ventre.

L'esprit en alerte, il était assailli de sensations très vives. Il y avait l'éclat aveuglant et lancinant du soleil, le frémissement du moteur de la voiture qui tournait au ralenti, la brume de pollution qui flottait comme une nuée de moucherons dans l'air glacé.

Le moment était venu d'une ultime récapitulation. Il se repassa mentalement le film de l'opération. Tout était prêt.

Les préparations avaient été absorbantes et épuisantes. Pendant des jours et des jours, il avait utilisé chaque heure de liberté pour observer l'enfant. Il avait noté la moindre de ses habitudes et de ses attitudes. Programmé l'instant de sa « capture » dans ses moindres détails.

Comme toujours, l'abject travail de Cobb avait constitué l'obstacle principal. Dans ces moments où il avait le plus besoin de se concentrer sur sa stratégie, un nouveau problème ne manquait jamais de surgir. Il haïssait toutes ces maudites visites et intrusions. Détestait toutes ces tâches et responsabilités triviales que lui imposait son répugnant gagne-pain. Il n'était rien de plus qu'un rafistoleur de pièces abîmées, un simple mécano dont les journées se passaient à patauger dans la plus infecte saleté.

Mais bientôt tout cela serait derrière lui. Une fois ceci accompli, il serait libre de retrouver sa vraie vocation.

Plus qu'un arrêt. Ce son aigu de klaxon était comme un signal, un appel convenu. Cobb céda à son injonction. Il relâcha la pression de son pied ankylosé sur la pédale de frein et laissa la voiture rouler vers le prochain tournant. Déjà sa propre pulsion vitale était unie par un lien subtil à cet enfant qu'il ne voyait pas encore.

Il revit en pensée le garçon descendre du car. Tourner la tête d'un côté et de l'autre. Il se remémora avec délectation la démarche légère de l'enfant, son teint éclatant de santé, cette vigueur sans limite qu'il s'approprierait bientôt.

Encore deux minutes.

En général il avait le sentiment que les secondes étaient autant de promesses non tenues, d'instants volés. Mais maintenant le passage du temps lui paraissait un bien léger sacrifice. Il baissa les yeux sur son bras gauche, anémié et sans force. Distingua le reflet grotesque de son visage dans le pare-brise, aussi informe qu'une boule de pâte malaxée.

C'était la seule voie du salut. Il prendrait ce dont il avait besoin et guérirait.

## 2

James Merritt descendit du car scolaire et le regarda s'éloigner. On aurait dit un serpent en feu. Clignotants rouges, plainte du moteur. Après avoir parcouru une cinquantaine de mètres le long de Mill Road, le véhicule s'engagea dans un virage en épingle à cheveux, cracha un panache de fumée, et disparut.

Une fois seul, James tourna son regard vers l'entrée du Bois-Tyler, de l'autre côté de la route. Deux courtes colonnes de pierre brisées marquaient la limite de ce quartier de banlieue. Une fois, un garçon plus âgé, dont l'haleine sentait le chewing-gum, lui avait juré que ces colonnes étaient les dépouilles pétrifiées des deux fils jumeaux de l'ancien propriétaire du bois.

Oui, on racontait que les fils de M. et Mme Tyler avaient péri, plus d'un siècle auparavant, dans une tornade d'une force inouïe, si violente que le vent avait vissé leurs pieds dans le sol et arraché leur tête.

James, qui n'était à l'époque qu'un naïf bambin de quatre ans, n'avait eu aucune raison de mettre en doute la véracité de cette histoire. Pendant des mois il avait pris grand soin de ne pas poser les yeux sur ces colonnes, de peur que les jumeaux de pierre ne fussent encore capables de saigner ou, pis encore, de revenir à la vie et de le poursuivre comme des furies sans tête jusqu'à la maison des Kasden, au fin fond de l'impasse qui terminait l'avenue des Potirons.

Maintenant, bien sûr, James était plus vieux et beaucoup moins crédule. Croisant les bras d'un air de défi, il porta résolument son regard sur les colonnes de pierre, et les fixa ainsi pendant une petite éternité sans ciller.

L'une d'elles était couronnée d'une boîte de Coca écrasée et d'un carton-déjeuner éventré de chez Burger King. Sur l'autre dormait Peluche, gros fouillis de poils cannelle, la queue en paraphe agitée par la brise.

Au-delà on voyait des maisons éparpillées au petit bonheur sur des terrains d'un demi-hectare de forme irrégulière. La plupart étaient des maisons en bois de style colonial, d'un âge indéterminé et sans grande originalité. Il y avait aussi plusieurs « ranches » aux silhouettes carrées, et quelques bâtisses plus modernes en cèdre qui détonnaient dans ce décor.

Certaines parties de cette banlieue, comme la propre demeure rénovée des Merritt – la deuxième à partir des colonnes –, étaient des vestiges de l'ancienne ferme des Tyler. Le vieux puits devant la porte des Podhoretz en était un aussi, et le belvédère en ruine à côté de la maison des Derosa, et le majestueux bosquet de châtaigniers en bordure du terrain des Pavan, qui avait jadis produit des charretées de délicieuses châtaignes, et qui générait maintenant en abondance des vers en forme de grain de riz.

Dans l'air une fumée de bois de noyer blanc se mêlait à l'éclat brumeux d'un soleil féroce. On entendait au loin le bourdonnement d'une scie électrique, un moteur de moto qui s'emballait, des aboiements aigus. James grimaça un peu à cause de la lumière aveuglante ; il cherchait quelqu'un des yeux.

C'était un enfant robuste, trapu comme une bouche d'incendie, avec des membres courts et un torse carré. Il avait des cheveux châtain-roux, des yeux bleus pleins de curiosité et un petit nez épaté saupoudré de taches de rousseur. Le froid avait rendu ses joues luisantes, et il arborait une moustache canaille laissée là par le jus de fruits qu'il avait bu avec son casse-croûte matinal. C'était un bel enfant. Il ressemblait presque à un dessin d'enfant lui-même, tout en lignes claires joliment tracées.

Toujours personne.

Un peu nerveux, il posa son cartable Batman sur un tas de feuilles sèches et se mit en devoir de projeter à coups de pied des brindilles et des cailloux sur la chaussée en mauvais état. Coup au but. Allez, Merritt ! Vas-y mon gars !

James était le gardien de but vedette de l'équipe à maillot violet et blanc des benjamins du club junior de football de Stamford. Chargé de défendre l'espace critique situé entre les deux cônes de signalisation orange qui servaient de poteaux, il avait mis au point une tactique infaillible : chaque fois que la menace d'une offensive devenait trop sérieuse, il rapprochait tout simplement les deux cônes l'un de l'autre.

« Vas-y Jamie ! Montre-leur c'que tu sais faire ! »

Tout en s'exerçant à shooter, il faisait bien attention à ce que les semelles de ses Nike bleues restent prudemment sur l'herbe de l'accotement. On lui avait défendu de traverser seul la route, et il souscrivait sagement à ce diktat. Des voitures négociaient à toute allure les virages sans visibilité, dépassaient sans ralentir les allées étroites, ou reculaient à l'improviste sur les bas-côtés. Des ombres mouvantes jouaient à la surface de la chaussée, formant un kaléidoscope trompeur. Il y avait eu plus d'un accident, sans compter toutes les fois où il s'en était fallu d'un cheveu. James avait en mémoire au moins deux cas d'enfants renversés – et il n'*allait*, comme il aimait à le dire, que *sur ses six ans*.

Le premier, un garçon qui s'appelait Mark quelque chose, et qui était venu rendre visite à ses cousins, allée des Melons, avait été tué, aplati comme une punaise écrasée, d'après ce qu'il avait entendu dire. Et Laure Druce, une fille maigre du cours préparatoire, qui habitait un peu plus loin, s'était fracturé une jambe dans une collision avec le semi-remorque qui venait livrer les meubles de jardin des McMurray. On disait que l'os fracassé avait transpercé la peau de Laure, et que le docteur avait dû utiliser des outils de charpentier pour le remettre en place. Des sortes de tenailles, avait supposé James ; il n'avait pas cru bon de poser la question.

*Écrasé !* James frémit et remonta jusqu'au menton la fermeture éclair de son blouson en toile de jean. Son cauchemar le plus affreux et le plus fréquent était celui où il était écrasé par une locomotive géante. Il dormait à poings fermés, et puis soudain des voies de chemin de fer se matérialisaient, d'énormes vers métalliques qui envahissaient sa chambre, traversaient son lit. Il ne pouvait bouger, ne pouvait s'échapper. Le train fonçait sur lui. Plus près, encore plus près. Il entendait le halètement monstrueux des pistons, le hurlement du sifflet...

Son cœur battait la chamade. Il chassa le train cauchemardesque de son esprit et décida de se concentrer plutôt sur le déjeuner. Comme d'habitude, il demanderait à sa mère un « sandwich aux croquettes de chocolat », et elle lui demanderait s'il préférait de la moutarde ou de la mayonnaise. Il répondrait « du ketchup » et elle demanderait s'il voulait de la laitue et de la tomate. Il dirait alors « épinards et banane, s'il te plaît », et ils riraient ensemble, comme si ce n'était pas là une plaisanterie qu'ils répétaient chaque jour exactement dans les mêmes termes. Et puis elle lui préparait son sandwich habituel – beurre de cacahouètes avec un soupçon de gelée de raisin –, coupé en triangles de pain de mie. Avec un grand verre de lait glacé.

Après cela il aurait une montagne de croquettes de chocolat en guise de dessert. Il les dégusterait à la manière immémoriale du fin connaisseur, les morceaux de chocolat d'abord, puis les fragments de noisettes soigneusement extirpés de leur gangue et savamment disposés sur l'assiette. Son ventre fit entendre un sourd gargouillis. La faim. Et sa vessie commençait à le tourmenter.

Allons, dépêchons...

D'ordinaire, sa mère se tenait déjà près de la colonne favorite de Peluche quand le bus s'arrêtait. Il la revit en esprit, les yeux baissés sur le livre qu'elle lisait. Il se rappela la façon dont son visage se transformait dès qu'elle l'apercevait : sa bouche s'arrondissait exagérément pour saluer son arrivée, avant de s'épanouir en un sourire.

De temps à autre, quand elle était retenue par un de ses patients à l'hôpital et ne pouvait rentrer à temps pour l'accueillir, papa sortait une minute du studio d'enregistrement qu'il avait aménagé dans le cottage derrière la maison, pour lui faire traverser la route en toute sécurité.

Ces jours-là, James mangeait son sandwich en regardant son père travailler. Il adorait se percher sur le haut tabouret, à côté de l'énorme console électronique, et mâcher au rythme de graves pulsations sonores aussi mystérieuses que le continent australien.

James espérait qu'il n'allait pas passer la journée avec Mme Zielinski, une voisine qui venait s'occuper de lui en cas de nécessité. Elle était assez gentille, mais elle sentait le spray pour salle de bains. Et elle insistait pour réchauffer son lait dans le four à micro-ondes, bien qu'il lui eût patiemment expliqué, un nombre incalculable de fois, qu'il aimait bien mieux le boire froid. Quand elle ne faisait pas attention à lui, il mettait en douce deux ou trois glaçons dans son verre ; alors il devait siroter son lait à très petites gorgées pour éviter tout tintement révélateur.

La pression sur sa vessie augmentait. Il commença à avoir un peu peur. Et s'ils l'oubliaient pour de bon ? Et s'il allait devoir rester planté là jusqu'à ce qu'il meure de froid ou de faim ou se mouille comme un bébé de deux ans ?

Pas question.

C'est sans doute comme ça que Todd Holroyd réagirait : il pleurerait et s'affolerait et mouillerait son pantalon. Mais James n'était pas comme ce garçon bizarre et timoré qu'ils appelaient Odd Todd [1]. Il s'en fallait de beaucoup.

James décida que si personne ne se manifestait d'ici deux minutes, il traverserait la rue en volant. Il claquerait ses paumes l'une contre l'autre, franchirait l'obstacle d'un

1. *Odd* : singulier, étrange. *(N.d.T.)*

bond géant, et atterrirait près de la colonne brisée qui était censée être celle du jumeau Tyler décapité qui avait vu le jour trois minutes avant son frère.

James n'avait pas peur de voler. Presque rien ne lui faisait peur – sinon un éventuel accident dans lequel son os transpercerait sa peau, comme c'était arrivé à Laure Druce. Et le train de son cauchemar. Et, bien qu'il n'eût pas rangé cela dans la même catégorie de peur, il faisait certainement grand cas de « son » monstre.

Le monstre de James avait une haleine fétide, des poils drus et un estomac rempli de poison brûlant et vert. Cette créature disgracieuse avait élu domicile dans le placard de James peu après le déménagement des Merritt, quand ils avaient quitté leur appartement près de l'autoroute pour venir s'installer au Bois-Tyler. James allait sur ses trois ans à l'époque, et il avait senti sur lui pendant plusieurs semaines, quand il était couché, le regard acéré de ce démon. Il avait combattu le sommeil, car son instinct lui disait que les goûts de ce monstre-là se portaient sur les enfants endormis – surtout les garçons. James avait de nombreuses ambitions, mais certainement pas celle de se voir transformer un jour en dîner de monstre.

Quand le sommeil menaçait de triompher, James s'arrachait à ses draps et se réfugiait, à moitié assoupi, dans la chambre de ses parents. Mais ni sa mère ni son père ne voulaient admettre l'existence d'un danger réel. L'un ou l'autre s'efforçait de le rassurer avec des mots creux et le reconduisait dans sa chambre.

Cela aurait pu durer indéfiniment, mais une nuit son père, excédé, avait claqué la porte du placard en ordonnant à James de dormir. Aussitôt celui-ci avait compris toute l'impuissance du monstre. Cette créature grotesque n'était même pas capable d'ouvrir une simple porte.

Sauvé.

Après cela, James avait plusieurs fois tenté de chasser la sale bestiole à force de prières et d'exhortations. Mais le monstre n'avait pas cédé. Finalement, résigné à une prudente cohabitation, James avait baptisé le monstre Vinton, en contractant les prénoms de deux ignobles « grands » du CM2, Vincent Scanlon et Tony Friedberg, qui gravaient des gros mots sur les tables de la cantine et bouchaient les robinets avec de grosses boulettes de chewing-gum.

À l'école, James échappait à Vincent et à Tony en restant à proximité de la maîtresse jusqu'à ce que les deux terreurs choisissent un autre petit souffre-douleur. La nuit, il échappait à Vinton en respectant scrupuleusement certaines mesures de précaution. Avant l'extinction des feux, il insistait pour être couvert jusqu'aux oreilles et embrassé trois fois sur le front, et pour que la porte du placard soit fermée de telle sorte qu'il entende le déclic. Alors sa mère devait prononcer les mots « Couché, Vinton ! » de sa voix la plus autoritaire. Ce rituel s'était révélé efficace. Chaque matin il procédait à une rapide inspection, et il n'avait jamais vu la moindre marque de dent sur sa peau.

Allons, pressons-nous un peu !

James était affamé et frigorifié, et si impatient qu'il pouvait presque entendre ses entrailles se contracter. Il avait envie de faire pipi pendant une heure et de manger cent sandwichs aux croquettes de chocolat. Il voulait raconter à sa mère comment il avait été placé par la maîtresse dans le groupe des cracks, avec un vrai livre de lecture et un livre d'orthographe. Il voulait lui parler de l'homme-ombre…

Peut-être que s'il utilisait son truc…

Quand James voulait désespérément que quelque chose arrive, il s'attirait les faveurs des esprits bienveillants en gardant les yeux fermés pendant exactement cinq secondes, et en les rouvrant très, très lentement. C'était là un pouvoir qu'il réservait pour les cas d'extrême urgence et les requêtes spéciales.

Il ferma les yeux avec une telle force qu'il vit une multitude de lueurs jaunes danser en tous sens sur un fond noir. Résolu à ne commettre aucune erreur, il inspira à fond et compta les secondes à voix haute : « Un, Mississippi… Deux, Mississippi… »

« Cinq. » Il relâcha la pression sur ses paupières endolories. Un flot de lumière le fit larmoyer et réduisit le paysage d'automne à une image brouillée.

Cela avait-il marché ?

Plein d'espoir, il fit un effort pour mieux voir, par-delà la surface ondulante du macadam.

Oui ! Il l'aperçut qui marchait vers lui. Qui traversait la pelouse de l'ancien bâtiment de ferme. Qui s'approchait. Indistincte dans la lumière aveuglante – mais pas de doute, c'était bien elle. Il reconnaissait la masse bouffante de cheveux châtains bouclés, le manteau bleu.

Elle s'arrêta. Ramena sa main en arc de cercle vers son corps. Elle lui faisait signe de traverser.

Pourquoi ne venait-elle pas plus près ?

James, hésitant, jeta un bref coup d'œil à droite et à gauche. Aucune voiture en vue, mais la route disparaissait derrière un virage à deux ou trois maisons de là seulement dans chaque direction. Il regarda à nouveau devant lui. Oui, elle lui faisait toujours signe, l'incitait à se dépêcher.

« D'accord, dit-il. Prêt ou pas, me voilà ! »

Puis, retenant son souffle, il descendit de l'accotement herbeux et s'engagea sur la chaussée. Il ressentit une bouffée de jubilation à la pensée de tout ce qui l'attendait au-delà de ce ruban de goudron : déjeuner, bras maternels, télé, croquettes de chocolat, un endroit tiède où faire pipi.

C'est alors que son oreille perçut comme un souffle de danger. Lequel soudain fut sur son cou, très chaud, brûlant. Il essaya de courir, de reculer. En vain. Il était pétrifié. Paralysé par la peur. Ce fut sur lui en un instant. Cela le recouvrit complètement comme une vague blanche, chaude et hurlante.

Et puis plus rien.

## 3

Cinnie Merritt griffonna quelques derniers mots sur la feuille et la glissa dans le classeur marqué *Hors traitement*. Puis elle remit le matériel utilisé pour les tests dans le placard près de la porte et enfila son manteau.

Son cabinet d'orthophoniste se trouvait au sixième étage de l'hôpital Fairview, dans les locaux rénovés du service de rééducation. Ceux-ci étaient spacieux et gais avec leur mobilier moderne, leurs couleurs vives et leur éclairage tamisé. La plupart du temps, ils s'accordaient parfaitement à la nature optimiste de Cinnie. Elle tenait de sa mère un certain flair pour détecter le moindre rai de lumière dans les plus sombres circonstances, et de son père un certain don pour aplanir les difficultés de l'existence avec bonne humeur.

Ce qui l'avait bien aidée à surmonter une série d'épreuves depuis quelques années : la longue et cruelle agonie de sa mère, qui avait succombé à la maladie de Lou Gehrig, le remariage précipité de son père, et plus récemment les problèmes avec Paul.

Cinnie ne pouvait nier que leur mariage, fruit d'une idylle née dans une salle de classe de collège, se défaisait de toute part, s'effilochait d'une façon qu'ils semblaient tous les deux impuissants à définir et à contrôler. Dernièrement, il avait pris l'habitude de dormir le plus souvent dans le cottage derrière la maison, qu'il avait mis des années à transformer, fort coûteusement, en un studio d'enregistrement ultramoderne.

Curieusement, cet éloignement de Paul n'avait aucun caractère de crise. Il y avait déjà des mois qu'il s'était sensiblement éloigné d'elle. Mais Cinnie sentait encore dans ses os l'écho vibrant de sa présence, et se rappelait douloureusement cette relation intime qui, entre eux, avait été aussi facile et naturelle qu'une respiration.

Mais rien de tout cela n'était la cause de son présent malaise. Quelque chose qu'elle ne pouvait identifier l'avait gênée toute la matinée comme une écharde invisible. C'était une de ces impressions inexplicables qu'elle avait parfois. Un morceau du puzzle qui n'était pas en place. Une mesure manquante. Agaçant comme un cadre de travers sur un mur déformé. Et tout aussi impossible à redresser.

Elle s'arrêta un instant près de la grande baie vitrée et aperçut Dal et Teejay qui sortaient de l'hôpital et traversaient le parking, main dans la main, tignasses identiquement courtes et rousses ébouriffées par le vent. Teejay tricotait des jambes pour se maintenir à la hauteur de sa mère qui avançait à grands pas. Dal gesticulait de sa main libre et parlait sans discontinuer. Tout était rentré dans l'ordre.

Dal, la meilleure amie de Cinnie, l'avait appelée ce matin-là, affolée, certaine que Teejay avait quelque chose de grave. Elle avait refusé de décrire les symptômes au téléphone. « Il faut que tu te rendes compte par toi-même, Cin. Et dès que possible. C'est affreux. »

Cinnie lui avait dit d'amener son fils à midi, heure où elle en aurait terminé avec son dernier patient de la matinée. En raccrochant, elle avait ressenti une pointe d'inquiétude. Certes, Dal ne cessait de se ronger les sangs au sujet de la santé de son petit garçon, mais peut-être était-ce sérieux cette fois. Et peut-être ne fallait-il pas chercher plus loin la cause de son propre malaise.

Elle avait jugé plus logique de les voir à l'hôpital. S'il se révélait que le problème en question exigeait d'autres compétences que les siennes, elle savait qu'elle trouverait à Fairview le spécialiste qu'il fallait pour une consultation rapide. Le docteur Ferris, le pédiatre à qui elles s'en remettaient toutes les deux pour les visites de routine et les petites maladies de leurs enfants, n'était guère habile à calmer l'hystérie de Dal. Il lui dirait simplement de ne pas s'en faire, ce qui était à peu près aussi efficace que d'ordonner à quelqu'un de ne *pas* penser à un éléphant.

Cinnie avait appelé Paul au studio et lui avait demandé d'aller chercher James à l'arrêt du car à midi. Il avait paru distrait. Distant. Mais cela était habituel avec le nouveau Paul. L'étranger.

La lumière du soleil faisait miroiter le ciel comme une pellicule de givre. Cinnie s'abrita les yeux avec sa main et regarda son amie ouvrir la portière de son 4 x 4 gris et attacher Teejay sur son siège.

Un gamin formidable. Intelligent et vif, avec juste ce qu'il fallait de puérilité. Il avait fait sienne la passion de son père pour le football américain, et refusait maintenant de quitter la maison sans épaulettes rembourrées et casque en plastique. D'en haut on aurait dit un vaporisateur de voyage. Un gosse adorable. Et en parfaite santé.

Si seulement Dal pouvait avoir des rapports plus détendus et naturels avec lui…

Cinnie éprouva un léger remords. Elle savait que le fait de vivre au Bois-Tyler était à la racine du problème de Dal.

Ce quartier était particulièrement fertile en anxiétés maternelles. Les enfants y faisaient l'objet d'une attention malsaine et implacable. Qui était le meilleur, le plus brillant, le plus fort ? Les mômes étaient observés, scrutés comme des fruits sur un étal d'épicier. La perfection ou rien.

Peu après leur installation, à Paul et à elle, Cinnie avait été désagréablement frappée par cette insidieuse succession de jalouses comparaisons. Les bavardages entre mères de famille tournaient fréquemment aux ragots malintentionnés. La fille de celle-ci ne se faisait pas d'amis. Le fils de celle-là était un vrai cancre. Avait-elle remarqué que la petite fille de cette autre était en train de devenir obèse ?

Cinnie avait essayé de mettre tout cela sur le compte de la simple sottise, mais au fond d'elle-même elle savait que c'était plus grave. Il y avait quelque chose d'excessif dans cette sourde malveillance. Cela flottait comme une vapeur empoisonnée dans l'air tranquille du quartier.

Pourtant, quand Dal et Rick avaient parlé d'acheter une maison dans le coin, Cinnie avait fait tout ce qui était en son pouvoir pour qu'ils en acquièrent une au Bois-Tyler. Elle avait désiré si fort que Dal vienne vivre à côté de chez elle qu'elle s'était interdit de penser que le venin de l'envie pourrait affecter son amie. Après tout, s'était-elle dit pour se justifier, le Bois-Tyler n'était ni meilleur ni pire que n'importe quel autre quartier de banlieue ; il n'avait certainement pas l'exclusivité de ces femmes aussi rosses qu'angoissées qui exhibent leurs enfants comme des chandeliers bien astiqués.

Cinnie savait qu'il ne fallait pas se laisser affecter par tout cela. Elle avait appris à déjouer les chausse-trapes de la jalousie. Quand ces femmes devenaient impossibles, elle traitait leurs paroles comme des parasites hertziens qu'on chasse de son esprit. Facile. Tout ce qu'elle avait à faire, c'était de se concentrer sur son délicieux petit garçon. Ainsi, pas de friction.

Mais Dal, cette fille candide et vulnérable, était une victime toute trouvée.

La fausse alerte de ce matin était due au fait que Teejay s'était mis à répéter certains mots ou certaines syllabes. Dal avait fini par se persuader que son fils était condamné à un bégaiement incurable, à une vie où, dans son effort pour communiquer, chaque mot serait une torture physique et morale.

Comme d'habitude, c'était Lydia Holroyd, leur voisine, qui avait semé le trouble dans l'esprit de Dal. Lydia prenait un malin plaisir à attiser ses appréhensions. Cette horrible femme n'aimait rien tant que d'examiner Teejay sous toutes les coutures et d'émettre des remarques sur ses déficiences imaginaires, avec son accent britannique exagéré – on aurait dit qu'elle était née avec un fanon de baleine en guise de langue et des narines cousues comme les poches d'un complet neuf.

« Oh mon Dieu ! Mais il bégayc ! avait-elle dit à Dal en secouant la tête d'un air de feinte compassion. Le pauvret doit souffrir d'un terrible stress. Peut-être exigez-vous trop de lui, Dahlia. »

Une trentaine de secondes avaient suffi à Cinnie pour s'assurer que le fameux bégaiement n'était en fait qu'une phase très commune et innocente du processus d'acquisition du langage, qui disparaîtrait de soi-même au bout d'un mois ou deux. Pour faire bonne mesure, elle avait soumis Teejay à une série abrégée de tests orthophoniques. Dal ne demandait sûrement qu'à être rassurée par des résultats concrets et un enviable quotient de réussite. C'était la première fois en dix ans de travail que Cinnie avait fait passer des tests à un enfant coiffé d'un casque de football américain, auquel ne manquaient ni mentonnière ni protection faciale.

Ensuite, elle avait installé Teejay dans la salle d'attente au milieu d'un tas de jouets, et tenté de tranquilliser son amie.

Dal était penchée en avant dans son fauteuil, pareille à un flipper qui attend sa pièce.

– C'est grave, hein ? Dis-moi la vérité.

– Très grave. Ce pauvre gosse a une mère complètement toquée.

– Mais Lydia a dit que…

Cinnie avait soufflé par la bouche d'un air écœuré.

– D'abord ç'a été l'énurésie, puis l'urticaire invisible, et ensuite son cerveau allait se ramollir parce qu'il regardait trop de dessins animés, et il allait mourir parce que tu ne lui écrasais pas son beurre de cacahouètes... Quand vas-tu cesser d'écouter cette femme ?

Dal avait baissé ses yeux d'opale comme un chiot puni.

– Tu as raison. Je le sais bien. Mais elle n'arrête pas de m'asticoter.

– Alors ne la laisse pas faire. Quand elle commence, pense à ce gosse merveilleux que tu as. La vérité est que Lydia donnerait tout pour que Todd soit à moitié aussi normal et charmant que Teejay.

Todd Holroyd, le fils unique de Lydia, était un garçon pâlichon, nerveux et studieux, qui avait un an de plus que James. Déjà les gamins du voisinage l'avaient surnommé Odd Todd. Ils l'évitaient à la manière des enfants qui rejettent instinctivement tout ce qui est trop difficile à comprendre. Hélas pour lui, nulle quantité de beurre de cacahouètes bien écrasé ou d'abstinence télévisuelle ne pourrait remédier à son infortune.

– Tu es sûre, Cin ? Il n'a vraiment rien ?

– Pas l'ombre d'un quoi que ce soit !

Dal s'était affaissée de soulagement.

– Je ne sais comment te remercier. Promets-moi au moins de m'envoyer ta note d'honoraires.

– Teejay m'a déjà payée. Deux câlins et un baiser casqué.

– Allons, je parle sérieusement.

– Très bien. Mes honoraires habituels sont au choix cinquante mille dollars, ou un déjeuner pour deux à la Crêperie du Centre.

– Alors ce sera un déjeuner. Si on y allait maintenant ? On pourrait passer prendre James. Je vais appeler le bureau pour leur dire qu'ils devront se débrouiller sans moi une ou deux heures de plus. Histoire de leur faire comprendre à quel point je suis indispensable.

– Ce n'est pas le bon jour pour ça.

– Et comment que ça l'est ! Aujourd'hui je dois conduire une étude de marché sur un succédané de beurre de cacahouètes fabriqué avec du fromage de soja. Est-ce que ça n'a pas l'air d'une chose à éviter à tout prix ?

– Désolée de ne pouvoir te tirer d'affaire, ma choute. Fromage de soja et confiture ? Beurk !

– Beurk, en effet. Et puisque tu ne veux pas venir à mon secours, je vais te punir en te donnant un échantillon.

Cinnie regarda la Cherokee sortir lentement du parking de l'hôpital et s'engager dans Prescott Street. Elle resta ainsi, les yeux dans le vide, longtemps après que la voiture eut disparu. Elle cherchait à se rappeler quelque chose.

Un coup sur la porte la fit sursauter. Sans attendre une réponse, Oliver London tourna la poignée et propulsa son fauteuil roulant entre les deux montants. Cinnie sourit.

– Bonjour, monsieur London. Qu'est-ce qui se passe ? J'allais justement sortir.

London poussa un grognement et frappa du poing le bras capitonné de son fauteuil. C'était un homme au teint cireux, à la mâchoire carrée, dont une moitié du visage était paralysée à la suite d'une attaque récente. Un côté était normal et mobile, l'autre figé en une grimace permanente. La paralysie s'étendait à son bras et à sa jambe gauches, qui formaient des angles bizarres. Son élocution aussi avait été affectée par l'attaque. Il était affligé d'aphasie : il comprenait tout ce qu'on lui disait, mais ne pouvait exprimer ce qu'il pensait. Du moins pas encore. Il tourna son œil valide vers Cinnie et asséna un autre coup sur le bras du fauteuil.

Cinnie regarda sa montre.

– Désolée, l'ami. Je dois vraiment partir. Nous aurons notre séance habituelle demain matin à neuf heures et demie. Je serai heureuse d'entendre ce que vous avez à me dire…

Un sourire espiègle releva le côté mobile de sa bouche, et il replia son bras valide sur l'autre, qui était arrimé sur sa poitrine comme un volet retenu par un loquet.

Cinnie réprima un sourire.

– Allons, ne me dites pas que nous allons encore jouer aux otages. Vous savez que je dois rentrer chez moi pour m'occuper de mon fils.

London vérifia que les roues de son fauteuil étaient bloquées et recroisa son bras. Il bouchait presque l'embrasure de la porte, ne laissant que quelques centimètres de chaque côté. C'était un homme qui avait manifestement l'habitude d'imposer sa volonté, quoi qu'il pût en coûter.

Cinnie soupira et s'assit sur le bord de son bureau.

– D'accord. Vous gagnez. Qu'est-ce qui ne va pas cette fois ?

London prit son petit air supérieur. Il frappa deux coups sur le bras du fauteuil et émit un grognement guttural.

– Encore la nourriture ?

Depuis que London était assez remis pour se déplacer seul dans les couloirs, il avait fait de Cinnie son service des réclamations personnel. Elle pouvait le comprendre quand tous les autres échouaient. D'une certaine façon, elle trouvait que London s'exprimait aussi bien que n'importe qui. Peut-être même mieux.

Il leva un sourcil et fit entendre un son qui ressemblait au raclement de griffes de chat sur une porte grillagée.

Cinnie soupira derechef.

– Vous voulez que je vous apporte un *autre* super-hamburger ? Écoutez, vous savez bien que vous êtes au régime sans sel et sans graisse. Je pourrais me faire renvoyer pour ce genre de contrebande. Je pourrais perdre mon gagne-pain. Dites-moi comment je suis censée nourrir mon jeune fils si cela se produit, monsieur London ? Et économiser pour ses études ?

Le sourire de London s'accentua et il poussa un glapissement malicieux.

– Que diriez-vous d'un compromis ? Par exemple, un bon grand sandwich au poulet avec de la sauce rouge et une salade de chou cru ?

Trois coups secs et un grondement indigné.

– Un super-poulet alors ? Imaginez un peu ça... Laitue fraîche, tomate bien mûre et juteuse, une délicieuse tranche de bacon... (Elle se passa la main sur l'estomac en se léchant les babines.) Mmmmm !

Regard fixe et meurtrier.

Cinnie s'adoucit et concéda avec un froncement de sourcils étudié :

– Entendu. Vous aurez votre super-hamburger. Mais seulement à la condition expresse que ce soit la toute dernière fois. Et je vais exiger de la viande extra-maigre. Et surtout pas de moutarde.

Autre coup de poing.

– … Un peu de moutarde douce alors, et c'est ma dernière offre. À prendre ou à laisser.

London hocha la tête, visiblement satisfait de lui-même, et recula son fauteuil roulant. Il invita Cinnie à passer en faisant décrire à son bras une galante arabesque.

Elle secoua la tête et fit une moue de désapprobation. Car le but de cette petite comédie était de lui donner l'impression qu'il dominait la situation. Le diététicien et le médecin de London avaient estimé d'un commun accord que les bénéfices psychologiques compensaient très largement un préjudice éventuel dû à quelques entorses à son régime.

Trois mois plus tôt, quand London avait été amené à l'hôpital après son attaque, il avait eu l'air d'un homme fini – vidé de toute substance, fragile, les yeux assombris par la peur et la défaite. Il n'y avait eu en lui aucune trace du légendaire vétéran qui avait servi pendant quarante ans dans la police de Stamford. D'après ce que Cinnie avait entendu dire, il avait été un irascible père Fouettard – mémoire longue et patience courte – qui avait maintenu des générations entières de gosses des rues dans le droit chemin. Il avait eu la réputation d'être un flic intransigeant, qui ne cédait ou ne reculait jamais, même quand c'était sa propre peau coriace qui risquait d'en faire les frais.

Cinnie était ravie d'assister au retour progressif de la personnalité originelle de ce vieil entêté, bien qu'il fût en passe de devenir LE patient impossible dont parlent les manuels.

Malheureusement, elle n'avait aucun moyen de prédire l'étendue ou la durée de ce progrès, ni d'évaluer la possibilité d'une rechute sérieuse. Ces choses étaient si imprévisibles ; elles dépendaient tellement d'une disposition d'esprit, des merveilles de la motivation, de la chance… Rien que cette année-là, deux patients aussi sévèrement touchés que London s'étaient presque entièrement remis. Et puis chacun d'eux avait eu une nouvelle attaque. Fatale dans un des cas.

Cinnie frissonna. Encore des idées de malheur. Qu'est-ce qui ne tournait pas rond chez elle aujourd'hui ? Elle n'était pas habituée au goût amer de telles ruminations. Mais un sentiment tenace de désastre imminent l'accompagna tandis qu'elle prenait l'ascenseur et sortait du bâtiment.

Elle se glissa sur le siège de son break Volvo bleu, et la vue du Superman de James, calé sur la banquette arrière entre sa provision hebdomadaire de livres de bibliothèque et une moufle solitaire à l'effigie de Spiderman, la réconforta. Elle pensa que l'autre moufle ne devait réchauffer que la poche de son fils. James était déjà à un âge où la chaleur et le confort comptaient moins que l'apparence extérieure. La salopette avait été la première sacrifiée, puis ç'avait été le tour des bonnets, et maintenant des moufles. Bientôt, se dit-elle avec un amusement teinté de regret, il refuserait d'être vu en public avec quelque chose d'aussi mortifiant qu'une mère.

Elle prit High Ridge Road vers le nord et alluma la radio. Elle choisit une station de rock léger et fredonna un refrain de *Festivité*. Ensuite vint un pot-pourri des chansons des Beatles. Cinnie sentit sa mélancolie se dissiper peu à peu.

Lorsqu'elle tourna pour prendre North Stamford Road, puis les petites routes sinueuses qui menaient au Bois-Tyler, sa bonne humeur habituelle était revenue. Après le déjeuner, elle laisserait James l'entraîner dans une partie acharnée de jeu des sept familles. À moins qu'ils ne fassent des croquettes de chocolat. Son rendez-vous de quatorze heures avait été annulé, par conséquent elle pourrait rester plus longtemps auprès de son petit garçon, avant que ne commencent ses consultations privées de l'après-midi, dans son bureau au-dessus du garage.

James n'aimait rien tant que de l'aider à concocter ses chères croquettes maison. Elle le voyait déjà, tout barbouillé de farine et de chocolat, avec sur le visage l'expression tendue d'un savant fou miniature.

Adorable enfant.

Les garçons de Liverpool chantaient *Je veux tenir ta main*. Cinnie augmenta le volume et se laissa bercer par le rythme de la musique, tandis que les paroles la transportaient, à travers le temps et l'espace, dans le gymnase du collège de Rockville Centre, Long Island. Elle revoyait les trémoussements de Paul devant elle, et se rappelait l'enthousiasme explosif de cette centaine d'adolescents rouges et en sueur qui semblaient vouloir éteindre avec leurs pieds des feux sur le plancher verni.

« Je veux tenir ta-a-a main. Je veux te-e-nir ta-a main... »

La chanson prit fin au moment où Cinnie approchait du croisement de Cascade Road et de Mill Road. Elle ralentit à la vue du stop et éteignit la radio. Il se fit un bref silence. Puis ce silence se peupla de bruits terribles : hurlements de sirènes, braillements rauques de radios de police, cacophonie de voix anxieuses.

Une file de voitures était arrêtée le long de Mill Road comme un serpent endormi. Cinnie distingua, près de l'entrée du Bois-Tyler, deux policiers en uniforme qui se tenaient devant une barrière mobile et déviaient le trafic. On apercevait derrière eux une masse indistincte de véhicules aux gyrophares allumés : police-secours, ambulance, SAMU.

Des voitures cherchaient à fuir l'embouteillage. Elles faisaient prudemment demi-tour en empiétant sur les étroits accotements herbeux qui longeaient la route sinueuse, et remontaient celle-ci en direction du hameau voisin de New Canaan. Cinnie regarda dans son rétroviseur. La voie était libre. Elle pouvait rebrousser chemin le long de Cascade Road et tourner à la première avenue. On pouvait aussi rejoindre le Bois-Tyler par High Ridge Road un peu plus au nord.

Mais comme elle allait exécuter la manœuvre, elle remarqua que le bouchon devant elle se désintégrait : une fourgonnette avança et laissa un trou dans la file. Impulsivement, Cinnie tourna le volant et s'engagea dans Mill Road. Elle expliquerait aux policiers qu'elle devait passer. Elle pouvait voir sa maison, d'aspect tranquille et engageant, de là où elle était.

Il n'y avait plus que trois voitures entre la barrière et elle. Deux infirmiers soulevaient une civière pour la charger dans l'ambulance. Cinnie entrevit une forme enveloppée de linges blancs.

Elle regarda autour d'elle. Étrange. Aucune voiture

endommagée. Aucune dépanneuse. Quelle sorte d'accident était-ce donc là ? Elle pensa aux autres accidents et sa gorge se serra. Pas un autre enfant. Par pitié, pas un autre enfant…

Plus qu'une voiture avant la barrière. Cinnie tourna les yeux vers les maisons familières dispersées au-delà des colonnes brisées. Elle était impatiente d'arriver chez elle et de serrer très, très fort James dans ses bras.

La voiture devant elle monta sur l'accotement et fit gauchement demi-tour. Cinnie avança jusqu'au tréteau de bois. Un des policiers s'approcha d'elle en glissant ses pouces dans son ceinturon.

– J'regrette, madame. Y'a eu un accident grave ici. Va falloir faire comme les autres.

– Je comprends, monsieur l'agent. Mais j'habite ici, et mon petit garçon m'attend. Pouvez-vous me laisser passer, s'il vous plaît ?

Il fronça les sourcils et tira de sa poche un morceau de papier.

– Vous vous appelez ?

– Merritt. Cinnie Merritt.

Il garda les yeux baissés, et une brève contraction déforma ses traits taillés à la serpe.

– Veuillez me suivre, madame Merritt. Je crains d'avoir une mauvaise nouvelle pour vous.

## 4

Tétanisée par la peur, Cinnie était assise près de James sur un banc dur à l'arrière de l'ambulance. Derrière elle les portes, refermées de la rue, l'isolaient du monde extérieur.

Un robuste infirmier noir surveillait les signaux lumineux et sonores d'une rangée de moniteurs. Toutes les deux ou trois minutes, il appuyait sur le bouton rouge du microphone et parlait d'un ton sec au chauffeur ou aux gens de l'hôpital. « Condition stable maintenant. Préparer deux litres O positif et examen neuro. On arrive. »

Le chauffeur n'était qu'une voix désincarnée derrière une cloison en inox. Quelques secondes après que l'infirmier lui eut donné le signal du départ, le moteur toussa et se mit en marche. Le véhicule tourna vivement et prit de la vitesse, gyrophares en action, sirène perçant le silence comme un cri lancinant.

James était attaché à la civière à l'aide de larges bandes de nylon tressé vert, et sa tête était maintenue en place au moyen d'une sangle de cuir. Ses lèvres étaient bistrées, son visage aussi blanc que les linges qui l'emmaillotaient jusqu'au cou. La seule blessure visible était un hématome rond et net sur sa tempe gauche.

Un fin tuyau de perfusion le reliait à un goutte-à-goutte d'où s'écoulait avec régularité un liquide clair. Les battements de son cœur étaient enregistrés sur une étroite bande de papier vomie par un moniteur cliquetant et recueillie dans une petite corbeille métallique. Un autre appareil électronique enregistrait le reste, en chiffres verts capricieux : pouls, tension artérielle, respiration.

« James ? chuchota Cinnie. Je t'aime, mon bébé. N'aie pas peur. » Elle effleura du doigt sa joue pâle. Velours froid. Trop froid. « Ça va aller, mon chéri. Tout va s'arranger. »

L'infirmier se glissa entre eux, chaussa une paire de lunettes demi-lune, et vérifia les fils, les tuyaux et les attaches du blessé. Lorsque ce fut fini, il adressa à Cinnie un signe de tête. « Vous pouvez lui tenir la main. Aucune trace de fracture de ce côté. » Il desserra les linges et en retira un bras flasque.

Cinnie prit la petite main de James dans les siennes. Un oiseau mort, inerte et sans poids. Elle caressa ses doigts à demi repliés. « James ? Est-ce que tu m'entends ? »

Elle remarqua sur ses traits un frémissement de bon augure, une crispation de son front et de ses lèvres. « James ? » Ses doigts se contractèrent très légèrement. « C'est ça, mon chéri. Réveille-toi. » Il fit une grimace, et un mouvement de ses yeux fit palpiter ses paupières. « C'est bien. Je retrouve mon garçon. Est-ce que tu peux dire quelque chose ? »

Sa poitrine se souleva, puis s'affaissa au bout d'une ou

deux secondes comme un ballon percé. Il était retombé dans son coma. Cinnie réprima un mouvement de panique et passa un doigt sur la partie visible de son front, sous la sangle.

Tenant toujours la main de James dans les siennes, elle regarda par la lunette arrière. Ils remontaient à toute allure High Ridge Road maintenant. Dépassaient des alignements familiers de magasins et de bureaux. Le lycée. La bibliothèque. Tout cela défilait et se mêlait en un tourbillon vertigineux.

Elle se répéta une nouvelle fois les paroles du policier, pour essayer d'y voir un peu plus clair dans ce cauchemar. Celui ou celle qui avait renversé James s'était enfui. Pas de témoins pour le moment, mais ils espéraient que quelqu'un se présenterait bientôt avec des informations utiles. Ou que le coupable se reprendrait après sa panique initiale et se livrerait de lui-même à la police.

Malheureusement, James avait été projeté sur l'accotement, et un certain nombre de voitures étaient passées près de lui avant que quelqu'un ne l'aperçoive et n'appelle le 911. Les éventuelles traces de pneus avaient déjà été effacées au moment où la police était arrivée sur les lieux. Ils n'avaient trouvé ni débris de verre, ni fragments de métal. Naturellement, les gars du service médico-légal étaient déjà en route, et s'il restait le moindre indice, ils le découvriraient. Mais le policier avait secoué la tête en parlant, manifestement convaincu que cela ne donnerait rien.

Plusieurs questions revenaient sans cesse, obsédantes. Comment cela avait-il pu se produire ? Elle connaissait son fils. Elle savait que ce n'était pas son genre d'enfreindre une interdiction absolue, comme celle de traverser Mill Road tout seul. Surtout après ce qui était arrivé à la petite Druce.

James avait parlé pendant des semaines de la jambe cassée de Laure, et y faisait encore allusion parfois, d'une voix empreinte de crainte respectueuse. « Cette route est un danger public », disait-il alors en imitant les adultes aux mines graves qui s'étaient réunis quelques mois auparavant dans la salle de séjour des Merritt pour tenter d'obtenir un feu rouge au moyen d'une pétition. Leurs efforts étaient retombés après quelques essais infructueux ; l'urgence de ce problème s'était estompée avec le temps et de nouveaux soucis.

En tout cas, elle était certaine que James ne se serait jamais risqué à traverser seul cette route.

Et où diable était passé Paul ? Il avait promis d'être à l'arrêt du car. Cinnie rejeta l'idée intolérable qu'il avait peut-être simplement oublié. Il devait y avoir une explication rationnelle.

Quelque chose lui était-il arrivé à lui aussi ? Le cœur de Cinnie tressaillit comme un poisson tiré hors de l'eau, et elle sentit dans sa tête un violent martèlement.

Elle ferma les yeux. *Faites que mon enfant s'en sorte. S'il vous plaît. Faites qu'il se réveille et se remette vite.*

Un bruit.

Cinnie rouvrit brusquement les yeux et regarda James. Ses lèvres bougeaient. Un souffle rauque sortait de sa gorge. Elle se pencha pour mieux entendre.

– Oui, mon lapin ? Dis-moi.

Les paupières de l'enfant se relevèrent à demi et ses traits se crispèrent.

– Maman ?

– Oui, mon chéri. Tout va s'arranger, tu vas voir…

Il fit une grimace de douleur.

– Mal, maman. Brûle.

– Mon pauvre lapin. Tiens bon encore un peu et on va te donner quelque chose pour que tu te sentes mieux.

– Envie dormir, 'man.

– Je sais. Mais essaie de rester éveillé. D'accord ?

Sa lutte intérieure se lisait sur son visage.

– L'homme-ombre… Dame au… manteau bleu… Pipi, maman… Sa voix n'était presque plus audible. T'ai vu faire signe… Mais l'homme est venu. Pop la fouine. Tunnel vert volant. Parti…

– James ?

Ses lèvres s'écartèrent avec un petit bruit et aspirèrent un peu d'air.

– N'oublie pas, maman… Trois baisers et plus de… Vinton…

– Ne t'inquiète pas, James. Maman ne laissera personne te faire du mal.

– Couché, Vinton ! Va-t'en. Fais-le partir, maman. Fais-le arrêter. Arrête-le !

Sa voix s'enfla, devint une plainte désespérée qui déchirait l'air. Son poing se ferma, son corps se raidit, se cambra comme pour se libérer de ses entraves.

Et puis il retomba inerte sur la civière. Le moniteur cardiaque émit un sifflement affreux et Cinnie regarda, horrifiée et impuissante, les mouvements saccadés de la ligne sur l'écran se ralentir et se figer en une horizontale sans vie.

## 5

Malcolm Cobb sentait dans toutes les fibres de son corps le muet écoulement du temps, l'écho du pouls régulier de l'univers qui battait métronomiquement au rythme de ses propres pulsations internes, oscillait comme les hanches d'une danseuse exotique. Attirant, fascinant.

Bientôt.

L'approche du moment l'emplissait souvent d'un âpre sentiment d'effroi. Mais aujourd'hui il était impatient de le voir arriver. Débordant de confiance en soi. Il se délectait de cette chaleur et de cette force diffuses. Ses joues étaient enfiévrées. Ses membres fourmillaient d'excitation. Son cœur palpitait avec l'insistance virile d'un tam-tam africain.

Très bientôt.

Sachant qu'il était inconcevable de commencer trop tôt, il arpentait la pièce carrée qui donnait sur le devant du chalet. Le plancher était rugueux sous ses pieds nus. De la cendre froide. Vils résidus. Il fallait qu'il se souvienne de passer le balai avant qu'elle n'arrive. Et aussi de prendre un bain et de mettre des vêtements appropriés. Peut-être son costume bleu et une cravate. Ou bien la veste de soie noire et le pantalon de flanelle gris. Il ne devait pas oublier de cirer ses souliers noirs. Il fallait que tout soit net et parfait. Que rien ne suscite son mécontentement.

Il s'immobilisa et emplit ses poumons. L'air sentait le pin et le suif. Il y avait aussi un relent de matière en décomposition, de feuilles pourrissantes. Poussière. Mais aucune trace de cette répugnante odeur de roussi, ni de cette amère vapeur bleue.

Merveilleux !

L'ennemi avait été repoussé. Définitivement, il en était certain. Aucune menace ne viendrait le distraire quand elle arriverait enfin. Il serait libre de jouir de sa présence, de son affection et de son approbation. De sentir ses douces paroles soulager son âme et son corps à la façon d'un baume.

Il goûtait déjà le délicieux frisson de l'anticipation. Bientôt elle serait ici à côté de lui, pareille à un gai rayon de soleil. Il imagina le frou-frou de sa robe de taffetas noire, le léger toc-toc de ses talons sur le plancher, l'éclat timide des minuscules diamants de ses boucles d'oreilles. Et sa sombre chevelure satinée, et le rire dans ses yeux gris. Sa peau de porcelaine, aussi douce qu'un soupir.

Il laissa échapper un petit gloussement joyeux. Il se sentait tout électrisé. Mais quand elle arriverait, il garderait son sang-froid. Il décida de ne pas brusquer les choses. Tout se passerait en temps voulu. Ils savoureraient sans hâte leurs faciles retrouvailles. Puis ils discuteraient de tout et de rien comme de vieux amis, et s'il y avait des trous dans la conversation, ils les combleraient avec des mots pleins de gentillesse et de chaleur. Et leurs destins un instant séparés se réuniraient le plus naturellement du monde.

Il attendrait le moment le plus propice pour lui montrer ce qu'il avait écrit. Pour lui faire ce cadeau, cette délicieuse surprise. Comme elle serait heureuse de sa douce libération, et impatiente de la fêter ! Car son talent d'écrivain avait enfin repris son essor. C'était pour cela qu'il avait été créé – non pour cet abject labeur quotidien que lui imposait son odieux métier.

Il parcourut respectueusement des yeux la rangée de trésors encadrés qu'il avait accrochés au mur de rondins mal équarris, en face de la fenêtre. Des hommages. Des critiques enthousiastes. « Habile », disaient-elles à l'envi. « Brillant. » « Une voix nouvelle. » Son cœur se gonfla au rappel de cette adulation. Mais elle ne lui suffisait pas. C'était une soif plus puissante que le désir charnel, et qui allait maintenant être satisfaite. Il avait enfin pris un excellent départ. C'était une source qui ne se tarirait jamais, que rien ne pourrait endiguer. Comme elle allait être contente !

Peut-être devrait-il réchauffer un peu de cognac.

Il y avait, après tout, beaucoup à célébrer. Il prit un des dix ou douze minces volumes identiques qui occupaient le centre d'une étagère bien remplie, au-dessus du poêle noir de suie. Il caressa avec le plus grand soin la reliure craquelée, passa sa paume calleuse sur la couverture grisâtre et tachée. Son nom était presque effacé, et sa photo sur la page de garde avait pris la couleur d'un doigt de fumeur.

Il regarda pensivement ce portrait de lui-même en plus jeune : un garçon mince comme un fil, avec des yeux clairs et effarouchés et une bouche qui manquait singulièrement de fermeté. Un nez sévère, des oreilles petites et délicates. Une peau dont le teint et la texture rappelaient la pâte à papier. La chemise était trop empesée et trop courte aux poignets, de sorte que les bras pâles avaient l'air de bâtons au bout desquels pendaient des mains molles et embarrassées. Les épaules étaient tombantes et veules. Les cheveux, ternes et emmêlés.

Mais Malcolm Cobb ne voyait là que magnificence – triomphe !

Un beau et brillant garçon, pensa-t-il en exultant. Il se rappela comme elle avait manifesté son approbation quand le livre avait paru. La lueur de fierté et de plaisir dans ses yeux. Ces yeux qui étaient pour son âme un miroir étincelant. De même que ses paroles étaient pour lui un trésor. Sa gorge se serra et il poussa un profond soupir.

Du cognac donc.

Il devait se souvenir de laver les verres ballons et de bien les essuyer avant qu'elle n'arrive. Il devait aussi sortir le plateau d'argent et fouiller dans le bahut pour trouver le napperon de Mère. Il y avait tant à faire. Mais il ne se laisserait pas distraire par tout cela.

Le moment approchait. Inexorablement. Il frissonna de plaisir anticipé.

D'un air absent il ôta sa veste blanche et sa chemise de batiste bleue et fit courir le bout de ses doigts sur ses bras nus – longs serpents de chair glabre –, ce qui lui procura une sensation de chatouillement. Il sentit sous sa peau une ondulation de muscles souples. Frémissant, il passa ses doigts dans ses cheveux. Il eut l'impression que des rubans d'eau glacée ruisselaient dans son cou et jusque sur ses épaules.

Puis ses index effleurèrent son front, ses paupières veloutées, ses lèvres minces et serrées. Son menton.

Ce menton efféminé, qui trahissait toutes ses émotions, lui avait causé bien du tourment. Mais il avait l'air plus ferme et plus carré maintenant. Exactement comme il l'avait voulu. Il pouvait se forger lui-même. Car il devait devenir ce qu'il avait décidé qu'il serait – une lune géante et ronde, rayonnante de lumière noire.

Juste comme elle l'avait prédit et promis. Un sourire se répandit sur son visage comme une tache sur un buvard.

Lentement ses doigts descendirent le long de sa poitrine et de son abdomen. Il plongea une main sous sa ceinture et commença à se caresser, légèrement, délibérément.

D'un murmure entrecoupé, il dirigeait sa propre obéissance viscérale… Yeux clos. Corps tendu sous l'effet d'une concentration totale.

Contrôle !

… Secteur cérébral déconnecté par levier de volonté. Secteur somatique s'élevant sur la crête d'une domination contrôlée. Encore plus haut. Plus près du sommet escarpé. Au-delà. Face au sombre précipice d'un oubli aveugle. Ne pas avancer. Danger !

Il s'arrêta brusquement. Retira violemment ses doigts et les replia comme des serres. Contracta les muscles de ses membres jusqu'à ce qu'ils parussent hurler de douleur et demander grâce avant de se relâcher comme des lanières coupées.

Secteur cérébral reconnecté. Secteur somatique déconnecté par levier de volonté…

Contrôle.

Il était calme maintenant. Satisfait. Et elle le serait aussi. Il ne devait pas oublier de sortir du frigo ses pâtisseries favorites et de les envelopper dans un linge fin. De verser les pêches au sirop dans un plat de porcelaine. De sortir la cuillère à confiture en argent filigrané.

Oui, il y avait tant à faire. Mais le moindre geste serait un véritable délice. Dès qu'il en aurait fini avec ses exercices, il se préparerait à l'accueillir. Il évoqua son léger parfum de fleur. La soyeuse pression de sa main sur la sienne, lorsqu'elle lui dirait que tout était pardonné. Que tout était comme avant.

Plus d'une semaine s'était déjà écoulée depuis cette scène affreuse. Il voyait encore son visage empourpré et tordu de rage. Entendait encore sa voix coupante et ses paroles blessantes. Elle l'avait traité de bon à rien, de raté ridicule. Lui avait dit qu'elle ne voulait plus avoir affaire à lui. Qu'il n'existait plus pour elle. Qu'elle l'avait déjà oublié.

Ce souvenir ralluma en lui le feu de la colère. Les flammes menacèrent de s'étendre. Il avait toujours fait exactement ce qu'elle lui avait demandé de faire. Et malgré cela elle s'était montrée froide, insatisfaite, elle l'avait rejeté. Insulté !

Un raté ridicule ! Condamné à un sombre oubli pour une faute imaginaire. Impossible.

Comme il avait souffert... Il était resté longtemps sur le seuil de sa maison, blessé, avili, il l'avait implorée de le laisser entrer, il avait martelé le bois rugueux de sa porte jusqu'à ce que ses précieuses mains fussent meurtries et ensanglantées. Ses plaintes avaient déchiré le silence nocturne. En vain. Il avait encore supplié et gémi, jusqu'au moment où il avait senti l'acidité des larmes lui brûler la gorge. Et goûté l'amertume de son propre désespoir.

Mais elle avait fait la sourde oreille. Refusé de l'écouter. Cruelle, impitoyable...

Ce soir, il faudrait qu'il lui fasse prendre conscience de ce qu'elle avait fait. Il était impératif qu'elle comprenne. Qu'elle se repente si nécessaire.

Oui, qu'elle se repente ! Elle lui devait des excuses et

plus encore. De la chaleur humaine. Un souci de sa personne. Elle lui devait cela, et la dette serait payée. Le menton de Malcolm trembla. L'outrage serait réparé.

Stop !

Garder le contrôle. Levier de volonté en prise. Cobb imposa à sa respiration et aux battements de son cœur un rythme plus régulier. Ne pas penser à elle maintenant.

Maintenant, il devait se concentrer. S'absorber dans sa tâche immédiate. Le moment était arrivé. Et aujourd'hui il atteindrait la perfection.

Il prit ses affaires dans l'étroit meuble en érable qui se trouvait près de la porte et les posa sur la table ronde en chêne. Il s'assit sur une rêche chaise en raphia, glissa un doigt dans le volume le plus proche, et étudia la page ouverte pendant exactement trente secondes. Puis il referma le livre d'un coup sec, plaça le cahier relié de cuir devant lui, dévissa son stylo, et comprima le réservoir en caoutchouc jusqu'à ce qu'une perle de rosée noire se forme au bout de la plume.

Une fois prêt, il ouvrit le cahier et commença à écrire.

*Œdipe Roi : Chœur.*
*O fille de Zeus à la voix douce, venue*
*De ton mausolée pythien pavé d'or jusqu'à Thèbes*
*La divine, quelle nouvelle m'apportes-tu ?*
*Mon âme est à la torture*
*Et tremble de peur…*

Il écrivait d'une seule traite. Sa plume volait sur le papier. Son cerveau tournait à plein régime.

*O Dieu au trident ailé de mort*
*Que ton aide soit trois fois la bienvenue…*

Quand il atteignit le bas de la page de droite, il passa à celle de gauche et reproduisit le texte grec original en écrivant de droite à gauche et de bas en haut, à l'envers.

Irrésistible essor !

Il était luisant de sueur. Ses cheveux étaient collés à sa nuque. Ses joues en feu.

Mais il n'avait pas fini. Il sentait gronder en lui le bouillonnement de forces encore inexploitées.

Il tourna la page du cahier et prit deux autres volumes au hasard. C'étaient la *Neurologie fondamentale* de Gardner, et *Les Cactus de l'Arizona* de Lyman Benson. Il étudia chacun d'eux pendant exactement soixante secondes. Les pages défilaient si vite que les caractères sautaient devant ses yeux et qu'il sentait le mouvement de l'air sur son visage.

Son souffle était rauque et court, son pouls rapide.

Stop !

Il referma les deux volumes, ouvrit un second stylo et vérifia sa réserve d'encre. Il posa à côté du cahier un classeur rempli de papier ligné. Réglant son horloge interne sur cinq minutes, il inspira plusieurs fois à fond. Trois cents secondes exactement. À compter de... maintenant !

De la main droite il écrivit sur le cahier relié de cuir un essai sur la microanatomie du système nerveux : caractéristiques de la névroglie, de l'épendyme, du neurilemme ; distinction entre les vrais astrocytes fibreux et les faux, que l'on trouve dans les pituicytes de la neurohypophyse ; structure et fonction, état normal et pathologie, précurseurs embryologiques ; analyse et synthèse ; oppositions et comparaisons.

En même temps sa main gauche remplissait les pages du classeur de données sur les nouvelles classifications et nomenclatures concernant les cactacées, y compris l'opuntia commun, le *cereus*, l'échinocactus, le mammillaria, l'épithélanthe... Il ajouta des graphiques et des diagrammes illustrant la distribution géographique par espèces, et un bref traité sur la composition et l'histoire géologique des flores réparties dans les neuf régions américaines de végétation naturelle.

Attention... top !

Haletant, ruisselant de sueur, il s'appuya au dossier de sa chaise. Son cou lui faisait mal, il avait des élancements dans la tête. Ses doigts serraient encore convulsivement les stylos comme des griffes d'acier.

Il ferma les yeux et se décontracta progressivement. Il fit

le vide dans son esprit et le peupla de minces volutes vaporeuses. Sourd crépitement. Léger bain d'ions neutres.

Cinq minutes exactement.

Cobb bâilla. Ses oreilles se débouchèrent. Il se frotta les yeux et retrouva sa place dans un monde neuf. Lumineux. Merveilleux.

Il se redressa et regarda ce qu'il avait écrit.

Parfait. Magnifique ! Il était guéri. Comme elle allait être contente ! Il brûlait de le lui apprendre, d'aller le lui dire. Mais ce n'était pas la bonne solution. Elle l'avait fustigé. Rejeté. Elle avait refusé de répondre à ses lettres suppliantes, à ses appels. C'était à elle de faire le premier pas.

De son côté, rien d'autre à faire que d'attendre.

Debout à la fenêtre, il regarda les bois alentour. Son souffle embua la vitre tandis qu'il suivait des yeux le long et étroit chemin jusqu'à la route. De temps en temps une voiture passait. Cobb sentait à distance le déplacement d'air, le tourbillon de molécules aspirées.

Où était-elle ?

Nerveux, il se remit à arpenter les petites pièces, en s'arrêtant parfois pour redresser un cadre, tapoter un oreiller.

Après quelques allées et venues, il se força à s'asseoir dans le fauteuil à bascule près de la porte. Il passa un moment à feuilleter les pages du classeur et du cahier pour relire ses exercices. Irréprochables. Mais il n'en avait pas douté. Des exercices parfaits, preuves de sa renaissance.

De son obéissance aussi. Il lui avait envoyé un mot pour lui dire que ce serait tel jour. Il lui avait expliqué son plan pour la « capture » de l'enfant – élégant dans sa simplicité, parfaitement exécuté. Et malgré cela, elle ne se montrait pas.

Un début de panique s'infiltra en lui. Et si elle restait insensible à l'évidence de sa guérison ? Et si elle ne venait jamais plus ?

Mais non, c'était impossible. Il avait fait tout ce qu'elle avait demandé, et au-delà. Elle devait savoir maintenant, elle devait être au courant de tout.

Il traversa la pièce et, les doigts tremblants, ramassa le quotidien local parmi les journaux et les magazines qui s'entassaient pêle-mêle dans un coin. Oui, c'était là. Il exulta en revoyant la manchette géante à la une du journal. Ç'avait été l'événement du jour, qui avait attiré l'attention de tous les habitants de la ville. Par conséquent elle devait savoir qu'il avait réussi.

Le crépuscule envahissait le ciel serein, assombrissait l'intérieur du chalet. Cobb percevait au tréfonds de lui-même le tonnerre assourdi de son cœur, les pulsations de son sang dans ses veines, le grésillement de sa peur croissante.

Il aurait tellement voulu apercevoir au loin la lueur de ses phares, puis suivre des yeux sa haute et noire silhouette sur la terrasse de pierre. Mais, avec une angoisse toujours plus oppressante, il comprit que cela ne se produirait pas. Pas aujourd'hui.

Mais que se passait-il ?

Une vive brûlure cingla la base de son cou. Il éprouva l'inexorable effet de l'amère vapeur bleue. Qui le vidait de sa substance.

Non !

Il tenta de lui résister, mais il sentait ses forces lui échapper. Impossible. Cela venait trop tôt. Cela empirait.

Il lutta pour garder le contrôle de lui-même. Il y avait un moyen de s'en sortir, se dit-il pour calmer sa peur. L'unique voie du salut. Il prendrait à l'enfant ce dont il avait besoin. L'enfant était à lui.

## 6

Les yeux de Cinnie étaient fixés sur le panneau de verre dépoli qui séparait le box de James de la salle des infirmières, dans l'unité de réanimation du service pédiatrique de l'hôpital Fairview. Elle était fascinée par le mouvement de ces ombres vives ou vacillantes. Il y avait dans ce spectacle quelque chose de distant et de réconfortant. C'était un peu comme de contempler, à travers la vitre d'une cloche à plongeur, un univers liquide et silencieux.

Qui n'avait rien à voir avec elle.

Elle était tout engourdie d'épuisement. Comme insensibilisée. Au cours des cinq jours qui s'étaient écoulés depuis l'accident, elle avait fini par s'accorder totalement aux rythmes feutrés de l'hôpital. Un autre rouage de la machine.

La condition de James était stable. Terme désespérant, synonyme d'attente interminable. Aucun changement. Aucun progrès. Mais au moins il n'y avait pas eu d'autre alerte cardiaque. Elle se rappela en frissonnant les trois fois où la ligne verte avait cessé d'osciller sur l'écran, et où il avait fallu recourir à la réanimation.

Le cœur de Cinnie s'était arrêté aussi lorsque les grosses aiguilles avaient été enfoncées dans la poitrine de son fils, les pinces mises en place. Elle sentait encore dans son propre corps les chocs électriques qui l'avaient secoué. Et elle revivait ce terrible moment qui précède celui où la ligne plate recommence à tressaillir et à danser sur l'écran noir du moniteur cardiaque.

Le docteur Ferris était passé les voir et avait tenté d'expliquer ces incidents à sa manière sèche et clinique. Le cerveau lui-même semblait intact, mais il se pouvait que le bulbe rachidien eût quelque peu souffert. Lésion temporaire, avait-il affirmé. Ils suivraient de près l'évolution de l'état du patient, mais il était sûr que le problème cardiaque était résolu. Cinnie s'était accrochée à ses paroles comme à une bouée de sauvetage. Elle avait le sentiment qu'elle ne pouvait se fier qu'à elles, dans un monde tellement chamboulé qu'elle avait perdu tous ses repères.

Stable. Cela pourrait être bien pire, se dit-elle. *Sois reconnaissante.*

Elle respirait au rythme des divers signaux sonores émis à intervalles réguliers par les machines qui aidaient James à vivre. Ces bruits étaient comme une démangeaison à la lisière de sa conscience, irritants et pourtant étrangement réconfortants, à la façon du *flic-floc* obstiné produit par un robinet familier.

De temps à autre elle se forçait à regarder son petit garçon. Elle posait les yeux, avec un détachement dû au choc et à la fatigue, sur le crochet d'acier relié à l'appareillage de traction qui maintenait sa jambe fracturée en place, sur le fouillis de tuyaux et de sacs suspendus à un bras métallique qui l'alimentaient en fluides nutritifs et médicamenteux.

Parfois aussi elle se levait pour faire quelques pas dans l'espace restreint du box : trois jusqu'à la cloison, trois pour revenir à l'unique chaise.

Seuls les parents étaient admis dans l'unité de réanimation, et seulement cinq minutes par heure. Lorsqu'elle attendait dehors, ce temps lui paraissait dérisoirement court. Mais une fois de retour dans le box, et après un premier regard anxieux en direction de James, qui lui confirmait que tout était exactement comme avant, il ne lui restait plus rien d'autre à faire que de tourner en rond ou de contempler, assise sur sa chaise, le panneau de verre dépoli.

Quand les cinq minutes étaient écoulées, elle regagnait lentement la salle d'attente, une pièce carrée, mal aérée et trop éclairée, pleine de gens angoissés et de magazines préhistoriques. Là, d'autres parents lui posaient des questions empreintes de sollicitude. Elle répondait avec autant de précision qu'elle le pouvait. « Renversé par une voiture, disait-elle. Non, ils ne se sont pas encore prononcés. Il faut attendre. » Ils hochaient alors la tête, les yeux lourds de chagrin, de l'air de ceux qui savent. Ensuite ils lui racontaient leurs propres malheurs, d'une voix brouillée par l'incrédulité.

Elle sentait qu'il s'établissait, entre ces inconnus réunis en petits groupes dans cette horrible pièce, une sorte d'intimité immédiate. C'était un sentiment qui lui manquait. Elle avait l'impression de ne plus pouvoir communiquer avec qui que ce fût. Même le lien qui l'unissait à James semblait fragile – un fil ténu là où il y avait eu un puissant câble d'acier.

Des amis et des parents anxieux venaient, restaient un moment avec elle, et repartaient. Paul ne pouvait supporter l'endroit plus de quelques minutes à la fois, et Cinnie aimait autant ça ; c'était plus facile pour elle.

L'accident était là entre eux comme une plaie béante. Elle ne pouvait ni le tenir pour responsable, ni lui pardonner. Sa présence, qui suffisait naguère à la faire fondre de tendresse, la laissait maintenant de glace. Elle s'effrayait de constater en lui des changements qu'elle n'avait pas remarqués avant. Son visage enfantin avait acquis un air de rudesse et de circonspection, et la lueur magnétique de ses yeux noisette avait presque entièrement disparu. Cinnie était irritée par des habitudes et des tics qu'elle avait trouvés charmants : la façon qu'il avait de tortiller ses cheveux blond-roux quand il parlait au téléphone, d'incliner la tête quand il vous écoutait, de fredonner distraitement quand il n'écoutait pas.

Elle ne cessait de se remémorer cette première et impossible conversation qu'ils avaient eue deux heures après l'accident, quand il était enfin arrivé dans le service des urgences. Cinnie avait reconnu les signes de surmenage : cernes de fatigue sous les yeux, barbe de deux jours, odeur d'air confiné et de tabac.

– Qu'est-ce qui s'est passé, Cin ? Comment va-t-il ?

– Je ne sais pas encore. Ils n'ont pas fini... Où diable étais-tu, Paul ? Pourquoi n'es-tu pas allé le chercher ?

– L'horloge du studio avait une heure de retard. Il a dû y avoir une coupure de courant pendant la nuit. Je ne m'en suis pas rendu compte jusqu'à...

– Pas *rendu compte* !

Elle avait été furieuse. Comment avait-il pu commettre une telle bévue ? Pourquoi n'avait-il pas regardé sa montre ? Comment avait-il pu être aussi négligent ? James aurait pu être tué. Il n'était d'ailleurs pas encore tiré d'affaire. Elle avait serré les poings, et senti des paroles de colère lui monter aux lèvres. Mais elles étaient trop dures pour être exprimées. Trop dangereuses.

Pour une fois elle avait été heureuse de voir Lydia Holroyd, qui avait fait irruption dans la salle d'attente à la façon d'une bourrasque. Ses cheveux tirés en un chignon serré aiguisaient ses traits déjà austères.

– Mes pauvres, pauvres amis ! Je suis venue dès que j'ai appris la nouvelle. (Claquement de langue.) Vous avez une mine affreuse tous les deux. Mais ne vous inquiétez pas. Je vais appeler mon ami Walter Kampmann, le directeur de l'hôpital, et m'assurer que l'on s'occupe comme il faut de James. Walter m'adore.

Cinnie et Paul avaient regardé Lydia se diriger vers le téléphone qui se trouvait dans un coin de la salle d'attente et se lancer dans un pompeux et théâtral aparté. « Oui, mon cher Walter. Comme c'est aimable à vous. Je savais que je pouvais compter sur vous, cher ami. Certainement, je vais le leur dire. » Elle avait raccroché avec un grand geste du bras. « Tout est arrangé. Walter veillera à ce que James soit traité avec toute la diligence possible. Il a dit que vous ne deviez pas hésiter à l'appeler s'il y avait le moindre problème... »

Elle avait commencé à tirer des objets d'un grand fourre-tout noir : des jouets en plastique, tels que des boîtes et des perles encastrables. « J'ai pensé que James pourrait s'amuser avec les vieux jouets de Todd pendant son séjour ici. »

Des jouets de bébé. C'était bien d'elle. Le manque de tact de cette femme tenait du prodige. Mais Cinnie était trop hébétée pour être blessée par Lydia ou par qui que ce fût. Trop terrifiée.

La plupart des autres visites ne laissaient dans sa tête qu'un magma d'impressions floues. Il y avait Dal, qui l'étreignait sur sa poitrine généreuse. Les parents de Paul, appuyés l'un contre l'autre comme des piquets de tente. Le père de Cinnie et sa nouvelle épouse, Madeleine, se tenant par la main. Une succession sans fin de docteurs aux expressions étudiées et aux remarques prudentes. Un défilé d'infirmières aux manières brusques et efficaces, pour qui James était « l'accidenté du trois ». Un reporter du journal local était passé dire à Cinnie que plusieurs groupes de citoyens offraient une récompense substantielle à quiconque permettrait de retrouver le chauffard. Il lui avait fièrement montré l'article à la une qui parlait de l'accident de James. Le gros titre lui avait fait l'effet d'un coup en pleine figure : UNE NOUVELLE TRAGÉDIE FRAPPE LE BOIS-TYLER.

Une des rares personnes qui lui avaient laissé une impression plus profonde était Charles Allston, le shérif adjoint. C'est lui qui était chargé de l'enquête, mais il paraissait plus impatient d'être débarrassé de l'affaire que de la résoudre. Il avait déplu à Cinnie dès la première minute, avec son port de tête arrogant et son blême visage d'aristocrate. Et il avait tout de suite confirmé cette impression négative. Le salopard était convaincu que James était responsable de ses propres blessures.

– Regardons les choses en face, madame Merritt, avait-il dit. Les garçons de cinq ans sont impulsifs. Il s'est probablement précipité sur la chaussée sans voir qu'une voiture arrivait.

– James n'aurait jamais fait ça. Vous ne le connaissez pas.

Petit rire indulgent.

– Ma femme est comme ça aussi. Nos chers bambins lui paraissent toujours au-dessus de tout soupçon. Ah, les femmes !

Allston avait tellement énervé Cinnie qu'elle avait appelé le shérif Carmody pour lui demander s'il ne pouvait pas mettre quelqu'un d'autre sur l'affaire. Carmody avait grommelé des explications embarrassées. Cinnie avait eu l'impression très nette que l'attribution de cette mission échappait à son contrôle. Apparemment le shérif adjoint Allston avait des amis très haut placés.

La politique. Décidément on la retrouvait partout, même dans une unité de réanimation.

Plus que deux précieuses minutes avant qu'on ne la prie de quitter l'unité pour cette heure. Elle regarda sa montre pour la millième fois et tenta de se persuader que James se réveillerait le lendemain avant cinq heures de l'après-midi. Il se frotterait les yeux et lui dirait qu'il avait très faim. Puis il lui demanderait si c'était l'heure de son émission favorite : une rediffusion de *La Petite Maison dans la prairie*. Ils la regarderaient ensemble pendant son repas. Ce serait un épisode gai, décida-t-elle.

Elle se demanda s'ils commenceraient par lui donner une alimentation semi-liquide. Elle songea qu'il serait peut-être trop faible pour se nourrir lui-même, et qu'il lui faudrait trouver un moyen de l'aider sans froisser sa susceptibilité naissante de grand garçon. C'étaient là les pires éventualités qu'elle se permettait d'envisager.

L'infirmière de service, une femme énergique et pleine d'entrain qui avait pour nom Amy Lyttle, pointa le bout de son nez pour dire à Cinnie qu'il était temps de sortir. Dal était dans la salle d'attente. Même dans ces circonstances, les yeux bleus et brillants de son amie et son air espiègle avaient le pouvoir de lui remonter le moral. Tout en elle était généreux : le cœur, le sourire, les formes, les affections.

– Comment ça va ? s'enquit-elle.

– Rien de nouveau.

– Vous vous êtes expliqués tous les deux ?

Leurs regards se croisèrent. Celui de Dal était ferme. Cinnie détourna les yeux.

– Avec Paul, tu veux dire ? Non. À quoi ça m'avancerait ?

Dal soupira.

– Bon sang, ça t'avancerait à déballer tout ce que tu as sur le cœur avant que ça ne t'étouffe. Ça ne suffit pas de me le dire à *moi*, Cin. Si Rick me jouait le tour de ne pas aller chercher Teejay à l'heure, je le tuerais. Je lui crèverais les yeux et je lui ferais faire le tour du quartier à coups de pompe dans le derrière et je raconterais tous ses petits secrets à sa mère. Et ce ne serait qu'un début.

Les yeux de Cinnie se gonflèrent de larmes.

– C'est différent avec nous.

– Ta-ta-ta ! Paul a fait une connerie et James en souffre. Engueule-le, Cin. Dis-lui ses quatre vérités, et tu te sentiras mieux. Vous vous sentirez mieux tous les deux.

– Ce n'est pas si simple. De toute façon, ce n'est pas ce qui me tracasse. Je ne peux m'empêcher de penser à tous les enfants qui ont été victimes d'accidents au Bois-Tyler, rien que dans les dix-huit derniers mois. C'est si fou, Dal. Comment a-t-il pu y en avoir autant ?

Le visage de Dal se fit grave.

– Écoute, tu as besoin de repos, Cin. Tu deviens paranoïaque. Rentre un moment chez toi. Dors un peu. Prends un bon bain. Prépare-toi un repas décent. Je vais rester ici.

– Je ne peux pas.

– Mais si, tu peux. Il se trouve que je suis capable de me ronger d'inquiétude tout autant que toi. Plus, en fait.

Le menton de Cinnie trembla.

– Je sais. C'est simplement que…

Dal la prit dans ses bras et lui frotta le dos pour la réconforter.

– Je comprends, Cin. C'est impossible.

Toute la souffrance refoulée de Cinnie s'enfla comme une rivière en crue et déborda. Pour la première fois depuis l'accident, elle donna libre cours à son chagrin. Elle resta ainsi, blottie dans les bras chaleureux de son amie, jusqu'à ce que ses sanglots s'apaisent.

– Merci, j'en avais besoin.

Elle prit un kleenex dans la boîte posée sur le bureau de la réception et se moucha bruyamment. Les yeux de Dal se plissèrent.

– Je retrouve la Cinnie que j'aime. Pleine de cran. Va maintenant, change-toi un peu les idées. Tu ne seras d'aucune utilité à James si tu tombes toi-même malade.

Cinnie ne bougea pas. Elle avait dormi sur un des durs canapés de la salle d'attente, elle s'était douchée dans la minuscule salle de bains réservée aux patients. Elle avait très peur de laisser James seul dans un endroit pareil. Peur que le faible lien qui les unissait encore ne se brise à jamais si elle le faisait.

– Je vais rester ici, répéta Dal. Promis.

Cinnie hocha la tête. Dal était la seule personne qui semblait comprendre. James devait être protégé.

– D'accord, je vais prendre l'air deux ou trois minutes.

– Deux heures – minimum. Si Paul n'est pas là, j'irai en douce près de James pour les visites de cinq minutes.

– Une demi-heure, Dal. Sois raisonnable.

– Et toi ne sois pas stupide, Cin. C'est moi la plus forte. Maintenant file.

En arrivant aux ascenseurs, elle tomba sur le docteur Ferris. Comme toujours, l'apparence du pédiatre était très soignée. À en croire sa secrétaire, il passait les vingt premières minutes de chaque journée de travail à se récurer dans les lavabos de son bureau comme pour une opération chirurgicale. Cela concordait avec l'image irréprochable qu'il donnait de lui-même, faite de professionnalisme et de maîtrise de soi.

– Madame Merritt, dit-il avec un sec mouvement de tête. Vous rentrez chez vous ?

– Non. Je vais juste faire un petit tour.

Il hocha à nouveau la tête, impassible.

– J'ai vu les dernières analyses de sang de votre fils. Elles sont excellentes.

– Ah ! bon...

– Tout va bien, madame Merritt. Je vous le dirais si ce n'était pas le cas.

Cinnie se sentit soulagée. Ferris n'était pas du genre à vous abreuver de belles paroles creuses. Elle eut envie de lui sauter au cou, mais elle se dit qu'il se changerait probablement en statue de sel si quelqu'un tentait de se glisser à l'intérieur de sa cuirasse professionnelle sans défaut. Elle se souvint d'avoir essayé d'expliquer ainsi sa fidélité au docteur Ferris quand elle l'avait recommandé à Dal :

– C'est un excellent médecin, mais pas précisément le gros nounours affectueux.

– Alors pourquoi s'adresser à lui ?

– Je te l'ai dit, il est très compétent. Solide, consciencieux, ponctuel. Si c'est la santé de Teejay qui t'intéresse, va voir Ferris. Si c'est un débordement affectif, appelle ta mère en Floride.

Debout sous l'avancée en béton qui abritait l'entrée principale de l'hôpital, Cinnie serra contre elle les pans de son manteau bleu et enfonça la tête dans son col relevé. Elle avait froid. Elle se sentait tout endolorie. Écrasée par la vibrante immensité de ce monde étranger. L'air était épais. Le vent fort. Les lampadaires si brillants qu'ils la firent larmoyer.

Elle se mit à marcher sans but particulier. Elle descendit la longue rampe d'accès circulaire, puis longea Prescott Street en direction de Summer Street. Alors qu'elle traversait la rue à quatre voies, des voitures surgies de nulle part la frôlèrent de si près qu'elle sentit à deux reprises la chaleur de leurs gaz d'échappement. Elle entendit des bruits de klaxon. Une auto s'arrêta un peu plus loin dans un crissement de pneus et une voix furieuse lui lança : « Espèce de folle, vous tenez à vous faire tuer ou quoi ? »

Centre commercial Ridgeway. Parking congestionné. Les gens faisaient déjà leurs emplettes de Noël, passaient en flots réguliers d'une boutique à une autre. Elle tourna sur High Ridge Road, l'une des deux artères sinueuses qui reliaient les banlieues endormies de North Stamford à leur lointain cœur urbain. Paul disait volontiers que Stamford était vraiment la ville idéale : dans quel autre endroit aurait-on pu trouver toutes les horreurs d'une grande cité combinées à l'esprit de clocher et autres inconvénients d'une petite bourgade ?

Pourtant ni l'un ni l'autre n'avait jamais eu envie d'aller ailleurs. Ils appréciaient la diversité de cette ville. Aimaient ces banlieues dispersées au petit bonheur. Ils avaient choisi le Bois-Tyler parce qu'ils avaient été séduits par les charmantes bizarreries et le prix raisonnable de l'ancien bâtiment de ferme. Et ils s'étaient persuadés que ce quartier n'était ni meilleur ni pire qu'un autre.

Mais maintenant, une pensée s'imposait à Cinnie avec une force croissante : cette tranquille enclave, avec ses pelouses mouchetées de soleil et ses maisons proprettes, avait un côté sombre et inexplicable. Le titre du journal l'avait bien relevé : « Une nouvelle tragédie… »

Il y en avait eu tant…

Au cours des dix-huit derniers mois, un enfant était passé à travers une couche de glace trop fine en marchant sur l'étang communal et son cerveau en avait été affecté. Un autre avait perdu deux doigts et un œil quand un pétard qu'il avait trouvé lui avait explosé dans la main. Un garçonnet de huit ans, qui habitait allée des Fraises, avait disparu en revenant de l'école, ce qui avait déclenché une grande opération de recherches et suscité des rumeurs où il était question d'un fou en liberté ; il avait été retrouvé une semaine plus tard, hébété et crasseux, errant dans le jardin botanique à deux kilomètres de là. D'après ce que Cinnie avait entendu dire, il n'avait pas été physiquement molesté. Mais il ne parlait presque plus, ses parents devaient prendre en charge sa scolarité, et il souffrait d'horribles cauchemars. Parfois la nuit, dans son demi-sommeil, Cinnie croyait entendre ses cris. La plainte affolée d'un animal pris au piège.

Et maintenant cette série d'accidents de la circulation. Un garçon tué. La petite Laure Druce, qui marchait encore en boitillant, une lueur de douleur dans les yeux.

James.

Cinnie évoqua ses fous rires, la façon curieuse qu'il avait de pencher la tête, ses enthousiasmes illimités. Elle le revoyait – tapant dans un ballon de football, les cheveux au vent, la langue gonflant sa joue ; imitant Bruce Springsteen, en tee-shirt et jean collant ; chantant en play-back, les yeux à demi fermés, *Born in the USA*, en tortillant son petit derrière, avec un de ces cylindres en carton qu'on trouve dans les rouleaux de papier hygiénique en guise de micro.

Non, elle n'allait pas perdre un tel trésor. Pas sans une lutte homérique en tout cas. Avec une détermination toute neuve, Cinnie fit demi-tour et reprit le chemin de l'hôpital.

Il n'avait jamais été dans sa nature de se soumettre docilement aux événements. Pour la première fois depuis l'accident, elle eut envie d'agir. Elle devait trouver le moyen de rétablir le contact avec son petit garçon.

D'abord, elle retournerait à l'endroit où c'était arrivé. Se tiendrait où il s'était tenu. Éprouverait ce qu'il avait éprouvé.

La Volvo l'attendait sur le parking de l'hôpital, là où Paul l'avait garée pour elle trois jours plus tôt. Le vieux clou, négligé et transi, renâcla à démarrer, mais Cinnie parvint finalement à le persuader de reprendre du service.

Elle prit High Ridge Road vers le nord, puis s'engagea dans le labyrinthe de routes étroites qui menait au Bois-Tyler. Elle repoussa le terrible souvenir de son dernier trajet. La police, le choc. De revivre tout cela ne l'avancerait à rien. Elle tourna entre les colonnes brisées et gara la voiture.

Elle traversa Mill Road et se tint à l'endroit exact où le chauffeur du car scolaire s'arrêtait toujours pour laisser descendre James. Elle regarda sa maison, la deuxième au-delà des colonnes sur la droite, aussi froide et silencieuse qu'un bloc de neige.

Sachant que c'était ce que James aurait fait, elle monta sur l'accotement herbeux, en face des colonnes de pierre. Elle remarqua les traces de ratissage que les policiers avaient laissées dans le sol gelé. Les feuilles mortes amassées craquaient sous ses pieds. Une petite branche se brisa. Le froid monta le long de ses jambes et se concentra dans ses reins.

Tout était calme, silencieux et glacé. Cinnie imagina ce que James avait dû penser. Personne pour l'accueillir. Avait-il eu faim ? Froid ? Avait-il éprouvé un début d'inquiétude ?

Le seul bruit qu'elle entendait était la rumeur régulière des voitures qui passaient le long de High Ridge Road, à trois kilomètres de là.

Elle regarda les colonnes de pierre. Se glissa dans la peau de James, les vit avec ses yeux. Au moment où le car l'avait déposé, il n'y avait personne dans les environs. Il avait sans doute eu pour toute compagnie les deux lévriers afghans des Pavan, bondissant là-bas dans leur enclos, et le chat paresseux des Goldblatt, dormant sur le piédestal de pierre qu'il s'était attribué. James avait attendu pendant ce qui avait dû lui paraître une éternité. Et toujours personne. Alors il avait décidé qu'il n'y avait d'autre solution que de traverser tout seul.

Cinnie pouvait presque entendre ce qu'il s'était dit. « Je ne peux pas rester ici. Il faut que je rentre à la maison d'une façon ou d'une autre. Ils ont peut-être oublié. Ou peut-être que quelque chose ne va pas. Que quelqu'un est malade... »

Elle le vit prendre une profonde inspiration, redresser les épaules et lever le menton. « Je suis un grand garçon, je peux le faire, avait-il dû penser en s'efforçant de se convaincre lui-même. Il suffit d'être très, très prudent. » Puis il avait dû tourner consciencieusement la tête à droite et à gauche, comme Cinnie lui avait cent fois recommandé de le faire. Elle le vit clairement tendre l'oreille et regarder une dernière fois pour s'assurer qu'il n'y avait pas le moindre danger.

La voie était libre.

Maintenant !

Elle le vit s'avancer sur la chaussée. Un pas, puis deux. Et alors, surgi de nulle part...

Cinnie entendit le crissement de pneus. Sentit en elle le tressaillement de terreur paralysante. Non !

Elle attendit que s'apaisent les battements de son cœur et le fracas dans sa tête. Elle imagina James, recroquevillé sur le sol gelé, tout ensanglanté. Et le conducteur affolé qui prenait stupidement la fuite en laissant derrière lui un enfant blessé et seul.

Et si un autre automobiliste ne l'avait pas aperçu ? Quelle sorte de monstre avait donc pu abandonner ainsi son fils accidenté ? Une rage meurtrière bouillonnait en elle. Elle souhaita désespérément que le chauffard fût pris et puni. Mais tout ce que la police avait à montrer comme résultat jusqu'à présent, c'était un vague témoignage.

Le car déposait toujours James à midi pile. Le jour de l'accident, Lydia Holroyd était passée par là en voiture, quelques minutes après midi ; elle allait chercher Todd à l'école pour l'emmener chez le dentiste. Alors qu'elle approchait de Mill Road, elle avait entendu une voiture s'arrêter net, puis elle avait vu une berline bordeaux s'éloigner rapidement vers le sud. Cette curieuse de Lydia avait remarqué que la voiture était immatriculée dans l'État de New York. Un homme blond et assez jeune était au volant. Si seulement elle avait su qu'à ce moment précis James gisait blessé sur l'accotement, si seulement elle avait fait plus attention…

Cinnie leva les yeux vers le ciel obscur voilé de nuages denses. Pas la moindre lueur, pas la moindre étoile. Elle se rendit compte que nulle accumulation de vœux fébriles ne précipiterait la fin de ce cauchemar. Tout ce qu'elle pouvait faire, c'était rester aux côtés de son fils.

## 7

Cinnie recueillit dans deux sacs à provisions les affaires de James auxquelles il tenait le plus. Elle essayait de ne pas prêter attention à l'odeur de renfermé et au silence lugubre qui régnait dans les pièces de la maison. Elle n'y était pas revenue depuis l'accident, et éprouvait maintenant un sentiment d'étrangeté et de malaise. Paul avait tout laissé en désordre : serviettes froissées, assiettes sales, verres maculés de lait. Cinnie réprima une bouffée de colère.

Elle déposa méthodiquement dans les sacs une pile de

livres illustrés, une partie de la collection d'ours en peluche de James, un « G.I. Joe » bien amoché, un pyjama « Snoopy », des chaussons « Yankee », un baladeur, un livre de lecture et d'orthographe, des posters représentant les catcheurs André le Géant et Randy Savage « le Macho », et une station spatiale Lego à assembler. Elle ne put mettre la main sur certaines affaires : le tee-shirt préféré de James (avec les mots HARD ROCK CAFÉ), la cape de super-héros qu'elle lui avait achetée pour les vacances de la Toussaint. Elle chercha en vain son cher cartable. Il faudrait qu'elle se souvienne de demander à la police s'il avait été trouvé sur les lieux de l'accident et gardé comme pièce à conviction.

Elle s'arrêta sur le chemin de l'hôpital pour faire quelques emplettes. Elle voulait que James soit entouré de tout ce qu'il aimait. Une demi-heure plus tard, elle entra dans la salle d'attente du service de réanimation, les bras chargés de sacs en papier. Dal lui jeta un coup d'œil et partit contente.

Lorsque l'heure de la courte visite fut venue, Cinnie disposa les ours en peluche au pied du lit de James, rangea les livres et les jouets sur les chariots supportant les moniteurs, fixa avec du scotch les posters de catcheurs sur la cloison de verre et gonfla une grappe de ballons Mylar. Satisfaite, elle s'assit près de lui sur le lit et lui prit la main.

– Allons, arrête de paresser comme une marmotte, James Lucas Merritt. Il est grand temps de se réveiller et de songer sérieusement à s'amuser…

Elle scruta son visage pour y détecter la moindre réaction. Mais, hormis quelques tics nerveux, il resta sans vie.

– Allez, Jimbo. J'ai de grands projets pour nous. D'abord on va jouer aux lutteurs de sumo. Tu jetteras le sel dans le cercle et tu vendras les tickets à la foule. Moi je m'occuperai de la baraque à pop-corn, je ferai le boniment et je te déclarerai champion de l'univers. Qu'en dis-tu ?

Rien du tout.

Mais elle n'allait pas renoncer si facilement.

– Si on s'amusait à goûter des biscuits les yeux fermés alors ? J'ai pris une demi-livre de croquettes assorties chez Mme Field, et une autre au supermarché. Il y en a aux noisettes, aux noix, aux amandes. Je vais apporter en douce un peu de limonade, et on pourra se donner un sacré bon temps…

La tête de James glissait sur l'oreiller. Elle la redressa doucement et effaça une petite ride sur son front.

– Bon, écoute. Tu te réveilles maintenant, et en prime tu pourras aller au lit à l'heure que tu voudras. Pense un peu, tu pourras rester debout toute la nuit si ça te chante. On pourra regarder *Arsenio Hall* ou *Letterman*, et puis on se dégotera un ou deux vieux films en attendant *Sunrise Semester*. Je parie que tu n'as jamais vu jouer Lionel Barrymore ou Jimmy Stewart…

Elle l'observait toujours, espérant une réaction. Un signe.

– Ceci est une offre limitée dans le temps, James Merritt. Tu ferais bien de sauter dessus.

Quelqu'un s'éclaircit la gorge derrière elle.

Paul.

Il avait l'air las et tout fripé. Son visage était pâle, se yeux injectés de sang et creusés de fatigue. Le vent avait ébouriffé ses cheveux blond-roux et une mèche pendait sur son front. Elle ressentit un élan d'affection qui fut vite balayé par une vague de colère.

– Comment va-t-il ?

Des mots acerbes lui vinrent aux lèvres, mais elle les refoula.

– Il va mieux.

– Je suis tombé sur le docteur Silver en bas, Cin. Je lui ai demandé de me dire ce qu'on pouvait honnêtement espérer… Il n'a pas été encourageant.

– Silver est un abruti, dit Cinnie en se retournant vers James. Écoute-moi bien, Jimbo. Tu te réveilles maintenant, et j'ajoute un week-end à Hershey Park l'été prochain et une semaine entière à Disneyworld pendant les vacances de Noël. Tout homme a son prix, n'est-ce pas mon trésor ?

Paul toucha son épaule. Elle se raidit jusqu'à ce qu'il eût retiré sa main.

– Nous devons être réalistes, Cin. Silver dit que plus son coma se prolonge, et moins il a de chances de se rétablir complètement. Il dit que dans l'état actuel des choses nous ferions aussi bien de nous préparer au pire. Il est possible qu'il ne reprenne jamais connaissance. Et de toute façon, son cerveau souffrira probablement de lésions irréversibles.

– Non. James ira très bien.

*James*. Elle remarqua que Paul ne pouvait se résoudre à appeler leur enfant par son prénom. Il disait toujours « il ». Se sentait-il si coupable qu'il refusait inconsciemment de reconnaître que ce petit garçon blessé était son fils ? Ou considérait-il qu'un enfant diminué était comme un mariage bancal ou un enregistrement défectueux – une chose bonne à jeter et à oublier ?

– Et s'il ne s'en remettait pas ? S'il ne pouvait plus jamais marcher ou parler, Cin ? S'il devenait un débile profond ? Bon Dieu, Cinnie...

– Arrête. Il n'a pas besoin d'entendre ce genre de choses.

Les larmes montèrent aux yeux de Paul et une goutte glissa le long de sa joue. Sa lèvre trembla. « Si seulement... »

Elle caressa le front de James. Sa voix trembla aussi, mais de rage, quand elle reprit :

– Dis à ton papa que le docteur Silver est un crétin diplômé qui se spécialise en honoraires gonflés. Dis-lui que même les meilleurs médecins ne savent pas tout. Dis-lui comment tu vas montrer à tous ces docteurs Schnock que tu es le seul et unique James Lucas Merritt – un homme de fer.

– S'il te plaît, Cin...

Cinnie se retourna vivement, les yeux brillants de colère.

– S'il te plaît quoi, Paul ? S'il te plaît, fais comme si c'était un cas désespéré parce que je dis que c'en est un ? S'il te plaît renonce ? Eh bien, je ne renonce pas à James. Si c'est ce que tu veux faire, va le faire ailleurs. La dernière chose dont il ait besoin en ce moment, c'est quelqu'un qui l'enfonce encore un peu plus... Maintenant, Jimbo, parlons sérieusement. Livres ou radio ? Bon, alors quel livre veux-tu que je te lise en premier ?

Elle sentit Paul hésiter derrière elle. Elle ne pouvait le regarder, ni trouver d'autres mots à lui dire. Le silence était tel qu'elle craignait qu'il ne l'engloutisse si elle faisait le moindre mouvement. Elle resta figée comme une statue jusqu'à ce qu'il fût parti.

Puis elle prit un livre parmi ceux qu'elle avait apportés. C'était *La mauvaise, l'horrible, l'exécrable journée d'Alexandre*. Parfait.

Lorsqu'elle tourna la dernière page, les cinq précieuses minutes étaient écoulées. L'infirmière de service passait de box en box, invitant les visiteurs à sortir. Paul attendait Cinnie dans le couloir. Il avait sur le visage cette expression de chiot battu qui était aussi celle de James quand il savait qu'il avait fait quelque chose de mal.

James avait toujours tellement ressemblé à Paul : même apparence physique, même caractère. D'une certaine façon, ils étaient tous les deux des petits garçons qui se donnaient beaucoup de mal pour avoir l'air forts et indépendants. Ce n'était pas un rôle facile à tenir. Paul en avait souffert, c'était visible. Cinnie sentit la compassion noyer ce qui lui restait de colère.

– N'écoute pas Silver. Il essaye seulement de se couvrir. Il a peur qu'on le poursuive en justice s'il commet le péché mortel d'optimisme.

– J'espère que tu as raison, Cin.

– J'ai raison. Il le faut.

Leurs yeux se rencontrèrent. Elle éprouva toutes sortes d'émotions contradictoires : amour, blessure morale, chagrin, terrible sentiment de solitude.

– Pouvez-vous prendre dans vos bras quelqu'un qui en a grand besoin, monsieur ?

Étrange comme ils formaient un couple parfaitement assorti, même maintenant. Tout, en cet instant, était solide, chaud, douloureusement familier. La joue de Cinnie se nicha au creux de l'épaule de son mari, et il pressa sa propre joue contre ses cheveux à elle. Elle aurait voulu se dissoudre dans cette chaleur et disparaître. Mais rien n'était jamais aussi simple.

Les visiteurs devaient quitter l'hôpital avant neuf heures. Lorsque Paul fut parti, Cinnie se coucha en chien de fusil sur le canapé bleu qui se trouvait dans un coin de la salle d'attente et glissa bientôt dans un sommeil agité. Elle rêva que James jouait au basket, se démenait sur un plancher verni. Mêlée de jambes fébriles et de bras tendus vers le ciel. James à présent grand et mince. Visage rayonnant de petit garçon sur un corps souple d'adulte. Rien dont il ne soit capable. Vas-y, James !

– Madame Merritt ? Madame Merritt ? Réveillez-vous !

Cinnie sursauta. Une infirmière grassouillette, au visage maussade entouré d'un halo de cheveux frisés, se penchait sur elle. Sa bouche devint sèche. Un élancement douloureux monta à ses tempes, et elle se raidit dans l'attente du pire.

– Qu'est-ce qu'il y a ? C'est James ? Il est… ?

Un sourire vint adoucir les traits rudes de la femme.

– James va bien, madame Merritt. En fait, il vous demande.

## 8

Quand le téléphone sonna, Jérémie Drum venait de prendre deux pions à Booker et menaçait une tour stratégiquement importante.

Booker leva sur lui des yeux modérément curieux et continua à étudier son jeu. Coudes vissés sur la table de la salle à manger, menton dans les mains.

Autre sonnerie.

– C'est pas pour mézigue, dit Booker en haussant ses frêles épaules.

– « Pas pour *moi* », champion.

– C'est c'que j'ai dit.

Drum prit tout son temps pour traverser la pièce. Deux autres sonneries. Sans doute quelqu'un qui voulait lui vendre un nettoyage de moquette ou lui demander d'adhérer au Comité pour Sauver la Tourte aux Oignons…

Le foutu téléphone avait sonné toute la soirée. Rien que des automates ou assimilés à l'autre bout du fil. Qui voulaient tous quelque chose. Et Drum n'était pas d'humeur à se laisser distraire. Les échecs exigeaient de la concentration. Et un gosse de l'attention. Il resta près du téléphone, une main sur le combiné, et regarda Booker.

Le lustre de cristal piquetait de points lumineux sa peau couleur de chocolat. Ses yeux d'onyx luisaient comme un miroir dans la pénombre. Un pli dur déformait sa bouche.

Il avait eu le même air quand il avait essayé de vendre la Rolex volée à Drum. Presque un an déjà. Incroyable.

À l'époque, Drum travaillait sur une affaire d'escroquerie immobilière à grande échelle. Un gang local d'aigrefins particulièrement cupides avait mis sur le marché des titres concernant un projet géant de complexe commercial. Tout se serait fort bien passé, s'ils ne s'étaient rendus coupables d'une petite erreur de calcul. Les parts représentaient deux cent soixante pour cent du projet original, et les artistes cherchaient encore d'autres pigeons à plumer.

Les parts en question ne descendaient pas au-dessous du demi-million de dollars, aussi Drum avait-il su qu'il lui faudrait passer pour un type plein aux as. Le shérif Carmody avait poussé les hauts cris, mais Drum avait réussi à lui faire lâcher l'argent nécessaire à l'achat d'un costume en cachemire fait sur mesure, de gants Ferragamo et d'accessoires en soie qui étaient, comme il l'avait patiemment expliqué, indispensables à l'accomplissement de sa mission. Carmody avait aussi gueulé au sujet de la coupe de cheveux à cent dollars et de la Mercedes 560 de location, celle-là même à laquelle Drum était nonchalamment adossé lorsque le gosse s'était matérialisé près de lui avec sa montre.

Le môme avait de grands yeux. Froids comme des plombs de chevrotine. Drum connaissait ce regard-là, et aussi les sentiments qui allaient avec.

– Seulement trois cents dollars, m'sieur. Pas de TVA. Une très bonne affaire !

La Rolex était authentique : or véritable, diamants véritables. Son statut d'objet volé ne faisait aucun doute lui non plus. Quant au gamin, il était mince, vif, et peu bavard. Un gosse de la rue. Il ne pouvait avoir plus de huit ou neuf ans, mais Drum devinait sans peine que ça n'avait pas été des années faciles.

Il n'avait eu d'autre solution que d'abattre sa grosse

main sur le maigre poignet du gamin et de montrer sa plaque de policier.

– En plein dans le mille, petit. Tu es en état d'arrestation.

Le môme n'avait pas bronché.

– D'accord, d'accord. Disons deux cent cinquante alors. Réduction spéciale pour flic.

Le petit bandit en avait dans la culotte. Mais ce n'était pas là son meilleur atout. Drum avait tout de suite vu qu'il était différent de ces petits voyous aux yeux morts qui essayaient de se faire passer pour des enfants dans les quartiers les plus misérables. Pour certains d'entre eux, aussi jeunes que ce marmot, il n'y avait plus le moindre espoir. Mais celui-ci était encore dans la course. Plein de cran. Et malin comme un singe. Ce qui, Drum le savait bien, pourrait le servir ou le desservir, selon les circonstances.

Le gamin avait passé deux jours dans un centre de détention pour mineurs. Un endroit certes pas idéal, mais probablement bien meilleur que ce à quoi Booker était habitué. Là au moins il pouvait avoir des repas chauds, des draps propres, une bonne engueulade si nécessaire. Drum était passé deux ou trois fois au centre pour voir comment il s'en tirait. Malgré le défilé d'inconnus et l'incertitude quant à son sort, le cran du garçon ne s'était pas démenti. Drum admirait cela chez un môme. Chez n'importe qui d'ailleurs.

Il n'y avait eu aucune surprise quand les services sociaux avaient enfin envoyé leur rapport. Le pauvre petit rat de caniveau avait une mère droguée qui croupissait en prison, et pas de père connu. Drum supposait que c'était pour cela qu'il se faisait appeler par son prénom seul. Il avait vécu chez une grand-mère qui avait été victime d'une violente agression deux ans auparavant. Comme Booker l'avait expliqué à l'assistante sociale, les voyous avaient été déçus de ne trouver que deux ou trois dollars dans le sac à main qu'ils lui avaient arraché, alors ils avaient exprimé leur mécontentement en utilisant l'extrémité plombée d'une matraque. Le lendemain matin, Booker l'avait trouvée sur le palier de leur appartement. Elle était parvenue à se traîner jusque-là avant de s'écrouler. Il avait appelé le 911, mais il avait bien vu qu'il n'y avait plus aucune urgence. Dans ce quartier, vous appreniez à reconnaître un mort dès votre plus jeune âge. Bientôt le vieil immeuble avait grouillé de policiers. Booker avait profité de la confusion pour disparaître. Il ne voulait surtout pas être pris en charge par l'administration. Un sentiment que Drum était bien placé pour comprendre.

Depuis, il s'était débrouillé tout seul, vivant ici ou là, faisant des petits boulots ou des commissions pour les gens. Rien d'illégal, comme il s'empressait de l'affirmer pour se disculper d'avance. Rien de pire en tout cas que des bulletins de paris hippiques, ajoutait-il d'un petit air innocent. Les ventes dans la rue n'étaient qu'une activité secondaire. Il ne revendait que ce qu'on voulait bien lui confier, et ne s'occupait que de marchandises de première nécessité : chaînes en or, montres de luxe, articles de cuir exotiques.

Le fin mot de l'histoire, c'était qu'il remettait le plus gros de ses gains à un reptile humain pesant une demi-tonne, qu'on appelait naturellement Microbe. En échange, Microbe avait laissé Booker respirer la quantité minimale d'air nécessaire à sa survie.

Le reste était prévisible. Négligence médicale, malnutrition. Absentéisme scolaire chronique. Et ce n'était pas le pire. Drum avait lu la triste histoire d'un bout à l'autre, et décidé de garder le gosse jusqu'à ce qu'on lui trouve un foyer décent et permanent.

Sinon, il savait que Booker serait jeté comme un poisson trop petit dans la machine administrative et transféré d'une famille dans une autre jusqu'à ce qu'il atteigne sa majorité, ou se sauve, ou un peu des deux. Drum connaissait le scénario par cœur, et personne n'aurait eu l'idée d'y voir une comédie légère.

Stella avait feint d'être très fâchée quand Drum était arrivé à la maison avec le môme dans son sillage. « Encore un de tes chats perdus, Jerry ? »

Mais Drum avait bien vu qu'elle s'attendrissait déjà sous son masque de sévérité. Ses yeux souriaient tandis qu'elle inspectait les ongles de Booker, regardait derrière ses oreilles, et lui ordonnait de prendre un bon bain chaud. « Ne lésine pas sur le savon, mon gars. Et il va falloir te trouver des vêtements neufs. Et tu as l'air d'avoir drôlement besoin d'un bon steak-frites avec un grand verre de lait… »

Stella était une allégorie de la Terre Nourricière. Des hanches épaisses, des jambes solides, une poitrine où on pouvait se perdre pendant des journées entières. En la voyant ainsi avec Booker, Drum avait regretté qu'ils n'aient pas pu avoir d'enfants à eux. Cette femme était faite pour avoir une maison pleine de bruyante marmaille.

Booker avait réagi à la sollicitude maternelle de Stella en accentuant ses manières fanfaronnes de petit marlou et en renaudant tout bas, d'un air vexé et furieux. Il n'avait manifestement pas l'habitude d'être traité comme un enfant. Mais Drum avait tout de suite vu que tout allait bien se passer. Stella avait le don de faire ressortir ce que les gens avaient de meilleur en eux. Elle était capable de trouver l'unique morceau de sucre dans un tombereau de crottin de cheval. Elle avait même réussi à trouver en lui, Drum, quelque chose qui valait la peine d'être sauvé. Cela avait dû demander un sacré effort d'imagination.

De toute façon, Booker ne resterait pas longtemps chez eux. Drum s'était répété que le môme serait placé dans un vrai foyer d'ici une semaine ou deux.

Bon, ça ne s'était pas révélé aussi facile qu'il l'avait cru. Mais rien n'était jamais aussi facile qu'il le croyait.

Booker déplaça sa tour menacée et croisa les bras.

– Échec au roi, m'sieur Drum.

Le visage du gamin s'éclaira comme une chandelle romaine.

– J'vous mets échec et mat en trois coups. Vous abandonnez ?

– Compte là-dessus ! Et ne touche à rien. Mets ces petites pattes fureteuses là où je peux les voir.

Le téléphone, qui s'était tu un moment, recommença à sonner. Drum soupira et décrocha.

– Drum ? C'est Dan Carmody. J'espère que j'te dérange pas.

– Dan Carmody ? Je regrette, le seul Dan Carmody que je connaisse est le chef de la police de Stamford. Et je ne vois pas pourquoi ce fils de pute appellerait un pauvre vaurien excommunié comme moi.

Il adressa un clin d'œil à Booker, qui leva les yeux au plafond.

– Très bien, Jerry. C'est comme tu veux. J'avais quelque chose pour toi. Mais si ça ne t'intéresse pas…

Drum hésita. Mais pas longtemps. Cela faisait trois mois qu'il avait été mis à pied sans salaire. Il en restait encore trois, et déjà les factures impayées semblaient acquérir une vie et une personnalité bien à elles et fort inquiétantes.

– Peut-être. Ça dépend de c'que c'est.

Un gloussement, puis :

– Quelque chose dans tes cordes. Fais-moi confiance.

– … dit le serpent.

– Okay, grande gueule. Tu m'en veux encore de t'avoir mis au vert un moment ? C'est ton droit. J'ai fait ce que j'avais à faire.

– Moi aussi, Carmody.

– Tu connaissais les règles du jeu, Jerry. On ne fout pas des raclées aux gens, même s'ils l'ont bien cherché. Surtout si ces gens s'appellent Di Biasi. La moitié de la ville m'a demandé des comptes quand tu as rossé ces voyous. Brutalité policière, qu'ils braillaient, comme si ces gars-là étaient des enfants de chœur. Je n'ai pas pu faire autrement que de te suspendre, et tu le sais bien.

Drum rumina un instant sa rancœur en silence. Ça l'emmerdait vraiment quand Carmody avait raison. Il savait qu'il aurait dû se contenter d'embarquer ces ordures quand il les avait surpris en train de vendre du crack à la porte d'une école primaire, mais ses poings avaient été plus rapides que sa pensée. Vieille rengaine.

– Je sais, Carmody. Vous m'avez mis au vert pour mon propre bien. Et je vous en suis reconnaissant. Vraiment.

– Ça va, Drum. Alors ça t'intéresse de bosser un peu pour moi ou non ?

– J'ai dit que ça dépendait. De quoi il s'agit ?

– Pas maintenant. J'me suis jamais fié à un foutu téléphone. On se retrouve à l'endroit où on a chopé le grand maigre. Tu vois de quoi je parle ?

– Ouais, d'accord. dans une demi-heure ?

– Entendu.

Drum raccrocha et regarda Booker dans les yeux.

– Qu'est-ce que tu as bougé, espèce de petite belette ? Tu as triché ?

– Sûrement pas ! Vot'jeu était trop ouvert. Vous croyiez qu'j'allais utiliser une défense sicilienne classique, pas vrai ? Vous étiez loin d'penser qu'j'avais sacrifié ces deux pions exprès. À mon avis, vous faisiez pas très attention.

Drum examina l'échiquier quelques instants, hocha la tête, et jeta une pièce d'un dollar sur la table.

– Tu sais bien que tu peux me battre une fois de temps en temps, champion. Je suis un vieil homme.

– Z'êtes pas si vieux qu'ça.

Drum tapota la tête du gamin et lui pinça la joue. Il engraissait vite maintenant que Stella le gavait comme s'il avait été une dinde deux semaines avant Noël.

– Très bien, alors demain je te mangerai tout cru. Pour l'instant il faut que j'aille faire un petit tour.

– Où vous allez, m'sieur Drum ? J'peux aller avec vous ?

Drum hésita. Les yeux du môme étaient suppliants. Ce moustique savait y faire.

– Ça ne plairait pas à Stella, Book. Tu sais qu'elle tient à ce que tu ailles te coucher de bonne heure quand tu vas en classe le lendemain. Veux-tu que j'appelle Mary Ellen, notre rusée voisine ? Je suis sûr qu'elle viendra te border dans ton lit et te donner un gros bisou, sacré veinard !

Booker ne mordit pas à l'hameçon.

– Mme Drum chante dans cette boîte de Norwalk ce soir. J'parie qu'on s'ra rentrés bien avant elle.

– Ça, c'est à voir. Et d'ailleurs il est impossible de lui cacher quoi que ce soit. Crois-moi, j'ai essayé.

Booker avait déjà enfilé son anorak bleu. Il remonta la fermeture éclair jusqu'à sa poitrine et rabattit le capuchon sur son front.

– Je prends le risque. Je vais avec vous.

– Tu seras consigné à la maison. Nous serons consignés tous les deux. Sans doute pour la vie.

– J'ai pas peur. Et vous ?

Drum saisit le gamin par le cou et le poussa vers le garage. Booker était tout excité. On aurait dit une bouteille de Coca qu'on vient d'ouvrir.

– Qui c'est qu'on va poisser, m'sieur Drum ? Qui c'est qui va passer un sale quart d'heure ?

– Nous, petit. Je te l'ai dit. Si Stella s'aperçoit que je t'ai laissé venir avec moi, elle tirera d'abord et posera des questions ensuite. Ne t'avise jamais de contrarier cette femme, Book. Quand elle se fâche, c'est pour de bon.

– Et si on s'arrêtait au retour pour lui acheter ces chouettes fleurs roses qu'elle aime tant ?

Drum éclata de rire.

– Bonne idée, champion. Tu t'en chargeras.

– Vous m'laisserez mettre le moteur en marche, m'sieur Drum ? Vous m'laisserez m'occuper d'la radio ? J'suis votre adjoint, d'accord ?

– D'accord. Mais quand je parlerai avec le chef, il faudra te faire tout petit, compris ? Il faudra être invisible. Il tient à ce que ceci reste strictement confidentiel. *Top* secret, pigé ?

– Ouais, j'sais tenir ma langue. Qu'est-ce que vous croyez qu'il attend de vous, m'sieur Drum ? Peut-être que sa femme le trompe et qu'il veut que vous chopiez le type.

High Ridge Road. Washington Boulevard. Ils traversèrent l'ancien quartier de Booker. Drum jeta à ce dernier un coup d'œil à la dérobée, en se demandant s'il regrettait quelque chose de cette vie-là.

Ce n'était pas la couleur locale qui manquait. Putains en talons aiguilles et jupes en latex de la taille d'un sparadrap, marché de la drogue très animé en plein air, bandes de gosses remuants et désœuvrés au coin des rues. Un type – mort, ivre, ou les deux – était allongé à plat ventre sur le trottoir, dans une flaque de quelque chose que Drum préféra ne pas regarder de trop près. La grande devanture d'un magasin d'appareils ménagers avait volé en éclats. La troisième du quartier cette semaine d'après la feuille de chou locale, et on n'était que lundi. Un endroit vraiment idyllique.

Si Booker éprouvait quelque nostalgie, cela ne se voyait pas. Ses yeux étaient rivés sur un livre d'orthographe de CM1. Il articulait en silence chaque mot, fermait les yeux et se le repassait dans sa tête. Le môme était bien décidé à gagner le prochain concours d'orthographe regroupant toutes les écoles de la ville. Maintenant qu'il avait goûté à la compétition, on ne pouvait plus l'arrêter. Et comment pouvait-il lire ainsi dans le noir ?

Ils passèrent sous l'autoroute du Connecticut, traversèrent un labyrinthe de petites rues, et atteignirent cette partie de la ville qui se niche le long du rivage, face au détroit de Long Island. Les usines et les entrepôts cédèrent la place à des complexes immobiliers, des restaurants chic et des boutiques à la mode. Drum se souvenait du temps où il n'y avait là que des kilomètres de côte inhospitalière. N'importe qui pouvait s'en croire le propriétaire alors.

Drum voulait mettre Booker en garde contre certaines pensées. Inutile que le môme refasse les mêmes erreurs que lui. Autant lui laisser l'occasion d'en faire de nouvelles.

Il éteignit les phares de la Mustang avant de franchir le portail ouvert d'Intell Industries, une boîte de consultants qui louait ses services à plusieurs grosses corporations du comté de Fairfield. S'il avait bien compris, ces sociétés payaient très cher les cerveaux d'Intell pour ne pas avoir à trop fatiguer les leurs.

Et on l'accusait de tricher !

Il contourna le bâtiment principal, un haut bloc de béton qui dominait les eaux grises et écumeuses du détroit. Une tombe avec vue sur la mer.

La dernière fois qu'il était venu là, ç'avait été pour pincer un sagouin nommé Drew Whittaker, un type grand et si émacié qu'on pouvait étudier le réseau de ses veines comme une carte routière et compter ses côtes à travers son manteau. Pendant l'enquête, les flics avaient pris l'habitude de l'appeler « le grand maigre ». Au poste ils blaguaient entre eux en disant que Whittaker, c'était trois cents os (zoos) et un seul macaque.

Le grand maigre avait été un des plus brillants éléments d'Intell Industries. L'enquête avait révélé que quand il ne se creusait pas les méninges au profit des clients de sa boîte, ses pensées se tournaient vers les petites filles qu'il enlevait sous la menace d'un couteau et amenait sur le parking d'Intell après les heures de travail.

La voiture banalisée du shérif Carmody était garée sur une étroite et sombre aire de livraison ; le moteur tournait au ralenti, le pot d'échappement crachait d'épais nuages de gaz. Drum se faufila dans ce qui restait d'espace et ouvrit vivement la portière de la Mustang, qui heurta celle de la voiture de fonction de Carmody avec un vilain craquement métallique.

– Bon Dieu, Jerry ! Qu'est-ce que tu fabriques ?

Drum descendit et examina la portière de sa « beauté noire » – année 1969, faible kilométrage, moteur d'origine. Malgré le soin minutieux qu'il apportait à son entretien, il avait remarqué dernièrement quelques petites taches de rouille ici et là. Mais dans la situation impécunieuse où il se trouvait, il s'était demandé comment il allait bien pouvoir faire repeindre sa petite chérie.

– Tss, tss ! J'ai l'impression que le département va devoir lâcher un peu d'oseille pour que ma pouliche se refasse une beauté, Carmody. Sans rancune, mais la prochaine fois essayez de mieux garer votre guimbarde, voulez-vous ?

Carmody s'extirpa lourdement de son siège. Le vent rabattit sur une oreille écarlate les mèches de cheveux kaki qu'il utilisait pour dissimuler sa calvitie partielle. Ses bajoues et sa bedaine tremblotaient comme de la gélatine. Pas étonnant, si on pensait que ce vieux Dan faisait partie de ces gens qui prennent le flan au fromage blanc pour un légume vert.

Carmody évalua d'un air morose les dégâts sur les deux voitures.

– Tu exagères, Jerry. Si tu veux retrouver une place honorable chez nous, il n'y a pas que ton sale caractère qu'il faudra mettre en veilleuse. On a parlé plus d'une fois de cette façon que tu as d'en prendre à ton aise avec les notes de frais. Et bon Dieu, qu'est-ce que c'est que ça ?

Il pointa un doigt boudiné vers la paire d'yeux brillants et la silhouette qui se tassait sur le siège avant de la Mustang.

– Un chat errant. Ne vous en faites pas. Il n'entend pas très bien et ne parle que le français.

Carmody regarda de plus près et fronça les sourcils.

– Hé ! c'est un gosse. Où diable as-tu trouvé un gosse ?

– À la salle des ventes. Écoutez, je suis un homme occupé. Vous avez quelque chose pour moi ou non ?

Carmody renifla et repoussa ses cheveux en arrière.

– Je t'ai prévenu, Jerry. Ceci doit rester entre nous. Strictement confidentiel. Si ça s'ébruite, j'aurai des tas d'explications embarrassées à donner.

– Très bien. Je comprends parfaitement. Prenez bien soin de vous, chef. Et n'oubliez pas vos prières.

Il mit ses mains dans ses poches et se tourna vers la Mustang.

– Attends, Drum. Du calme, mon gars.

Drum fit la sourde oreille.

– Allons, Jerry. Ne sois pas comme ça. Je déteste quand tu prends la mouche comme ça.

Les doigts de Drum serraient déjà la poignée de la portière. Il connaissait Carmody depuis toujours. Le chef avait fait ses classes avec son père. La plupart du temps, Drum pouvait le manœuvrer les yeux fermés. Carmody soupira.

– D'accord. Tu as gagné. Maintenant on ne joue plus. C'est du sérieux. Je suis dans le pétrin avec cette histoire de chauffard et je m'enfonce vite. Six gosses ont été blessés ou tués au Bois-Tyler dans les dix-huit derniers mois. Non seulement les habitants réclament une tête, et la mienne fera parfaitement l'affaire, mais Charlie Allston est bien décidé à profiter de ce merdier pour se débarrasser de moi.

– Alors pourquoi avoir mis ce nazi sur l'affaire, Carmody ? Vous ne semblez pas avoir de tendances suicidaires.

Le chef haussa les épaules.

– Pas le choix. Tu sais qu'Allston a le maire, Schippani, dans sa manche. Ces deux-là font équipe depuis leur naissance ou presque. Dès que cette affaire a été connue, Schippani m'a appelé pour me demander de la confier à son copain, et c'est exactement ce qu'Allston attendait.

– Je ne pige pas, dit Drum.

Carmody soupira encore.

– C'est facile à comprendre, une fois qu'on a vu clair dans son jeu. Je pense qu'il va saboter l'enquête et imputer l'échec qui s'ensuivra à mon incompétence. Alors il glissera quelques mots bien choisis dans l'oreille de Schippani, au sujet de plusieurs autres affaires explosives que je n'ai pas résolues. En particulier celle du petit Wilder, qui a disparu l'année dernière pendant six jours et qui en est resté très perturbé. J'ai mis la moitié de mes hommes sur cette affaire, et toujours aucun suspect. Pas vraiment de quoi se vanter.

– Et où est-ce que j'interviens là-dedans ?

– Tu as toujours eu une façon bien à toi de t'attaquer à ce genre de cause perdue, Jerry. Je ne sais pas comment tu t'y prends au juste, et je crois bien que je préfère ne pas le savoir. Mais il me faut ce chauffard. Je veux voir ce dossier quitter mon bureau au plus vite. Et je pense que tu es le Houdini qui peut le faire disparaître.

Drum accepta le compliment. Essaya d'en tirer parti.

– Alors réintégrez-moi.

Le shérif renifla derechef.

– Tu sais bien que je ne peux pas faire ça. Et je ne peux pas non plus te mettre officiellement sur cette affaire. Mais je suis prêt à discuter des conditions financières si tu l'es aussi. Alors qu'en dis-tu ?

Drum sourit de toutes ses dents.

– Vous venez de prononcer les paroles magiques, mon cher. Maintenant dites-moi ce que vous avez en tête, et j'en ferai autant. Et je parie qu'au moins un de nous deux partira d'ici très content.

## 9

Carmody partit le premier. Sa voiture s'éloigna en cahotant sur l'allée mal goudronnée d'Intell Industries et s'engagea sur la route à quatre voies. Drum retint sa Mustang ; la beauté noire avait une façon bien à elle de piaffer d'impatience, surtout quand elle était d'excellente humeur.

Lorsque les feux arrière du tacot de Carmody eurent disparu, Drum franchit à son tour le portail, puis passa en troisième et lâcha la bride à la Mustang sur la large chaussée déserte et spectrale. La vitesse lui fit un effet revigorant.

Booker agrippa la poignée intérieure en poussant un cri

d'enthousiasme. Drum freina et revint à la vitesse autorisée. L'espace d'une seconde, il avait oublié que le môme était là. On ne s'habituait pas comme ça à la présence d'un enfant.

– Une voiture n'est pas un jouet, Book. Tu te souviens ?

– Oui, m'sieur Drum.

– Alors vas-y, récite.

– Une voiture n'est pas un jouet. Un véhicule est un outil puissant et une grande responsabilité. Quiconque se prend pour un coureur automobile ou un cow-boy quand il conduit est le dernier des crétins.

– C'est ça, champion. C'est tout à fait ça.

Ils roulèrent un moment en silence, un silence haché menu par le tic-tac syncopé de l'horloge du tableau de bord. Drum prêta l'oreille au souffle régulier du vent et au ronronnement feutré du moteur. Agréable.

Mais en passant sous l'autoroute, le fracas des voitures et des camions qui franchissaient la travée métallique au-dessus de sa tête le fit grimacer. Son esprit était plein de funestes associations d'idées. Qui disait bruit disait ennuis. Et les ennuis vous lâchaient difficilement.

Il remarqua que l'action tendait à s'intensifier dans l'ancien quartier de Booker. Alors qu'ils étaient arrêtés à un feu rouge, un coup de feu éclata. Drum repéra le type qui avait tiré, un jeune Latino au museau de furet qui courait ventre à terre vers une école désaffectée. Il brandissait un semi-automatique qui fumait encore.

Le gars sauta par-dessus la clôture métallique qui entourait l'école et continua à courir frénétiquement à travers la cour jonchée de gravats. Drum baissa un peu sa vitre et perçut le craquement du verre qui se brisait sous les pieds du type. L'idiot était très pressé d'arriver là où il allait, c'est-à-dire nulle part. On entendait déjà les sirènes de police.

Drum se rappela quelle impression ça faisait de courir ainsi pour essayer d'échapper à sa propre stupidité. Muscles en feu, poumons brûlants, cœur sur le point d'éclater comme un ballon trop gonflé. La peur au ventre. Nul endroit où se réfugier. Pas d'issue.

Il résista à l'envie d'arrêter la voiture et d'aider à la capture du tireur. Carmody lui avait fermement conseillé de ne pas trop se faire remarquer jusqu'à ce que l'histoire de sa petite prise de bec avec les frères Di Biasi soit à peu près oubliée. C'était ou ça, ou rester indéfiniment sur la touche. Le choix était facile.

Booker ne pipa mot jusqu'à ce qu'ils eussent dépassé la sombre masse du magasin Bloomingdale – la grande ligne de partage.

– V'z'allez l'attraper, m'sieur Drum ? V'z'allez l'pincer, ce salaud qui a renversé le petit gosse et qui s'est enfui ?

– Qu'est-ce que ça peut te faire ?

Drum cacha son amusement. Booker avait dû lire sur les lèvres de Carmody. Un vrai tour de passe-passe, étant donné que le chef avait eu le dos tourné à la Mustang et avait chuchoté pour que le môme ne l'entende pas. Mais il était comme Stella. Rien ne lui échappait. Ce moustique irait loin, pensa Drum – mais dans quelle direction ?

– Ce petit gosse est dans mon école, reprit Booker. Il est dans la classe de Mme Biondi. Je le vois en PME.

PME signifiait Programme réservé aux Meilleurs Éléments. Il avait fallu à peine cinq minutes aux responsables de l'école primaire de Davenport Ridge Road pour s'apercevoir que le gamin était exceptionnellement doué. Et depuis ce n'étaient que programmes spéciaux, cours d'informatique, sorties éducatives jusqu'à plus soif.

– Il est gentil ? demanda Drum.

– Ouais. Il est chouette. Faut trouver l'salaud qui a fait ça. Faut envoyer c'dégonflé au trou, m'sieur Drum. Si quelqu'un peut l'faire, alors vous l'pouvez. V'z'êtes le meilleur flic du pays.

Drum ébouriffa les cheveux de Booker. Il se rappelait qu'il avait pensé la même chose de son père. La seule différence était que son père l'avait mérité. Matthew Drum était grand et puissant comme une montagne. Quand Jerry était petit, il se tenait dans l'ombre de son père et avait l'impression d'être sous un dôme protecteur en acier. Rien de mal ne pouvait lui arriver alors. Personne n'aurait osé lever le petit doigt sur lui tant que le grand Matt était dans les parages.

Son père l'avait emmené deux ou trois fois avec lui en

patrouille de nuit. Il devait avoir l'âge de Booker à l'époque, ou un peu moins. Mais il sentait encore sur sa peau le cuir froid de la vieille Plymouth, voyait encore les yeux vifs de son père qui brillaient comme des émeraudes dans l'obscurité, à l'affût du moindre désordre.

Drum avait rêvé de devenir quelqu'un comme son père. Un bon flic, respecté et solide. Il ne savait pas alors combien les rêves pouvaient être fragiles. Une étincelle et il ne restait plus qu'un âcre tas de cendres.

Au moins son père était-il parti assez tôt pour ne pas voir le pire. Drum rougit à ce souvenir.

Allons, Jerry. Pense plutôt à cette mission. Carmody veillerait à ce qu'il touche les vingt mille dollars offerts en récompense par les groupes de citoyens s'il réussissait à alpaguer le chauffard. Et s'il livrait la marchandise rapidement, le chef avait promis de racler les fonds de tiroir du département pour ajouter une prime de cinq mille dollars. Mais si Drum revenait bredouille, il ne pourrait compter que sur les notes de frais et une minable indemnité journalière.

Pas tout à fait les conditions que Drum avait espérées, mais les meilleures qu'il avait pu obtenir compte tenu des circonstances. Mieux que rien, beaucoup mieux, ne cessait-il de se répéter, tout en sachant pertinemment qu'il se retrouverait à peu près Gros-Jean comme devant si la chance ne le favorisait pas. Et il se rendait compte qu'après cinq jours ses chances étaient bien maigres. La piste du salopard était sans doute assez refroidie pour qu'on puisse patiner dessus, surtout si Allston faisait tout son possible pour saborder l'enquête.

Drum avait très envie de fumer pour que se desserre ce nœud au creux de son estomac. Certes, il y avait plusieurs mois qu'il avait renoncé au tabac. Les ordres du toubib, plus les remarques continuelles de Stella lui enjoignant d'être un exemple pour le gosse. Parfait en théorie. Le problème, c'était que le tabac n'avait pas renoncé à lui. Il inspira à fond, puis laissa l'air s'échapper en un mince filet paresseux. Il se sentit mieux.

– Ça va, m'sieur Drum ?

– Ouais, champion. En super-forme.

Il alluma la radio et chercha une station. Le môme aimait le jazz. Dizzy Gillespie, le Duke, Bill Evans. Même Clark Terry au cornet à pistons et la guitare de Kenny Burrell. Étonnant comme ils aimaient les mêmes choses : les échecs, la musique de jazz, les cerfs-volants en forme de boîte, les films de Laurel et Hardy, et tout ce qui était à la pistache et aux noix. Sauf les pizzas. Ils étaient tous les deux bien d'accord sur ce point.

Drum trouvait même qu'ils avaient un petit air de famille. Sauf que dans le cas de Drum le noir était à l'intérieur. Extérieurement, il ressemblait en tout point à l'hybride qu'il était. Des yeux vert bouteille comme son Irlandais de père ; d'épaisses boucles de cheveux bruns et une peau olivâtre qui lui venaient de sa mère italienne. Le reste, il le devait à lui-même : la balafre irrégulière qui courait de sa tempe droite au coin de sa bouche, la paupière droite qui pendait comme un hamac, ce qui lui donnait un air sournois ou endormi. Le temps et les soucis avaient creusé de profonds sillons sur son front, et une large mèche de cheveux grisonnants faisait penser au pelage rayé de la moufette. Dans un concours de laideur, il n'aurait pas été le dernier.

Qu'est-ce que Stella pouvait bien lui trouver de toute façon ? Mauvaise question. Il espérait qu'elle ne songerait jamais à se la poser.

Concentre-toi, Jerry. Ses pensées couraient comme le tireur de tout à l'heure et ne le menaient nulle part.

La Mustang remontait maintenant High Ridge Road vers le nord. La nuit enveloppait la ville comme un linceul noir. La plupart des magasins étaient fermés. Les parkings étaient presque vides. Les voitures se faisaient rares.

Tournant la tête, Drum vit que la tête du gamin pendait sur sa poitrine comme une fleur sur une tige brisée. Il était profondément endormi. Des ombres jouaient sur sa peau lisse. On aurait dit un ange de Noël un peu bronzé. Drum ôta comme il put son pardessus et en recouvrit l'enfant.

Au moment de s'engager sur la route secondaire qui le ramènerait chez lui, Drum hésita, puis décida de continuer tout droit. Il voulait jeter un premier coup d'œil sur les lieux de l'accident ; cela ne lui prendrait que quelques minutes. Il menait toujours ses enquêtes comme son père l'avait fait, en partant du centre. Il entendait encore la réconfortante voix de basse du grand Matt. « C'est un boulot qui exige de la méthode, fils. Le tout est de ne jamais brûler une étape. De ne jamais croire quelqu'un sur parole, ni quelque chose que tu n'aies pas vérifié toi-même. »

Lorsqu'il eut dépassé la route des Parcs, il appuya sur le champignon. La Mustang bondit en avant et fila comme le vent sur le sombre ruban de macadam piqueté de lueurs rouges. Après avoir pris North Stamford Road vers l'est, Drum leva le pied, le temps de chercher le plan dans sa poche. Carmody le lui avait fourré dans la main à la fin de leur entretien ; il lui avait aussi donné une pile de rapports de police et quelques bons conseils : « Je veux un travail rapide et sans bavure, Jerry. Et discret. Si j'entends dire qu'un certain Jérémie Drum met son nez dans cette affaire, je retire aussitôt mes billes. »

Drum savait ce que cela signifiait, et ce qu'il lui en coûterait de ne pas réussir. Il détestait perdre. Mais il était si facile de perdre…

Il mémorisa le reste de l'itinéraire, froissa la feuille entre ses doigts, et accéléra de nouveau. Sa chère Mustang réagissait à la moindre de ses sollicitations. Une vague de jubilation le submergea.

Cascade Road. Une église éclairée. Une ligne droite, puis une série de virages serrés. Drum ralentit pour ne pas réveiller Booker. Les yeux de l'enfant roulaient sous ses paupières. Il rêvait. Drum espéra que c'était un rêve agréable.

Il s'arrêta au coin de Cascade Road et de Mill Road. Au travail maintenant. Il tourna le volant et s'approcha lentement du lieu de l'accident.

Il s'imprégna de ce qu'il voyait du paysage. Des branches d'arbres, noueuses et nues, s'avançaient au-dessus de la chaussée. Des maisons étaient éparpillées sur un côté de la route. Il rangea la Mustang sur l'espace caillouteux situé près d'une des deux colonnes de pierre brisées qui se trouvaient là, et descendit de voiture.

Un vent mordant siffla à ses oreilles. Drum enfonça ses

mains dans ses poches, sa tête dans ses épaules, et son menton dans son chandail.

Il traversa la chaussée inégale, en repérant chaque creux et chaque bosse. De l'autre côté, un filet d'eau coulait de l'accotement incliné et longeait la route, qui disparaissait un peu plus loin derrière un virage. Drum s'accroupit, plongea un doigt dans le liquide glacé et le porta à ses lèvres. Le grand Matt lui avait appris à ne jamais rien considérer comme allant de soi, à ne se fier qu'à son propre instinct, à ses propres sens. Et une expérience durement acquise lui avait appris qu'une lenteur méthodique pouvait constituer le plus court chemin vers la vérité.

Il monta sur l'accotement. Des feuilles mortes craquèrent sous ses pieds. Il souleva le bord d'un tas de feuilles et entrevit un magma humide et pourrissant. Une créature rampante s'enfuit, trop vite pour qu'il puisse mettre un nom dessus.

Il passa ce bout de terrain en pente au peigne fin ; il le parcourut en décrivant d'amples zigzags, qu'il recoupa avec des zigzags plus serrés dans la direction opposée. Il ramassa un fragment boueux de quelque chose qu'il ne put identifier et le fourra dans sa poche.

Lorsqu'il eut fini, il releva la tête et embrassa du regard une partie de ce vaste quartier de banlieue connu sous le nom de Bois-Tyler. Il repéra la maison blanche, la deuxième sur la droite, où vivait la famille de l'enfant accidenté, et derrière le studio d'enregistrement dont lui avait parlé Carmody. Il crut se souvenir que Stella lui avait aussi parlé de ce studio et du père de l'enfant. Si sa mémoire était bonne, il s'agissait d'un éditeur de disques réputé.

Il regarda les maisons voisines, bien espacées les unes par rapport aux autres, d'aspect prospère et paisible. Difficile d'imaginer que des drames se produisaient aussi dans ce genre d'endroit. Mais Drum était bien placé pour savoir que ces choses arrivaient. Des choses moches. Fermant à demi les yeux, il revit une certaine scène obsédante qui passait souvent à travers les mailles encrassées de sa mémoire.

Il inspira à fond. L'air glacé sentait la fumée de bois

refroidie et l'huile brûlée. Apparemment, la Mustang avait besoin d'une bonne vidange. Drum se demanda comment il pourrait la faire passer sur sa note de frais.

Il fixa des yeux la route déserte et réfléchit.

Le chef l'avait mis au courant des rares résultats que les hommes d'Allston, ces empotés, avaient pu obtenir au cours de leur enquête. Il les passa mentalement en revue. Il se représenta la petite victime étendue sur l'accotement. Il vit même le visage de l'enfant – mais c'était celui de Booker. Figé de terreur.

Drum se frotta les yeux pour effacer cette image. Il ne pourrait en apprendre beaucoup plus dans l'obscurité. Il retourna lentement vers la Mustang. Il avait terriblement envie d'un whisky bien tassé, d'une bonne douche, et d'une petite séance de catch en un round avec Stella. Peu importait qui aurait finalement le dessus, ils gagneraient tous les deux. Puis il laisserait un des films de fin de soirée le conduire doucement vers le sommeil.

Lorsqu'il se glissa sur son siège et referma la portière, Booker ouvrit les yeux. Un sourire endormi se dessina sur ses lèvres.

– J'étais en train d'rêver qu'vous pinciez ce salopard, m'sieur Drum. Et après je racontais à tous les copains à l'école que c'était vous qui l'aviez chopé, et ils en restaient comme deux ronds de flan...

– Allons, Book, qu'est-ce que je t'ai dit ?

L'expression de Booker se fit perplexe, puis penaude.

– D'accord, j'me rappelle, m'sieur Drum. Pardon.

– Alors dis-le.

– Un homme n'a pas besoin de se vanter de ce qu'il fait.

– Le reste aussi, Book. Répète.

Booker bâilla.

– ... Un homme n'a pas besoin de se vanter de ce qu'il fait. La vantardise est bonne pour ceux qui ne font rien et qui n'ont rien d'autre. C'est ça, m'sieur Drum ?

– C'est ça, champion. C'est exactement ça.

# 10

– Au roi James, dit Paul en levant son gobelet fleuri.

– Puisse son règne durer longtemps, murmura Cinnie.

Elle trinqua avec lui en pensant à ce que James disait dans ces cas-là : « À la mienne ! »

Le champagne lui chatouilla les narines et fit larmoyer ses yeux. Paul avait fait des folies pour fêter l'amélioration de la condition de James : Dom Pérignon, huîtres fumées, un vrai camembert bien coulant – et, en l'honneur du patient, un cocktail de crevettes glacées à la sauce rouge.

Paul soupira.

– Quel soulagement, n'est-ce pas, Cin ? Je commençais à penser que nous étions dans une impasse…

Elle répondit par un hochement de tête et un sourire aussi réservés l'un que l'autre. Il y avait certes un progrès encourageant, mais cela ne changeait rien à ce qui s'était passé. James était encore dans un coma léger et ne reprenait vaguement conscience que par intermittence.

Pourtant elle se rendait compte qu'il y avait en effet de quoi se réjouir. Plus de soins intensifs. James occupait maintenant une chambre ensoleillée à l'étage du service pédiatrique. Le docteur Ferris avait usé de son influence pour que lui soit attribuée une des rares chambres individuelles du service. D'habitude elles étaient réservées aux enfants atteints de maladies infectieuses, mais Ferris était parvenu à convaincre la direction de l'hôpital que James serait beaucoup mieux tout seul.

La plupart des jeunes patients étaient parqués dans des mini-zoos à quatre lits, pourvus de quatre télévisions qui braillaient plus fort les unes que les autres, et où défilaient en permanence des visiteurs bruyants. Migraine assurée. S'essayant pour une fois à l'humour, Ferris avait dit à Cinnie que cet étage était tout spécialement conçu pour fournir des clients au service psychiatrique.

Il n'y avait plus de machines. Et la jambe fracturée était suffisamment cicatrisée pour supporter un plâtre. Si bien que, l'appareillage de traction et le teint pâle mis à part, James avait retrouvé son apparence habituelle. Paul se donnait beaucoup de mal pour le distraire. Cinnie sourit malgré elle en le voyant accorder une guitare imaginaire d'un air important et se lancer dans un pot-pourri de chansons qu'il avait écrites plusieurs années auparavant, à l'occasion de certains événements déterminants de la vie de James. Il y avait « La complainte du changement de lit », « Il ne touchera plus à la bouteille », et celle que Cinnie préférait, « Quel pot il a… d'être propre ! »

Cinnie aimait la voix de Paul et cette façon qu'il avait de s'absorber dans sa musique. Il chantait les yeux mi-clos, avec sur le visage une expression de ravissement et de sérénité. Son plus grand bonheur avait toujours été d'écrire et de jouer ses propres chansons, même les chansons pour rire.

Et puis il avait sympathisé avec un groupe de jeunes musiciens, au cours d'une soirée d'amateurs dans un club de la ville. Il les avait aidés à confectionner une bande d'essai, et c'était devenu un grand succès. Du jour au lendemain il avait acquis une réputation de brillant éditeur de disques. On lui avait proposé des contrats intéressants.

Au début il avait prétendu qu'il avait trop de travail pour s'occuper de sa propre musique. Plus tard il avait consacré chaque minute de liberté à la conception et à la réalisation du studio d'enregistrement. Avoir son propre studio, cela signifiait obtenir plus de contrats et gagner plus d'argent. Il s'était payé des jouets de plus en plus luxueux, dont une Porsche 911 rouge tomate. Mais Cinnie savait bien qu'aucune voiture ne mènerait Paul là où, au fond de lui-même, il désirait être.

Elle avait essayé de le persuader de ne pas lâcher tout à fait le travail qu'il aimait vraiment. Mais elle avait fini par renoncer. On avait trop souvent l'impression, en discutant avec Paul, d'être coincé dans une porte à tambour.

– Maman ?

– Oui, mon minet. Comment va mon grand garçon ?

– Maman ? Tunnel vert volant. Pop la fouine.

Ses yeux étaient vitreux. Cinnie posa un baiser sur son front et tapota sa main.

– Jimbo, mon amour. Tu te sens mieux ?

– Gros train. Croquette, maman.
– C'est bien, mon chou. Essaye encore.
– Il parle bien, dit Paul. Très clairement.

Mais Cinnie n'était pas dupe. Elle savait que le « département langage » du cerveau de James fonctionnait pour ainsi dire en pilotage automatique. Que ce n'était qu'un fouillis de fils emmêlés et de circuits déconnectés. Elle imagina un énorme standard téléphonique saboté par un employé en colère...

Pourtant il avait maintenant de bonnes chances de s'en sortir. Trois zones cérébrales contrôlaient les fonctions du langage, et même si une ou deux d'entre elles étaient endommagées, on pouvait amener la partie indemne à prendre le relais, surtout chez un jeune enfant. Mais Cinnie n'ignorait pas que cela exigerait beaucoup de temp` d'efforts et de patience.

Ce qui la troublait le plus, c'était le sentiment persistant que James ne luttait pas pour rester en prise avec le monde réel. Déjà il semblait s'éloigner...

– James ?

Il s'enfonçait à nouveau dans le sommeil. Ses traits se relâchèrent, ses doigts s'ouvrirent et retombèrent comme les pétales d'une fleur fanée. Pas le moindre effort pour rester éveillé. On aurait dit qu'il n'aspirait qu'à se réfugier dans le sommeil. À se cacher.

C'était absurde, Cinnie le savait bien. Mais James avait toujours réagi ainsi lorsqu'il avait été confronté à une situation inquiétante. Quand il était plus jeune et qu'une nouvelle baby-sitter ou un étranger intimidant venait à la maison, il se cachait derrière les jambes de Cinnie. Pendant la première semaine, si traumatisante, d'école maternelle, il avait passé presque tout son temps enfermé dans le tipi indien de la classe, et seuls une fête d'anniversaire et des gâteaux au chocolat avaient pu l'en faire sortir. Et avant qu'il n'eût fait la paix avec le monstre de son placard, Cinnie l'avait plusieurs fois trouvé endormi sous son lit ou enfoui sous ses couvertures.

– Jimbo ?

Il n'était plus là. Perdu encore une fois.

– Encore un peu de champagne ? dit Paul.

– Non, merci. Je n'ai plus le cœur à ça. La fatigue, je suppose.

Paul plissa les yeux.

– Qu'est-ce qu'il y a, Cin ? Quelque chose te tracasse.

– Difficile à expliquer. Mais j'ai l'impression qu'il n'essaye pas…

– Je suppose que tu plaisantes ?

– Pas du tout, Paul. Je ne sais pas comment ça se fait, mais je vois bien qu'il ne se bat pas pour rester conscient. Peut-être qu'il ne peut pas affronter le souvenir de l'accident.

– C'est ridicule. Il se remet très bien. Mieux que prévu, en fait. (Il renifla et hocha la tête.) Et à t'entendre, c'est *moi* qui l'enfonce !

– Regarde-le. Ce n'est pas le petit garçon combatif que nous connaissons. Tu ne vois donc pas ?

– Il a l'air d'aller beaucoup mieux. Laisse-lui sa chance. N'est-ce pas ce que tu m'as dit ?

Elle se mordit la lèvre. Discuter à perte de vue ne résoudrait rien. Elle devait simplement aider James à surmonter sa peur en lui parlant. Mais trop de pièces du puzzle manquaient. Si elle connaissait tous les détails de l'accident, elle pourrait tenter de revivre ces moments avec James jusqu'à ce que ce souvenir perde de sa virulence. Cela avait toujours marché avec lui dans le passé.

– Je crois que je vais partir, dit Paul. Tu viens aussi ?

– Non… Il vaut mieux que je reste ici. Après tout, c'est sa première nuit dans une nouvelle chambre. Il sera content d'avoir de la compagnie.

– Tu es sûre ? Un peu de compagnie ne me ferait pas de mal non plus…

Elle hésita. Ce serait agréable de passer la nuit – de se réfugier, comme James – dans les bras de Paul. Mais il y avait encore entre eux un espace glissant et dangereux qu'elle ne se sentait pas prête à franchir.

– Oui. Le temps qu'il s'habitue au changement.

Il haussa les épaules.

– Comme tu veux. Bonne nuit, roi James ! À demain.

Il embrassa James sur la joue, envoya pour la forme un baiser à Cinnie, et quitta la pièce.

Soudain très lasse, Cinnie alla jeter les résidus de la petite fête dans la poubelle qui se trouvait au bout du couloir. En revenant dans la chambre, elle trouva le docteur Ferris qui auscultait James avec un stéthoscope, une expression pensive sur le visage. Il était certes peu démonstratif, mais chacun eût convenu qu'il était plutôt bel homme. Grand, avec un corps mince et athlétique, des traits fins, un regard clair et grave. Cinnie aimait tout particulièrement ses mains, avec leurs longs doigts effilés et délicats. Des mains d'artiste, un cœur de robot, pensa-t-elle. Étrange combinaison.

Quand il eut fini d'examiner James, il se tourna vers Cinnie avec sa réserve coutumière.

– Tout va bien, madame Merritt. Vous pouvez rentrer chez vous et prendre une bonne nuit de repos.

– Je voudrais m'assurer qu'il s'habitue bien à sa nouvelle chambre.

– C'est comme vous voulez, naturellement. Mais il est inutile de vous inquiéter. Il est en bonnes mains.

– J'en suis convaincue. Je sais que c'est probablement stupide...

– Vous devez prendre soin de vous-même. James aura besoin d'une maman en bonne santé.

Cinnie sourit.

– C'est juste. Merci de l'intérêt que vous nous portez. Et merci encore de nous avoir obtenu cette chambre individuelle. C'est tellement mieux ainsi.

Ferris se permit un hochement de tête un peu gêné.

– Ce n'est rien du tout.

Cinnie bâilla.

– Excusez-moi. Je crains que toute cette fatigue accumulée...

– C'est compréhensible. Je vous quitte maintenant. Allez donc vous reposer, madame Merritt. C'est important.

Ferris s'éloigna d'un pas raide, comme un soldat à l'exercice. Dire que d'autres femmes tombaient amoureuses du pédiatre de leurs enfants. Avoir le béguin pour John Ferris, ce serait à peu près comme de vouloir coucher avec une boule de neige. Paradoxalement, c'était ce froid professionnalisme qui le rendait si rassurant. Quand Ferris disait quelque chose de positif, elle savait qu'il le pensait vraiment.

Cinnie sentit que quelqu'un l'observait. Elle regarda vers le couloir et aperçut Henry Moller, l'un des bénévoles. Hanky, comme tout le monde l'appelait, était un jeune homme au teint basané, remarquable par son visage de loup-garou et sa longue tignasse brune et graisseuse. Il détourna vite les yeux et fit semblant de chercher quelque chose sur le sol carrelé.

Ce type lui donnait la chair de poule. Toujours à traîner dans les couloirs et à vous regarder fixement. Pendant la journée, il allait de chambre en chambre en poussant un chariot plein de livres, de jeux, de jouets et de matériel pour activités manuelles, destinés aux enfants assez bien portants pour s'amuser avec. Les premières fois qu'il était venu dans la chambre de James, elle lui avait opposé un refus poli. Mais Hanky était du genre crampon. Il revenait avec des livres plus faciles ou de nouvelles idées non sollicitées. Pour finir, elle avait pris l'habitude de fermer la porte quand elle le voyait approcher. Mais elle n'était pas toujours assez rapide. Hanky avait tendance à surgir devant vous quand vous vous y attendiez le moins, ou aux moments les moins opportuns. Cela lui donnait envie de hurler.

Elle savait qu'elle était injuste envers ce garçon. Mais elle avait décidé qu'elle avait bien le droit d'être un peu déraisonnable dans la situation où elle se trouvait.

Elle s'interrogea pendant une ou deux minutes pour savoir si elle rentrerait chez elle pour la nuit ou non ; Ferris avait raison, elle avait besoin de repos. Elle alla même jusqu'à enfiler une manche de son manteau. Et puis elle se dit que personne ne l'avait jamais accusée d'être quelqu'un de raisonnable. Pourquoi commencer maintenant ?

Elle ferma la porte de la chambre et s'allongea sur le lit de camp. Il était prévu que James commence un programme intensif de rééducation le lendemain ; il en aurait pour une bonne partie de la journée. Cinnie avait décidé de recommencer à travailler ; mais pendant deux ou trois jours elle ne verrait que ses patients habituels, et laisserait les autres consultations et les nouvelles admissions à un de ses collègues. Elle était trop épuisée pour être plus ambitieuse.

Le sommeil ne venait pas. Longtemps elle regarda la pénombre s'épaissir et envelopper la silhouette endormie de James. Ses pensées tournaient en rond. Les mêmes questions revenaient sans cesse. Pourquoi tant d'enfants accidentés ? Pourquoi dans un seul quartier ? Était-ce seulement une bizarre coïncidence, ou se pouvait-il qu'il y eût autre chose ? Elle revoyait cette affreuse manchette de journal. « Une nouvelle tragédie frappe... » Quelque chose d'anormal se passait-il au Bois-Tyler ?

Elle voulait savoir.

Elle imagina toutes ces petites victimes : ceux qui boitaient, ceux qui étaient mutilés, ou prisonniers d'une terreur récurrente. Laure, Ricky, Michael, Billy, Jason, James. Tant d'enfants...

Elle finit par glisser au fond d'un noir et âpre puits d'inconscience. De sorte qu'elle n'entendit pas la porte s'ouvrir, ni ne vit la forme humaine qui avançait à pas de loup à travers la pièce.

## 11

Malcolm Cobb se glissa dans la chambre et referma doucement la porte derrière lui. Il attendit un instant pour s'habituer à l'obscurité, puis regarda du côté de l'enfant assoupi. Il était attiré vers lui comme par un aimant. Le besoin qu'il avait de lui augmentait comme une fièvre maligne.

Il s'approcha silencieusement du lit métallique. Son esprit était parfaitement clair, son corps comme en ébullition. Il était si concentré que ce ne fut qu'au moment où il allait atteindre son but que des bruits de respiration inégale attirèrent son attention sur la femme endormie. Elle était recroquevillée sur un lit de camp dans un coin de la pièce. Masse informe de chair inerte. Insupportable obstacle.

Furieux, Cobb grommela un juron. Ceci n'était pas prévu. Maudite femelle !

Elle gémit dans son sommeil. Ses traits se déformèrent sous l'effet de la peur. Elle était entraînée dans le noir maelström de son cauchemar.

Cobb retint son souffle. Qu'arriverait-il si elle se réveillait soudain ? Sans doute pousserait-elle un cri en le voyant. Peut-être même se mettrait-elle à hurler. Il frémit en imaginant tous ces importuns qui accourraient pour voir ce qui se passait. Des questions seraient posées. Des soupçons naîtraient, se propageraient comme une vapeur délétère.

Il pourrait certes inventer quelque chose de plausible pour justifier sa présence dans cette chambre, mais cela ne suffirait pas à dissiper toute méfiance. Or il ne pouvait se permettre d'éveiller le moindre doute. Ce serait un inconcevable écart par rapport au cap qu'il avait si magistralement tenu jusqu'alors.

Au diable cette femme ! Elle venait le gêner dans l'accomplissement de sa mission sacrée. Le plus vil des ennemis. Un adversaire malveillant et dangereux.

En dépit de cette menace, Cobb se sentit attiré de nouveau vers le précieux enfant, qui respirait doucement, d'une façon charmante. Le sommeil rosissait ses joues veloutées, un peu de transpiration luisait sur son front. Cobb huma son odeur et ressentit un besoin analogue à celui d'un homme affamé.

Il resta là, immobile, indécis, plaqué contre le mur. Si seulement cette femme détestable cessait de geindre et de remuer, il pourrait se risquer à s'approcher de l'enfant.

D'après ses calculs, les infirmières de nuit devaient être encore dans la salle de repos de l'étage, à siroter leur café. Il les avait vues par l'entrebâillement de la porte en remontant furtivement le couloir. Il avait saisi des bribes de leur futile caquetage. Ces idiotes avaient été si absorbées par leurs commérages qu'elles ne l'avaient pas aperçu. Pas une n'avait levé la tête.

Mais bientôt elles commenceraient à faire leurs rondes. Cobb savait que chaque patient recevait une visite de routine toutes les deux heures. Il avait soigneusement noté ce genre de détail pendant la phase préparatoire de l'opération.

Il ne pouvait rester là indéfiniment. C'était trop dangereux. Et si on le repérait, de futures visites seraient encore plus périlleuses.

Et cette maudite gêneuse qui geignait toujours comme un animal…

Les minutes s'écoulaient inexorablement. Tais-toi, idiote, pensa-t-il. Silence !

Comme si ses pensées avaient eu la force d'une incantation magique, elle se retourna vers le mur et se tut. Cobb exulta. Il se mordit la lèvre pour s'empêcher de remercier sa bonne fortune à voix haute. Maintenant il pouvait prendre ce dont il avait besoin. Enfin.

Il sortit de sa poche l'aiguille hypodermique et le fin tuyau en plastique qu'il avait chapardés dans le placard au matériel. Lentement, sans bruit, il s'approcha de l'enfant.

Ça y était presque. Il n'osait pas avancer trop vite, de peur de réveiller la femme. Il ajusta le tuyau au gros bout de l'aiguille, retira le capuchon en caoutchouc qui protégeait la pointe, et fit un dernier pas. Magnifique enfant. Réservoir de force et de santé.

Les yeux du garçonnet s'entrouvrirent, et son visage s'éclaira d'un curieux sourire.

– Bonsoir, James, murmura Cobb. Bonsoir, mon enfant.

– Homme-ombre, dit James d'une toute petite voix. Pop la fouine. Mme Bateau.

– Tu es à moi, tu sais, chuchota Cobb. Tu m'appartiens maintenant, enfant de mon salut. Source de santé et de guérison. Doux serviteur de la lune noire.

– Tunnel vert. Maman ? Maman !

Cobb pressa fort sa paume contre la bouche du garçon.

– Chut ! Il ne faut pas faire de bruit.

Les yeux de James s'agrandirent. Cobb sentit frétiller sous sa paume des muscles rebelles. Merveilleuse énergie ! Réserve d'humeurs inexploitées. Tout cela serait à lui. Il trembla de fascination et de convoitise.

– Il faut m'écouter, grinça-t-il. Il faut m'obéir.

Il devait se dépêcher.

Il tenta d'immobiliser le bras de l'enfant et d'enfoncer l'aiguille avec sa main libre. Trop malaisé. Mais il ne pouvait prendre le risque d'ôter sa main de la bouche du garçon. La femme pourrait entendre ses appels. Le petit corps se tortillait sous ses doigts.

– Silence ! Il ne faut pas bouger.

Cobb entendit une voix enjouée et des bruits de pas : une infirmière entrait dans la chambre voisine. « Pourquoi ne dors-tu pas, Abby Lee ? Comment veux-tu que je vienne te réveiller si tu ne dors pas ? »

Elle en avait peut-être pour plusieurs minutes, mais Cobb ne pouvait s'attarder et risquer d'être découvert. Il lui fallait partir sur-le-champ. Furieux, il remit l'aiguille et le tuyau dans sa poche, jeta un coup d'œil dans le couloir, et se dirigea rapidement vers la porte anti-incendie. Dès qu'il fut en sécurité derrière, il entendit l'infirmière sortir dans le couloir, s'approcher de la chambre de l'enfant, ouvrir la porte et lancer d'une voix mutine : « James Merritt, ne me dis pas que tu es réveillé aussi. Mais qu'est-ce que vous avez tous ? Attends, laisse-moi deviner. Je parie que vous êtes en train de préparer une petite fête. Comment avez-vous su que c'était bientôt mon anniversaire ? »

Cobb entendit James dire :

– Homme-ombre. Lit-ombre. Pop. Mme Bateau.

– C'est ça, mon chou, répondit l'infirmière d'une voix apaisante. Vas-y, raconte-moi tout.

## 12

Pendant le petit déjeuner, Drum avait proposé d'emmener Booker à l'école en allant au travail, puisque c'était sur son chemin. Une seule mention de l'affaire avait suffi à déclencher un déluge de paroles. Le môme en avait oublié de manger, et Stella avait décoché à Drum un regard à faire dérailler une locomotive.

Drum avait fait de son mieux pour limiter les dégâts.

– Mange ton porridge, champion. Tous les bons flics en raffolent.

– J'ai plus faim, m'sieur Drum. J'suis prêt à partir dès qu'vous l'serez aussi.

– Il n'y a pas le feu, avait dit Stella. Prends ton temps et mange.

– Mon ventre est plein, madame Drum. Y'a plus d'place pour du porridge.

– Du jus de fruits alors.

– J'ai assez bu aussi. J'vous jure.

– Inutile de jurer. Allez, mange encore un peu.

Dès qu'ils étaient montés dans la Mustang, Booker avait commencé à le bombarder de questions.

– V'z'allez parler aux voisins du petit gosse, m'sieur Drum ? V'z'allez voir le chauffeur du car ? Y'a quelqu'un d'autre qui travaille avec vous sur cette affaire ? À part moi, j'veux dire.

Au bout de quelques minutes, Drum avait dû s'arrêter au *Mr. Donut* de l'avenue des Fraises et fourrer un beignet aux myrtilles entre les dents de Booker pour le faire taire – un cas de légitime défense. Il avait lui-même pris un beignet glacé pour lui tenir compagnie. Le plan était bon, mais n'avait pas réussi. Booker avait recommencé à jacasser avant même qu'ils ne fussent sortis du parking, saupoudrant de sucre le cuir de la Mustang.

– Alors qui c'est qu'vous croyez qu'a fait ça, m'sieur Drum ? Quelqu'un du quartier, à votre avis ? V'savez, j'ai pensé qu'c'était peut-être un jeune crétin sorti faire une virée en bagnole qui avait renversé James et avait eu trop peur pour l'avouer.

– C'est possible, Book. Si tu me laisses mener mon enquête, je pourrai te le dire.

– Ouais, d'accord. Dites donc, vous croyez qu'c'est quelqu'un d'célèbre, qui se cache pasqu'y veut pas qu'on sache qu'il a renversé un gosse ? Quelqu'un comme Peewee Herman par exemple ?

– C'est possible, Book. Tout est possible. (Il rit.) Peewee Herman. Voilà qui ferait du bruit !

Drum s'engagea dans l'allée sinueuse qui menait à l'école et s'arrêta sur l'aire bétonnée qui s'étendait devant l'entrée principale.

– À plus tard, champion. N'oublie pas d'utiliser tes méninges de crack.

Booker descendit, empoigna son cartable, et lui fit un grand signe de la main.

– Vous non plus, m'sieur Drum. Et faites gaffe.

Il courut rejoindre un groupe de gamins dégingandés qui entraient dans le bâtiment. Drum les regarda se claquer les mains l'une contre l'autre en échangeant quelques mots. Ces mioches se prenaient vraiment au sérieux.

Drum regagna Newfield Avenue et son trafic dense. La journée paraissait plus avancée qu'elle n'était. Une forte migraine s'était installée à demeure derrière son œil droit. Il avait passé une nuit blanche. Après s'être tourné et retourné dans son lit pendant deux heures, il avait décidé de se lever et de mettre ce temps de veille à profit.

Stella était complètement KO et ronflait doucement. Un côté de ses cheveux était encore retenu par un peigne incrusté de pierreries ; sa figure était rouge et barbouillée de maquillage. Apparemment elle était rentrée trop flapie pour songer à autre chose qu'à plonger sous les draps.

Pas étonnant. Sur scène, Stella donnait tout ce qu'elle avait, ce qui n'était pas peu dire. Il la revit, auréolée de lumière, déversant dans le micro tout ce qu'elle avait dans le ventre. Cette femme savait séduire un public.

Drum adorait la voir ferrer les gogos et tourner le moulinet. Ça lui rappelait le soir où elle lui avait fait le coup pour la première fois. Il était allé boire deux ou trois bières au Tramps, après une journée fort peu mémorable. Stella était au milieu de son numéro quand il était arrivé, et Drum avait mordu à l'appât avant même que son postérieur ne se fût posé sur le tabouret de bar. Il n'avait jamais trouvé le moyen de recracher l'hameçon. Non qu'il eût vraiment essayé.

Cette nuit il avait posé un baiser léger sur son cou et senti l'odeur déjà un peu aigre de son eau de Cologne. Ne voulant pas la réveiller, il s'était habillé dans la salle de bains et était sorti sur la pointe des pieds, ses chaussures à la main.

En bas, il s'était préparé du café bien fort et avait passé le reste de la nuit dans la salle de séjour, à lire les copies de rapports de police que Carmody lui avait confiées la veille au soir. Bougrement exaspérant. Si exaspérant qu'il avait déjà fumé au moins un paquet de cigarettes imaginaires, et il n'était pas encore neuf heures.

Rien que des informations incomplètes. Des culs-de-sac. Des impasses. Si Charlie Allston essayait de saboter l'affaire, il faisait vraiment du bon boulot. D'abord, il avait pris les hommes les plus incapables du département pour enquêter sur l'accident. Drum ne connaissait que trop bien cette fine équipe : Flemmard, Abruti, Ronchon, Ventru, et Alcoolo. Ensuite, le shérif adjoint s'était assuré qu'aucune piste ne serait suivie jusqu'au bout en intervertissant continuellement les missions au sein de l'équipe, de façon qu'aucun de ces corniauds ne puisse avancer en ligne droite.

Résultat, aucune recherche systématique n'avait été entreprise dans le quartier pour tenter de débusquer des témoins récalcitrants ou involontaires. Le seul témoin qui s'était fait connaître – une voisine nommée Lydia Holroyd – avait été interrogé trois fois. Poudre aux yeux. Gaspillage de temps et d'énergie. Allston veillait bien à ce que son équipe d'empotés ne fiche pas son plan en l'air en trouvant malgré tout le chauffard. Le shérif adjoint ne voulait surtout pas que Dan Carmody se montre à son avantage dans cette affaire, ni même simplement compétent.

Charles Allston, quatrième du nom. Drum n'avait jamais aimé ce type. Il ressemblait à Hitler jeune et paraissait dépourvu de toute fantaisie. Mais l'animal avait un certain talent pour se faire des relations utiles. Le maire et lui étaient copains comme cochons. Quand on avait ça, on n'avait pas besoin de grand-chose d'autre. À vrai dire, Drum n'était pas surpris qu'Allston intriguât pour prendre la place de Carmody. L'étonnant, c'était que la mutinerie ne se fût pas déclarée des années plus tôt.

Après avoir pris connaissance du contenu des rapports, Drum avait griffonné quelques notes pour son usage personnel. Et lorsque enfin, à l'aube, il avait entendu le plancher grincer au-dessus de sa tête et l'eau couler dans la salle de bains, il avait déjà décidé de l'emploi du temps de sa journée, et rangé dans le coffre de la Mustang tout ce dont il pensait avoir besoin.

Il commencerait par le commencement. Il avait lu dans

les rapports que l'enfant était encore dans un coma léger, mais il voulait voir le petit bonhomme. Obtenir des parents les renseignements qu'il pourrait. Exactement comme son paternel l'aurait fait. Il partirait du centre et élargirait le cercle jusqu'à ce qu'il englobe toutes les possibilités. Puis il resserrerait la nasse jusqu'à ce qu'il se retrouve au centre avec sa proie.

Le parking de l'hôpital Fairview était encombré de véhicules : camionnettes de livraison, voitures des patients qui avaient un rendez-vous matinal. Drum prit une carte en plastique dans la boîte à gants pleine d'accessoires divers et l'utilisa pour déclencher l'ouverture de la barrière automatique qui défendait l'accès du parking réservé au personnel.

Il gara la Mustang entre deux Mercedes de série appartenant à des médecins, ouvrit son coffre, et examina son matériel pendant quelques instants.

Il enfila une informe veste en tweed par-dessus sa chemise réversible et fourra dans une vieille serviette des dossiers, des formulaires et une blouse blanche. Dix années de missions d'infiltration lui avaient donné un certain goût pour le déguisement. Une chance, étant donné l'insistance avec laquelle Carmody lui conseillait de rester invisible.

Un côté de la chemise réversible était noir et avait un col d'ecclésiastique. L'autre était blanc, avec une encolure empesée et une cravate inamovible.

Il se servit du rétroviseur pour appliquer sur la balafre de sa joue une épaisse couche de maquillage spécial, et pour relever sa paupière tombante à l'aide d'un mince ruban adhésif transparent, complètement invisible derrière une paire de lunettes à grosse monture d'écaille. Il passa un peigne dans sa mèche grise, et celle-ci disparut. Teinture extra-forte.

Il jeta un dernier coup d'œil au miroir. Pitoyable. Même ainsi camouflée, cette bobine n'avait vraiment rien d'appétissant. Non qu'il prétendît au titre de Miss Connecticut. Le problème avec sa tronche, c'est qu'elle était bien trop particulière, qu'elle avait l'air bien trop louche. C'était le genre de tête auquel le responsable de la distribution pense immédiatement pour un rôle de tueur en série.

Dès qu'il s'était finalement débrouillé pour entrer dans

la police, Drum avait demandé à Carmody de le laisser travailler dans des opérations d'infiltration. Mais le chef avait refusé, sous prétexte que les cicatrices le rendaient trop facilement reconnaissable.

Drum avait cru que son passé de délinquant juvénile serait le plus gros obstacle à une carrière de flic. Mais Oliver London avait persuadé le chef de lui donner sa chance. En raison de son jeune âge au moment des faits, le dossier de Drum avait été scellé. En principe, cela effaçait tout et lui rendait une innocence virginale. Mais il n'avait pas été aussi facile d'effacer sa laideur.

Le verre brisé avait déchiqueté la peau de sa joue ; les flammes avaient léché la plaie sanguinolente, dont les bords avaient pris l'aspect translucide et luisant des écailles de poisson. Entre ces bords courait un fin sillon de chair grumeleuse, auquel faisait écho celui qui coupait sa paupière en deux.

Il avait passé des heures, assis devant la coiffeuse de Stella, à faire des essais avec les nombreux pots et tubes de son nécessaire à maquillage. Après un certain nombre de tentatives malheureuses et risibles, il avait compris comment superposer les couches de pigment jusqu'à ce que les cicatrices commencent à s'estomper. Pour les faire disparaître complètement, il avait besoin d'une couleur parfaitement assortie à son teint.

Avec un sentiment de ridicule exacerbé, il s'était adressé au rayon des cosmétiques de Lord & Taylor et de Bloomingdale. Il n'avait rien trouvé de satisfaisant, mais on lui avait donné l'adresse d'une maquilleuse professionnelle qui avait un studio en ville.

Il lui avait raconté qu'il se proposait de paraître dans une publicité télévisée pour son entreprise (revêtements d'aluminium), et elle s'était mise au travail. Cette femme était un génie. Quand il s'était vu dans la glace, il s'était à peine reconnu. Il avait quitté le studio avec un sac en plastique contenant le matériel nécessaire et la vidéo qu'elle avait faite de la métamorphose pour qu'il puisse reproduire les mêmes résultats chez lui.

Il s'était entraîné pendant des semaines, jusqu'à ce qu'il puisse se déguiser en quelques secondes. La balafre, la paupière, la teinture pour ses cheveux, et il était un homme nouveau – un inconnu.

Pour compléter la transformation, il s'était exercé à de nouvelles expressions et attitudes : mâchoire inférieure proéminente, coins de la bouche relevés, peau du front tendue, cou à moitié enfoncé dans les épaules. Ça lui avait fait tout drôle au début, mais il avait persévéré jusqu'à ce qu'il fût capable de changer d'aspect à volonté et instantanément.

Pour plus de sûreté, il s'était aussi essayé à changer de voix et d'élocution. Ce qu'il imitait le mieux, c'était l'homme de la météo sur une station de radio d'information permanente : voyelles de Philadelphie, consonnes scolaires, et problème de constipation chronique. Tout était facile si on s'y mettait vraiment.

Puis il avait appelé la secrétaire du chef pour obtenir un rendez-vous, et une quinzaine de jours plus tard il s'était présenté devant Carmody en se faisant passer pour une recrue potentielle.

Il était armé d'un diplôme bidon de l'École de droit criminel John Jay, d'une poignée de flatteuses références censées venir de personnalités politiques de moyenne importance de Manhattan, et d'un laïus bien préparé où il disait son impatience de servir la vérité, la justice et son pays. Presque une heure d'entretien, et le chef n'avait pas soupçonné que ce garçon plein de zèle était Drum lui-même.

C'est ainsi qu'il avait gagné la partie. Et au cours de ses missions, son déguisement n'avait jamais été percé à jour non plus. Il s'était avéré que son apparence physique était le moindre de ses problèmes. Si seulement il avait pu camoufler aussi son tempérament incendiaire, et résoudre ce petit problème qu'il avait avec les notes de frais abusives...

Il essayait pourtant de se corriger. À l'instigation de Carmody, il avait même passé plusieurs heures avec le psy du département pour tenter de chasser ses démons. Mais deux minutes leur avaient suffi, au toubib et à lui, pour se jauger mutuellement et pour en conclure qu'ils n'étaient pas faits l'un pour l'autre.

Ce type avait prétendu qu'il fallait voir, dans l'attitude dépensière de Drum, une tentative pour remplacer par des choses matérielles l'amour qu'il avait perdu quand ses parents étaient morts. Quant au tempérament difficile, il l'avait mis sur le compte de ce qu'il avait appelé un « transfert d'agressivité ». Il avait dit qu'en réalité Drum en voulait à ses parents d'avoir eu le toupet de mourir et de le laisser sous la tutelle de son salopard d'oncle.

C'était là que le toubib l'avait définitivement perdu. Drum savait qu'il n'y avait absolument aucun « transfert » dans le fait d'écraser son poing sur le gros nez de Randy Di Biasi. Le sacripant avait obtenu ce qu'il avait cherché. Elémentaire.

Drum rouvrit la boîte à gants et choisit, parmi d'autres faux documents, une carte professionnelle qui faisait de lui un agent de la compagnie d'assurances Mutuelle Continentale. Drum en était le fondateur, le président et le directeur général. Ce qui lui convenait parfaitement.

Les visites ne commençaient qu'à treize heures, et les gens qui avaient rendez-vous devaient décliner leur identité ; ils recevaient un laissez-passer après vérification. Il y avait une certaine confusion dans le hall, mais pas assez pour qu'on pût la mettre à profit. Drum aperçut, à travers la grande vitre de l'entrée principale, deux gardes costauds, équipés de torches électriques et de talkies-walkies. Il savait que les services de sécurité de l'hôpital étaient en communication directe avec le quartier général de la police. Inutile de se chercher des ennuis.

Aussi contourna-t-il rapidement le bâtiment et se dirigea-t-il vers l'entrée du service des urgences. La salle d'attente grouillait de gens. Une réceptionniste débordée essayait de contenir ce flot humain en enfonçant d'un seul doigt les touches d'un clavier d'ordinateur.

Drum se fraya un chemin à travers cette foule, ouvrit les portes qui menaient aux salles de soins, et, suivant les écriteaux marqués « Réservé au personnel », se retrouva dans un service chirurgical. Il remonta à grandes enjambées un long couloir brillant et traversa une passerelle vitrée qui conduisait aux ascenseurs de derrière.

Le service pédiatrique était au cinquième étage. Drum s'en souvenait, car Booker y avait été mis en observation pour une nuit au cours de l'été précédent – pour une crise d'appendicite qui s'était révélée être une indigestion de crème glacée et de mousse au chocolat.

L'étage fourmillait d'infirmières et de médecins aux mines fatiguées. L'air était chargé d'odeurs de café et de relents d'antiseptique.

Une infirmière à face de teckel étudiait des prescriptions médicamenteuses derrière le bureau d'accueil. Le genre de personne, estima Drum, qui ne traverse qu'au vert. Ce qui, en l'occurrence, lui convenait tout à fait.

Il prit deux ou trois secondes pour se glisser dans la peau de son personnage, puis il s'approcha du bureau et s'éclaircit la gorge.

– James Merritt est dans quelle chambre, s'il vous plaît mademoiselle ?

Elle leva sur lui des yeux sévères. Mais dès qu'elle le vit, son visage parut fondre comme un fromage dans un four.

– Chambre 514, mon père. Deuxième porte à droite. Vous pouvez y aller.

Drum joignit les mains et reprit avec son meilleur accent irlandais :

– Merci, mademoiselle. James a bien de la chance d'être soigné par des personnes aussi bonnes et compatissantes que vous-même.

Une vive rougeur envahit le cou de la femme.

– Merci, mon père. Nous faisons de notre mieux. Bonne visite…

Il sourit.

– Dieu vous bénisse, mon enfant.

Le coup du prêtre, ça ne ratait jamais. Tout en longeant le couloir, il détacha les bandes Velcro qui se trouvaient sur les épaules de sa chemise magique et tourna celle-ci de façon à faire disparaître le côté noir à col d'ecclésiastique. La chemise n'avait pas de manches ; les manchettes étaient cousues sur celles de la veste.

Il frappa à la porte de la chambre 514, et la mère de l'enfant vint lui ouvrir. Joli visage respirant la franchise. Beaux cheveux sombres, bouclés et bouffants. Yeux empreints de douceur, où brillait encore une lueur de bonne humeur, malgré ce qui était arrivé. Elle ressemblait à un enfant elle-même.

Drum se présenta – « Arthur Kettle » – et exhiba sa carte professionnelle. Il lui expliqua que sa compagnie d'assurance avait pour cliente la compagnie de cars scolaires. Puisque c'était un véhicule de cette compagnie qui avait déposé James sur le lieu de l'accident, on l'avait chargé de rédiger un rapport préliminaire. Il sortit une feuille de papier de sa serviette et la fixa sur une tablette.

Elle répondit volontiers, et comme elle put, aux questions qu'il lui posa. Elle lui dit qu'il n'y avait encore aucun indice permettant d'identifier le chauffard, et que James n'avait pu fournir aucun renseignement utile, car il était encore dans un coma léger. Le pronostic était optimiste, quoiqu'incertain. Dans le meilleur des cas, des mois de rééducation seraient nécessaires à une guérison complète. Drum ne demanda pas quel serait le pire des cas. C'était assez évident.

Le jour de l'accident, rien n'avait troublé la routine professionnelle de la mère de James, sinon un examen orthophonique urgent qu'une amie lui avait demandé pour son fils. En fait il n'avait rien du tout, dit-elle. Une ombre passa sur son visage. Drum imagina sans peine ce qu'elle pensait. L'autre enfant n'avait rien de grave. Pour son petit garçon à elle, c'était une autre histoire.

Tout en l'écoutant et en griffonnant l'essentiel de son récit sur sa feuille, Drum regarda autour de lui. Partout des jouets, des jeux, des animaux en peluche. Une pile géante de livres. Plusieurs grappes de ballons étaient suspendues aux anneaux du rideau de la fenêtre. Le tableau d'affichage en face du lit était couvert de cartes envoyées par des amis ; plusieurs d'entre elles étaient décorées et coloriées à la main. Un lit de camp avait été installé dans un coin.

– Homme-ombre… ombre.

– Chut, mon trésor, dit la femme.

Elle alla caresser le front de l'enfant.

– Pop la fouine. Tunnel vert volant.

Elle remarqua l'expression intriguée de Drum.

– Ça ne veut rien dire. Du charabia sans queue ni tête.

Il hocha la tête. Un mignon petit gars. Il ressemblait à

Denis la Malice. Aucune blessure visible, à part le gros hématome rond et bleuâtre sur sa tempe, et sa jambe plâtrée. Un gosse comme lui aurait dû être en train de grimper aux arbres et de jouer à qui se salirait le plus vite…

– Mme Bateau. Pop la fouine. Dame au… manteau bleu.

– Tout va bien, Jimbo. Chut ! (Elle se tourna vers Drum.) J'aimerais bien qu'ils retrouvent ce chauffard.

C'étaient les paroles qu'il avait attendues.

– Je vous comprends, madame Merritt. On peut s'étonner que la police n'ait pas encore réussi à mettre la main dessus…

Elle reporta son regard sur le visage pâle de son fils.

– Oui. Et je ne peux m'empêcher de penser que cela fera une grosse différence pour James et pour nous tous quand on saura qui a fait ça. Le shérif Carmody m'assure qu'ils font tout ce qu'ils peuvent. Mais moi je pense qu'il doit bien y avoir un moyen d'accélérer les choses.

– À vrai dire, il y en a un.

– Ah bon ? Lequel ?

– Eh bien… Normalement c'est top secret, mais si je peux compter sur votre discrétion…

– Bien sûr que vous le pouvez. Parlez, je vous en prie. J'aurais bien besoin d'un peu d'encouragement…

Drum lui raconta que sa compagnie d'assurances conduisait une enquête indépendante. Il s'étendit sur l'expérience accumulée dans ce domaine, la grande compétence du personnel, les liaisons informatiques que la Mutuelle Continentale entretenait avec les banques de données criminelles nationales et internationales, leur réseau d'enquêteurs et d'informateurs de haut niveau. Il en fit tant qu'il parvint à s'impressionner lui-même.

– Mais comme je vous l'ai dit, madame Merritt, ceci doit rester entre nous. Les huiles de la police seraient furieuses si elles apprenaient que nous travaillons aussi sur cette affaire. Et, franchement, ma compagnie ne peut se permettre de s'aliéner la police.

– Pas un mot à qui que ce soit, c'est promis. Tout ce que je veux, c'est que ce chauffard soit retrouvé. Peu m'importe par qui.

– Je suis bien d'accord avec vous.

Il ajouta une poignée d'habiles balivernes : la police était débordée de travail et manquait d'hommes ; naturellement, les ressources de sa compagnie n'étaient pas si sévèrement affectées… Bref, si elle entendait parler d'un fait nouveau, ou pensait à quelque chose qui pourrait faire avancer l'enquête, elle serait bien avisée de l'appeler immédiatement. Et si elle en trouvait le temps, il apprécierait qu'elle rédige un compte rendu détaillé de tout ce qu'elle pouvait se rappeler de cette journée jusqu'au moment de l'accident.

– On ne sait jamais quel détail important a pu échapper à la police…

– Vous croyez que ça vous aidera de savoir ce que je faisais ? J'étais à des kilomètres de là quand James a été renversé.

– Sans doute pas directement. Mais il nous faudra reconstituer l'accident du mieux que nous pourrons pour les besoins de notre enquête. Et c'est en retraçant les événements de cette journée pas à pas que vous nous aiderez le mieux à le faire.

Cinnie haussa les épaules.

– Entendu, si vous pensez que ça peut être utile.

– Homme-ombre. Mme Bateau.

Curieux, cette façon qu'avait le môme de répéter sans cesse les mêmes choses. Drum se demanda tout haut si certaines paroles pouvaient avoir une quelconque signification.

– J'en doute. Je le saurais si c'était le cas.

Drum n'était pas convaincu. Ça ne payait jamais de tenir quoi que ce fût pour acquis. Il griffonna les mots incohérents qu'il avait entendus dans la marge de sa feuille. Quand il releva les yeux, il vit que ceux de la mère de James étaient posés sur lui.

– Avez-vous besoin d'autre chose, monsieur Kettle ?

– Non. Je pense que ce sera tout pour le moment.

– Si vous voulez bien nous excuser alors, dit-elle. James a été très agité et éveillé une bonne partie de la nuit. Je pense qu'il vaut mieux qu'il se repose maintenant.

– Bien sûr. Et s'il vous plaît, madame Merritt, rappelez-vous que s'il y a quelque élément nouveau dont vous pensez que nous devrions avoir connaissance, ou quelque chose que nous pouvons faire pour vous aider, vous ne devez pas hésiter à me passer un coup de fil. À n'importe quel moment.

Drum s'était arrangé pour que sa ligne soit raccordée à Failsafe Security, une boîte privée de détection de cambriolages qui fonctionnait vingt-quatre heures sur vingt-quatre. Quand il ne décrochait pas, son vieux pote Louis Packham, le patron et opérateur à plein temps de Failsafe, prenait les messages qui lui étaient destinés. En échange, Drum l'approvisionnait régulièrement en cassettes pirates de films récents. Il se trouvait que Drum avait un autre copain qui avait fait fortune dans l'industrie du piratage de films. Parmi les gosses que Drum avaient connus en centre de détention, beaucoup pouvaient se targuer d'avoir aussi brillamment réussi.

La poitrine de l'enfant se souleva, son expression se fit tendue et soucieuse.

– Dame au… manteau bleu. Tunnel vert volant, maman. Mme Bateau. Pop !

– Chut, bébé. Au revoir, monsieur Kettle. Et bonne chance pour votre enquête.

– Merci, madame Merritt. Au revoir, James. Rassure-toi, petit. Tout le monde travaille pour toi.

– Tunnel vert. Mme *Bateau*…

Drum referma la porte derrière lui et longea le couloir. À mi-chemin des ascenseurs, il rencontra un individu mince et plutôt bel homme. Même visage. C'était forcément le père du gosse.

Drum se présenta à lui.

– Arthur Kettle, Mutuelle Continentale. Nous sommes amenés à nous intéresser à l'enquête sur l'accident de votre fils, monsieur Merritt.

Le gars était diablement nerveux ; ses yeux faisaient penser à ceux d'un arbitre de match de ping-pong. Drum ne retira pas grand-chose de leur bref entretien, si ce n'est un sentiment de malaise. On aurait pu croire que Papa s'intéresserait un peu plus à quelqu'un qui essayait d'élucider les circonstances de l'accident. Ou qu'il ferait au moins semblant. Mais tout ce que ce type voulait, c'était en avoir fini. Drum le regarda entrer dans la chambre de l'enfant.

Visite de cinq minutes maximum, il l'aurait parié. Ça donnait à réfléchir.

La voix aiguë de l'enfant interrompit le cours de ses pensées. « Pop la fouine. Plus de tunnel vert ! »

Pauvre gosse, pauvre mère. Quelquefois Drum aurait voulu pouvoir faire la liste des gens qui méritaient que de telles choses leur arrivent.

Il savait très bien quel nom il mettrait en tête.

# 13

Une fois arrivé en vue du bureau, Drum fut satisfait de constater que Tête-de-Clebs n'y était plus. Il aurait pu mener à bien sa petite opération suivante déguisé en prêtre, mais ç'aurait été plus délicat.

Dissimulé dans la niche qui contenait les extincteurs, il enfila la blouse blanche qu'il avait dans sa serviette et glissa dans sa poche un faux stéthoscope, qu'il avait chipé dans la panoplie de docteur de Booker. Le moustique n'avait jamais manifesté le moindre intérêt pour la médecine.

Les dossiers des patients étaient suspendus à une armature métallique, dans un coin de la salle des infirmières. Il prit celui marqué *Merritt James*, le cacha sous sa blouse, et se dirigea vers le débarras qui se trouvait au bout du couloir. Là, il aménagea un espace libre parmi les balais laveurs, les boîtes de détergent et les seaux. Utilisant une photocopieuse de poche, il reproduisit les rapports médicaux et les résultats des examens, colonne après colonne.

Lorsque ce fut fini, il mit les doubles dans sa serviette, reprit son apparence de prêtre et sortit de la pièce.

Tête-de-Clebs était revenue à son poste. Il lui demanda si elle voulait bien aller lui chercher un verre d'eau et, quand elle se fut éloignée, remit le dossier là où il l'avait pris.

Elle le regarda vider le verre. Son visage était pétri de béate dévotion.

– Merci infiniment de votre visite, mon père, dit-elle en se levant pour l'accompagner jusqu'aux ascenseurs.

– Restez assise, ma chère, dit Drum en faisant un geste de bénédiction et en se retournant pour partir.

« Assis, Médor, marmonna-t-il en franchissant la porte de l'ascenseur du milieu. Couché. Fais le mort. »

Il descendit au rez-de-chaussée, se ravisa, et appuya sur le bouton du troisième étage. Il inspira à fond deux ou trois fois et essaya de se préparer à ce qui l'attendait. Il y avait plus d'un mois qu'il n'avait pas vu le vieux. Pauvre bougre. La dernière fois, la salive coulait au coin de sa bouche, et un de ses yeux ne cessait de partir à droite ou à gauche comme une voiture sur une plaque de verglas. Drum avait quitté l'hôpital avec des nœuds dans l'estomac. Trois whiskies bien tassés avaient été nécessaires pour atténuer ce choc, et pendant une semaine son sommeil avait été peuplé de cauchemars.

Depuis, il avait repoussé plusieurs fois une nouvelle visite, en ayant recours à des arguments et des prétextes qu'il trouvait lui-même de plus en plus boiteux. Il était temps de mettre un terme à ces hésitations. Que le vieux fût beau à voir ou non, Drum lui devait beaucoup plus que de bonnes intentions.

Sa chambre était vide. Drum trouva London dans la salle commune au bout du couloir. Incliné à tribord dans son fauteuil roulant, le vieux regardait un jeu télévisé. Drum l'observa un moment et ressentit un âpre mélange de chagrin, de pitié et d'affection.

Il se souvenait encore du London d'autrefois. Quarante ans plus tôt, il avait commencé à faire équipe avec Matt Drum. Et quelle équipe ils avaient formée ces deux-là !

Le grand Matt avait été le dandy du tandem. Il avait des manières élégantes et ce genre d'intense magnétisme qui pousse les femmes à faire des folies. Mais le père de Jerry n'y prenait même pas garde. Il avait épousé son amie d'enfance juste après le lycée et mené une existence aussi stable qu'un arbre profondément enraciné.

London, qui était encore célibataire, n'avait pas demandé mieux que de récupérer à son profit les copieux morceaux que le grand Matt dédaignait. Mais le Poids lourd, comme on l'appelait alors – démarche d'ours, teint gris, traits tombants comme des vêtements détrempés sur une corde à linge –, n'avait jamais eu beaucoup de succès auprès des femmes.

Heureusement, leurs liens d'amitié avaient été trop forts pour être affectés par de petites jalousies. Ils avaient tous les deux le boulot de policier dans le sang. Des nerfs d'acier, un courage à toute épreuve, beaucoup de jugeote, et en prime un instinct sûr. Ensemble ils avaient traversé bien des passes difficiles et réussi à en sortir indemnes. Ç'aurait pu continuer ainsi jusqu'à ce qu'ils prennent ensemble leur retraite, si la poisse n'avait fini par rattraper le grand Matt.

La mère de Drum était morte d'un cancer du sein trois ans avant que son père ne se prenne plusieurs balles dans le ventre au cours de ce qui aurait dû être une banale interpellation pour excès de vitesse. Seulement le chauffard avait un coffre plein d'héroïne, et un 9 millimètres chargé.

Jusque-là, London avait fait partie de la famille. Mais après cela, il n'y avait plus eu de famille. N'étaient restés que deux êtres désemparés : London et Drum.

La bouche de Drum était sèche.

– Ohé, Oncle Oliver. Comment ça va ?

London cligna des yeux et tourna son fauteuil roulant vers Drum. Il lui fallut quelques secondes pour percer son déguisement à jour. Puis il renifla, et un pli de dégoût se forma au coin de sa bouche.

– Écoute. Je suis désolé. Je sais que ça fait un moment... On se demande où le temps passe.

London fit un effort pour parler et son teint s'empourpra.

– Ss... ss...

– Allons, calme-toi. Ne te fatigue pas.

Les yeux de London étaient exorbités.

– Sss... salaud.

– Vieille canaille. Tu peux parler !

– Salaud, répéta London en accompagnant le mot d'un ferme hochement de tête. F... fumier.

Drum tourna ses paumes vers le ciel.

– D'accord, tu as raison. Que veux-tu que je te dise ?

London renifla encore et tourna le fauteuil vers le poste de télévision.

– Allons... Je regrette. Comment puis-je me faire pardonner ? Tu n'as qu'un mot à dire.

Le visage du vieil homme se vida de toute expression. Drum avait cessé d'exister. Pof !

– Tu as raison. Je ne suis qu'un foutu bon à rien. Mais je veux réparer mes torts. S'il te plaît.

London fit claquer sa paume sur le bras du fauteuil, comme pour le congédier. Drum haussa les épaules et tourna les talons. Il allait franchir la porte, lorsqu'il entendit une série de coups secs.

– Ouais ?

London lui faisait face à nouveau, un air de rancune sur le visage.

– Ga... garçon ?

– Booker ? dit Drum en souriant machinalement. C'est un brave gosse. Malin comme c'est pas croyable. C'en est presque effrayant.

London hocha la tête pour manifester son approbation et entreprit de demander autre chose.

– B... bo...

Drum sentit dans son corps une tension analogue à la sienne.

Le mot finit par jaillir – pop ! – comme un bouchon de champagne.

– Bosses.

Drum ne voyait pas ce que cela pouvait signifier et ne voulait pas le demander.

– Bosses, répéta London en martelant le bras du fauteuil. Boooosses !

Drum secoua la tête et haussa les épaules.

Le vieux fronça les sourcils. Puis il plaça sa main, doigts légèrement repliés, à une trentaine de centimètres de sa poitrine.

– Bosses ?

Drum éclata de rire.

– Stella, tu veux dire ? Stella va bien. Très bien même. En ce moment elle chante dans une boîte de South Norwalk. Elle fait un malheur tous les soirs. Et elle est folle de Booker. Elle n'arrête pas de le nourrir et de le bichonner et de vanter ses mérites.

London en oublia presque sa rancœur, et laissa échapper un vague sourire. Puis il serra les dents et prit une expression renfrognée.

– Ch… chameau ?

– Carmody ?

Drum commençait à s'y retrouver. Le chameau, cela ne pouvait être que le chef. London avait appris la mise à pied de Drum juste avant son attaque, mais ce souvenir avait dû se perdre dans les décombres du séisme qui l'avait secoué. Drum ne voyait aucune raison de lui rafraîchir la mémoire. Cela ne ferait que l'énerver encore plus.

Le vieil homme avait été le meilleur défenseur de Drum dans la police. D'ailleurs, c'est lui qui avait forcé la main à Dan Carmody pour qu'il l'engage. Le chef avait été fort peu disposé à prendre un gars qui avait ce genre d'antécédents. Ce qui était bien compréhensible. Mais London était revenu à la charge jusqu'à ce que le chef finisse par se laisser fléchir.

– Tout va bien, dit Drum. Carmody m'a mis sur une affaire de délit de fuite. Le gosse qui a été renversé est là-haut, au cinquième. Le salopard qui a fait ça s'est sauvé comme s'il avait le feu aux trousses. Tu en as entendu parler ?

Le poing valide de London se serra.

– Pince… salaud.

– Ouais. J'y travaille.

– Va ! ordonna London. Pince… salaud. V… vas-y.

– D'accord, Oncle Oliver. Je dois dire que tu te fais parfaitement comprendre.

Dehors, un vent froid chassait des nuages effilochés à travers un ciel d'acier poli. Drum ouvrit le coffre de la Mustang et en retira ce dont il avait besoin pour sa prochaine halte. Il voulait effectuer une reconnaissance dans le quartier des Merritt, et il devait prendre certaines précautions pour pouvoir justifier éventuellement ses allées et venues.

Il enfila un pull gris ras du cou et s'arma d'un bloc-notes et d'un magnétophone. Il prit dans la boîte à gants une carte de presse et une fausse carte professionnelle arborant un logo en forme de plume d'oie, qui faisait de lui un journaliste indépendant, membre de l'Association Américaine des Journalistes et Écrivains et lauréat du prestigieux prix de la Plume d'Or. Il était bien normal qu'il eût reçu ce prix, puisque c'était lui qui l'avait créé de toutes pièces.

Il suivit High Ridge Road vers le nord ; la circulation était dense en cette fin de matinée. À un carrefour, juste avant le centre commercial Fashion Plaza, deux voitures aux tôles en accordéon étaient entourées d'une nébuleuse de verre brisé. Leurs propriétaires se hurlaient des insultes, plantés l'un devant l'autre sur le bas-côté jonché de détritus. Trois voitures de police et une ambulance étaient sur les lieux. Drum tourna la tête de l'autre côté lorsqu'il dépassa lentement le bouchon de véhicules et deux policiers qu'il connaissait beaucoup trop bien.

Il suffirait que le shérif Carmody entende mentionner son nom une seule fois pour qu'il soit renvoyé à son tournage de pouces à plein temps. Sa mise à pied l'affectait plus qu'il ne voulait bien l'admettre. Son métier de flic était tout pour lui. Il n'oublierait jamais cette sensation de vide mortel qu'il avait éprouvée quand il avait cru qu'il avait gâché pour toujours ses chances de travailler dans la police.

Il retint son souffle jusqu'à ce que l'embouteillage fût derrière lui et parcourut à vive allure les petites routes qui menaient au Bois-Tyler. Certaines choses coûtaient si cher qu'on n'avait jamais fini de payer. Il faudrait qu'il dise cela à Booker aussi. Un môme n'était jamais trop jeune pour commencer à apprendre ce genre de tarif.

## 14

Il laissa tourner le moteur de la Mustang et traversa Mill Road. À la lumière du jour, il était plus facile de repérer l'endroit où l'enfant avait été trouvé. L'équipe spécialisée avait ratissé le sol sur plus de trois mètres dans chaque direction. Il vit les fins sillons laissés par leurs instruments, et aussi, çà et là, ses propres traces de pas de la veille au soir. Il s'accroupit et filtra plusieurs poignées de terre entre ses doigts. Apparemment les gars avaient fait leur boulot correctement. Il ne trouva rien à ajouter au bout de tissu souillé qu'il avait fourré dans sa poche, et qui avait probablement été poussé là par le vent après le ratissage. Mais Drum comptait le faire analyser par son « laboratoire privé », au cas où.

Il allait retraverser la route, quand une Porsche rouge surgit à toute vitesse du virage sans visibilité et passa si près de lui qu'il sentit le déplacement d'air. Surpris, il recula en trébuchant sur l'accotement. Cette foutue route était vraiment dangereuse.

Il remonta dans la Mustang, s'engagea entre les colonnes de pierre brisées, et roula lentement le long de la rue du Bois, qui, telle une cicatrice sinueuse, coupait le quartier en deux ; une demi-douzaine d'avenues en partaient, qui ne menaient nulle part.

Les maisons bien espacées et bien entretenues donnaient une impression de paix et de sérénité. Les couleurs étaient fraîches, les haies bien coupées. Des parterres dormaient sous d'épaisses couches de paillis hivernal, et les jeunes arbres plantés à l'automne avaient été emmaillotés de toile à sac. Des voitures luxueuses et des bateaux couverts de housses languissaient dans les allées privées. Les grands jardins offraient aux regards de coûteux agrès, des balançoires en bois, des piscines protégées du mauvais temps. Des jouets pour tous les âges.

Presque toutes les maisons avaient l'air désertées. Pas de lumières. Stores encore baissés. La plupart des habitants avaient dû partir au travail ou à l'école avant le lever du soleil. C'était le genre de quartier où chacun est très pressé d'acquérir encore plus de ce qu'il a déjà beaucoup trop.

Les nuages s'étaient dissipés, et un soleil éclatant terminait son ascension dans le ciel. Drum grogna de satisfaction. Exactement le temps qu'il fallait.

Encore une heure à tuer.

Il rebroussa chemin vers Mill Road et s'arrêta près de la maison des Merritt. C'était une bâtisse basse et blanche en bois, avec des volets vert foncé et une porte rouge. Il remarqua des signes évidents de négligence récente. Les chrysanthèmes étaient fanés dans les deux bacs en bois posés sur les rebords de fenêtre, de chaque côté de la porte. Un grossier masque de Hallowe'en [1] en papier était encore scotché à une des fenêtres. Des journaux roulés jonchaient le sol près de la boîte aux lettres trop pleine. Le guidon d'un vélo d'enfant dépassait du pied d'une haie de troènes. Drum aperçut les deux petites roues latérales. Il songea que l'enfant ne pourrait peut-être plus jamais apprendre à monter à bicyclette.

La maison était parfaitement silencieuse.

Il actionna la sonnette une douzaine de fois et, quand il fut certain que personne n'était là, utilisa son trousseau de rossignols favori pour s'introduire dans la maison.

Elle était agréable. Drum respira l'odeur caractéristique des intérieurs vraiment confortables. Bois. Chaleur.

Il trouva la chambre de l'enfant au bout d'un long couloir. Elle lui rappela celle de Booker. C'était un capharnaüm de trésors douteux : posters, fanions, livres, vieux tickets, cartes de base-ball, une boîte à cigares pleine de galets soigneusement étiquetés, une cage à hamster vide, deux ours en peluche. Drum inspecta les placards, les étagères, les tiroirs et fit un rapide inventaire du reste : des jeux de construction, d'autres livres, des jeux électroniques, des puzzles, une collection d'animaux mécaniques, une tirelire, des vêtements et des sous-vêtements bien rangés.

Il explora lentement le reste de la maison. Son œil exercé repéra les endroits où des pièces avaient été ajoutées ou agrandies. Drum avait travaillé quelque temps comme apprenti charpentier dans une entreprise de construction commerciale. Il avait fait plein de petits boulots avant de pouvoir exercer celui qu'il avait dans le sang.

Puis il referma derrière lui la porte d'entrée et retourna à la voiture. Midi moins vingt-cinq. Il restait assez de temps pour vérifier certaines petites choses.

Il remonta Mill Road vers le carrefour de Cascade Road et suivit la route escarpée et sinueuse qui menait au petit bourg voisin de New Canaan. Ses yeux balayaient la chaussée comme un détecteur de mines.

1. Fête de la veille de la Toussaint. *(N. d. T.)*

Au bout d'un kilomètre et demi, il aperçut exactement ce qu'il avait espéré trouver. Des plaques lisses de goudron frais parsemaient le macadam un peu avant le sommet de la colline. Elles avaient environ un mois d'existence, estima-t-il en expert ; il avait aussi bossé quelque temps dans une équipe municipale d'entretien des routes et savait lire les plus fines empreintes sur une surface goudronnée. Il descendit de voiture et examina de près plusieurs de ces taches sombres. Parfait. Pas une seule trace de caoutchouc brûlé. Aucune voiture n'était passée par là à grande vitesse depuis que les nids-de-poule avaient été bouchés.

La voisine, Lydia Holroyd, avait vu une berline bordeaux immatriculée dans l'État de New York s'éloigner à toute allure dans cette direction, à peu près à l'heure où l'accident s'était produit. Elle était catégorique. Elle avait été interrogée par trois membres différents de l'équipe de jean-foutre d'Allston, et avait répété chaque fois la même chose.

C'est en allant chercher son enfant, un garçon prénommé Todd, pour l'emmener chez le dentiste, qu'elle avait vu un type jeune et blond filer comme le vent sur Mill Road en direction de New Canaan. Elle se trouvait devant la première maison à gauche à partir des colonnes de pierre quand cela était arrivé. Ignorant, évidemment, que James Merritt venait d'être renversé, elle n'avait remarqué la voiture que parce qu'elle allait trop vite. Au moins cent kilomètres-heure, ce qui était beaucoup pour cette route étroite et pleine de virages.

Drum en déduisit que la berline bordeaux avait ralenti avant d'atteindre les plaques de goudron, ce qui signifiait que le conducteur avait fait preuve d'une remarquable maîtrise de soi. Intéressant.

Quelle sorte d'individu pouvait renverser un gosse, s'enfuir à toute vitesse, et retrouver tout son sang-froid en moins d'une minute ? Drum pensa à des professions exigeant des nerfs d'acier : cascadeur, pilote d'essai, microchirurgien. Mais cela pouvait aussi bien être un psychopathe de banlieue, un de ceux que chacun peut avoir pour voisin.

Drum poussa jusqu'à New Canaan. Assez loin pour un

premier essai. Il fit demi-tour et retourna vers l'entrée du Bois-Tyler. Il descendit sa vitre, alluma la radio et mit le volume à fond.

La musique amplifiait démesurément la migraine de Drum, mais il savait que c'était le moyen le plus rapide d'obtenir ce qu'il voulait. Tout en roulant à allure modérée, il nota mentalement les trois maisons aux fenêtres desquelles des visages curieux apparurent soudain pour voir d'où venait ce tapage. Autant de témoins potentiels.

Il continua ainsi vers le carrefour de Cascade Road, ajouta une autre maison à sa liste, et laissa la radio brailler jusqu'au moment où il s'arrêta près des colonnes de pierre. Sur l'une d'elles un gros chat dormait roulé en boule. Derrière la maison la plus proche, deux chiens aux formes élancées aboyaient furieusement et bondissaient contre le grillage de leur enclos. L'un d'eux montra les dents et gronda. Drum en fit autant. C'était là un langage qu'il parlait couramment.

Il regarda de l'autre côté de la route, là où le petit Merritt était descendu du car scolaire, était monté sur l'accotement, avait cherché sa mère des yeux. Drum sentit croître en lui-même l'appréhension qui avait dû être la sienne. Une peur ancienne mais encore brûlante lui tordit les entrailles. C'était ce qu'il avait éprouvé ce jour-là…

Il avait à nouveau douze ans, il était à nouveau dans la maison de Cove Road. C'était le soir, et il attendait que son père rentre de son travail. Il préparait le dîner pour en faire la surprise au grand Matt. Il voulait que tout soit prêt quand son père arriverait…

Cette idée l'avait beaucoup excité. D'habitude, son père s'occupait lui-même du repas quand il rentrait. Mais ce jour-là, Jerry avait sorti une des recettes de sa mère de la boîte en bois qui était posée sur l'appui de la fenêtre. Il avait pris quelques billets froissés dans sa tirelire et était allé acheter ce dont il avait besoin au petit marché qui se trouvait près de la plage, à deux rues de là.

Il avait décidé de faire un ragoût de bœuf aux légumes, le plat préféré de son père. Debout près de l'évier, il avait épluché les patates et les carottes, coupé les oignons, ajouté une boîte de tomates et les ingrédients nécessaires. Une odeur alléchante s'était répandue dans la maison tandis que le ragoût mijotait dans la marmite et que la miche toute fraîche de pain italien chauffait dans le four.

Cette odeur lui avait rappelé des temps meilleurs – l'époque où sa mère l'attendait au retour de l'école, et où ils prenaient leur dîner tous les trois ensemble.

... Mais où donc était passé son père ?

Peu à peu l'inquiétude s'était changée en vraie peur. Son père rentrait toujours à l'heure dite ou lui passait un coup de fil. « Jérémie ? disait-il. Je crois bien que je vais être en retard, fils. »

Les yeux rivés sur le téléphone, il avait attendu anxieusement qu'il sonne. Il avait imaginé la voix douce et profonde de son père. Mais rien n'était venu troubler le lourd silence.

Le ciel s'était voilé de noir. Jerry, les yeux secs, était resté la moitié de la nuit près de la fenêtre, jusqu'à ce qu'enfin la sonnerie de la porte retentisse. Il avait tout de suite perçu l'infinie tristesse dans le regard d'Oncle Oliver. Les mots n'avaient pas pu sortir, mais ils n'étaient pas nécessaires. Jerry savait déjà.

Il chassa ce souvenir de son esprit et regarda sa montre. Encore trop tôt. Il plongea la main dans sa serviette et feuilleta pendant cinq minutes les rapports médicaux qu'il avait photocopiés à l'hôpital. Le jargon était infernal, mais il parvint à se faire une idée de leur contenu.

Vingt-cinq pages de coûteux charabia. Qui pouvaient se résumer ainsi : une jambe cassée, diverses coupures et ecchymoses superficielles, et une fracture du crâne. D'abord le cœur de l'enfant avait flanché, mais ils avaient réussi à redresser la situation dès le premier jour. Maintenant il était dans un coma léger et persistant. Son état s'améliorait, mais lentement.

Il y avait quelque chose qui clochait là-dedans, pensa Drum en remettant les feuilles dans la serviette. Mais il ne voyait pas ce que ça pouvait être. Le puzzle devrait attendre. Il était temps de passer à l'action.

Grimaçant à cause de la lumière brumeuse, Drum se reporta par la pensée au jour de l'accident. Même ciel. Il attendrait la même heure. Le car scolaire passait toujours là à midi pile. Drum estimait à cinq minutes le temps que le petit gars avait dû attendre avant de se résoudre à traverser seul. Midi trois. Pendant la minute suivante il roula lentement vers le carrefour de Cascade Road, puis il attendit que la trotteuse de sa montre fasse un autre tour de cadran.

Midi cinq. Il écrasa le champignon. La Mustang bondit en avant et prit de la vitesse. Il négocia le virage serré sur les chapeaux de roue et accéléra encore. Alors qu'il se rapprochait des deux colonnes, le film de l'accident repassa dans sa tête en images crues. Il sentit le choc du métal heurtant un corps. Vit les éclaboussures de sang sur son pare-brise. Entendit le cri étranglé.

Drum freina à mort, fit demi-tour et s'arrêta devant l'entrée du Bois-Tyler. Son cœur battait la chamade dans le silence écrasant. Il voyait la forme recroquevillée sur l'accotement. L'enfant ne bougeait pas, et sa jambe brisée dessinait sur le sol un angle impossible. Un peu de sang coulait de sa petite bouche, qu'une grimace déformait.

Drum se glissait, se coulait comme une anguille dans la peau du chauffard. Il avait écrasé un enfant. Il l'avait tué. Le gosse était mort.

Sa gorge se serra, une peur panique monta en lui ; la terreur s'infiltra dans son cerveau. Un sentiment horrible de culpabilité le submergea. Il devait fuir.

Son pied trouva l'accélérateur, et la voiture démarra en trombe. La vitesse brouilla le paysage de chaque côté de Mill Road. Plus vite encore. Course éperdue…

Il avait eu l'intention de ralentir avant les plaques de goudron, mais le sentiment de panique fut le plus fort. Plus loin, plus vite. Impossible de s'arrêter. Il ne pouvait laisser toute cette horreur le rattraper. Il devait fuir.

Son souffle était court, son pouls irrégulier, son ventre douloureux. Il ne freina qu'aux approches du bourg, à cause d'un camion qui traînait lentement un chargement de bois, et de plusieurs voitures qui venaient en sens inverse.

Il se rangea sur le bord de la route. Il résista à l'attraction inhumaine de sa propre terreur. « Ce n'était pas moi. Ce n'était pas réel. Rien qu'une foutue enquête. »

Sa panique commença à décroître, laborieusement, d'un cran à la fois.

Il se sentait tout endolori. Vidé. Il descendit et donna à la Mustang une tape affectueuse sur le museau. La pauvre vieille crachotait d'âcres bouffées de gaz d'échappement. Drum enfonça ses mains dans ses poches et fit quelques pas pour détendre ses muscles contractés. Il sentit sur sa nuque la chaleur du soleil. Sa peau était moite, et des élancements pilonnaient l'intérieur de sa tête.

Il s'emplit lentement les poumons d'air frais. Relâcha au bout d'un moment un invisible panache. Il se sentit calmé, plus détendu. Ça allait déjà mieux.

Il regarda autour de lui et s'attendit presque à voir le chauffard sortir de sa cachette et se jeter à ses pieds pour lui demander grâce. Le salopard devait être quasiment au bout du rouleau à présent.

Drum savait combien c'était épuisant de fuir. Nul ne pouvait imaginer la quantité d'énergie nécessaire s'il n'était pas passé par là. Et Drum était passé par là. Il avait appris à ses dépens comment on pouvait courir à s'en péter les jointures pour finir justement là où on ne voulait pas être au départ.

Il tira une bouffée d'une cigarette imaginaire et retourna à la Mustang. Il alluma la radio, choisit une station de jazz doux, fit ronfler le moteur et démarra, direction la maison. Ses propres batteries avaient grand besoin d'être rechargées. Peut-être une bonne petite sieste avec Stella si elle était là… Cette idée l'excita. Il sentait presque sous ses lèvres les collines de chair crémeuse, s'enfonçait déjà dans la douceur et la moiteur de ses vallons secrets. Les meilleurs endroits du monde où se perdre.

Un bâillement irrépressible le submergea comme une vague. Son esprit était embrumé. La Mustang roulait en pilotage automatique, et Drum aussi. Mais quelque chose de têtu restait embusqué à la lisière de sa conscience. Un murmure dans le vent…

Il secoua la tête pour s'éclaircir les idées. Toute cette histoire n'avait aucun sens.

Il repensa à l'enfant. Attendant au bord de la route. Apeuré, hésitant. Puis prenant son courage à deux mains. S'engageant sur la chaussée. Et alors, surgi de nulle part…

Un murmure dans le vent. Une idée folle, qu'il essayait

de chasser de sa tête, mais qui revenait sans cesse. Têtue.

Encore une chose qu'il devait se souvenir de dire à Booker. Quand tu cherches une réponse à une question, garde ton esprit grand ouvert, champion. Ce qui compte, c'est ce qui reste à apprendre une fois que tu crois tout savoir.

Drum revit les yeux brillants et confiants du gamin, et le sérieux avec lequel il récitait ses préceptes maison. Puis son cœur se serra d'amertume et de tristesse. Tôt ou tard, Booker apprendrait la vérité sur son héros de quatre sous.

Drum espéra que ce serait le plus tard possible. Ce serait toujours bien assez tôt.

## 15

Après le départ de l'agent d'assurances, James n'avait cessé de balbutier par à-coups : « Pop la fouine. Homme-ombre. Tunnel homme vert ! Mme Bateau… »

Paul, qui leur avait rendu une visite rapide entre deux rendez-vous au studio, était convaincu qu'il fallait voir dans ce charabia un signe encourageant. Cinnie avait été trop épuisée pour le contredire. De toute façon, ils auraient des sujets bien plus délicats et cruciaux à aborder, si jamais elle trouvait le courage et l'énergie de croiser le fer avec lui.

Les docteurs Ferris et Silver étaient passés aussi séparément au cours de leur visite matinale, et avaient entendu des bribes du délire de James. Ni l'un ni l'autre n'avait eu la moindre idée de ce qui pouvait le provoquer, ni de la façon dont on pouvait amener l'enfant à se détendre.

Cinnie essaya de le calmer en le caressant tendrement. Elle lui fit écouter de la musique douce sur le baladeur. Finalement, en désespoir de cause, elle lui fredonna une de ses chansonnettes favorites, « La vieille qui avait avalé une mouche ». Il s'endormit avant la fin du deuxième refrain.

Elle posa un baiser sur sa joue et lissa le drap sur sa poitrine. « Ça marche à tous les coups, hein, Jimbo. Mon numéro de chant suffirait à mettre n'importe qui KO. »

Certaine qu'il dormirait bien pendant un moment, elle alla prendre une douche au bout du couloir. Elle s'habilla avec les vêtements qu'elle avait demandé à Paul de lui apporter : jupe bleu marine, chandail rouge. Elle enfila des bas, chaussa à contrecœur des souliers, et se maquilla même un peu.

Après une semaine de confinement dans ce lieu, elle avait l'impression d'être un prisonnier maladroitement déguisé qui va tenter une audacieuse évasion en plein jour. Apparemment, le retour à la vie normale n'irait pas sans un gros effort d'adaptation.

En sortant des douches, elle trébucha presque sur Hanky Moller, l'inquiétant et omniprésent bénévole, qui poussait un chariot devant lui. Il la regarda comme un homme affamé regarde un gâteau dans une vitrine.

– Quelle élégance, dit-il. Vous allez quelque part ?

– Je vais travailler.

– Ah. Quand est-ce que vous reviendrez alors ? Je passerai voir si votre fils a besoin de quelque chose.

– Merci, mais je vous l'ai déjà dit, James a tout ce qu'il lui faut.

Il hocha la tête et gloussa.

– On ne sait jamais. Je verrai ça plus tard. On a reçu des nouveaux trucs que vous aimerez peut-être.

Que ce type était exaspérant ! Elle retourna à la chambre de James, rouge de colère. Elle n'aurait pas pu dire pourquoi il l'énervait autant, mais elle n'aimait pas qu'il rôde trop près de James. Ni d'elle-même, d'ailleurs.

Le docteur Ferris était au chevet de James. Il leva les yeux et la regarda attentivement.

– Est-ce que tout va bien, madame Merritt ?

– Oui. Une question seulement. Ce type, Henry Moller, pourquoi est-il toujours fourré ici ?

– Hanky, vous voulez dire ? C'est un de nos plus fidèles bénévoles. Il a déjà un bon millier d'heures à son actif.

– Je ne mets pas en doute sa bonne volonté, mais est-il normal qu'il passe tant de temps dans le service pédiatrique ? Je le vois ici le soir, le matin. Il ne quitte donc jamais l'hôpital ?

Ferris haussa les épaules.

– Cela se produit parfois avec nos bénévoles les plus dévoués, madame Merritt. Ils s'attachent à ce lieu, et veulent passer tout leur temps à Fairview. Je ne vois pas de mal à ça.

– Non, sans doute.

Cinnie se sentit un peu sotte. Son animosité envers ce garçon était sans fondement. Elle se répéta qu'il était certainement inoffensif.

– C'est un grand jour pour James aujourd'hui.

Il se permit un minuscule hochement de tête.

– Je suis sûr que tout va très bien se passer.

– Je l'espère.

– Il n'y a aucune inquiétude à avoir. Il est prêt pour cette nouvelle phase de son traitement. Nous allons certainement constater des changements positifs.

Quand il sortit, Cinnie prit une profonde inspiration. Ferris ne manifestait jamais la moindre émotion, mais s'il disait que James allait faire des progrès, elle était plus que disposée à le croire. Elle *devait* le croire.

Il était prévu que James aille en kinésithérapie à dix heures et en orthophonie à onze. Suivrait une heure d'ergothérapie, qui se réduirait en l'occurrence à des activités visant à stimuler sa conscience. Après la pause du déjeuner, il passerait une heure dans la salle de jeux avec les autres enfants de l'étage, puis on lui ferait subir toute une série d'examens complémentaires.

Cinnie avait pu choisir ses thérapeutes, par conséquent elle savait qu'il ne pourrait être en meilleures mains. Pourtant elle était nerveuse. James était-il vraiment assez remis pour supporter tout cela ? Et, encore plus problématique, l'était-elle elle-même ?

Partant du principe que la meilleure défense contre l'anxiété était de se tenir occupée, elle avait particulièrement chargé son emploi du temps de la matinée. Son père avait téléphoné pour dire qu'il passerait à l'heure du déjeuner avec Madeleine pour voir James, et Cinnie était bien résolue à se trouver ailleurs à ce moment-là.

Elle n'avait rien à reprocher à sa belle-mère. De fait, c'était une femme chaleureuse, douce, et singulièrement bien intentionnée. Cinnie savait aussi que c'était une très bonne chose pour son père de s'être remarié. Madeleine l'avait tiré du sombre abîme de résignation dans lequel il avait sombré pendant la longue maladie de la mère de Cinnie, surtout vers la fin.

Mais de savoir tout cela n'aidait pas Cinnie à contenir de soudaines bouffées de ressentiment et d'amertume. C'était son problème à elle, elle en était consciente. L'enfant impérieuse qui vivait encore en elle ne supportait pas de voir une autre personne à la place de sa mère. Facile à analyser. Et elle comptait bien surmonter cette antipathie dès qu'elle le pourrait. Mais en attendant elle savait qu'il valait mieux garder ses distances.

Elle trouverait sans peine de quoi remplir le reste de sa journée, de sorte qu'elle n'aurait pas le temps de se faire du mauvais sang. Enfin pas trop.

Elle était en train de préparer James pour sa sortie, lorsque Karen Sands, du service de kinésithérapie, entra en coup de vent dans le sillage d'un fauteuil roulant vide.

– Y a-t-il un M. James Merritt dans cette chambre ? dit-elle avec un clin d'œil espiègle. J'ai une grosse livraison de bisous pour un M. James Merritt, chambre 514.

James lui adressa un sourire d'idiot de village. Il avait toujours beaucoup aimé Karen. Grande et mince, elle avait des cheveux châtains grisonnants, courts et raides, un sourire pour chacun, et une patience infinie. Elle saurait comment distraire James quand les exercices deviendraient douloureux. Il était essentiel d'entretenir la souplesse de ses muscles et de ses membres.

Ainsi ce serait douloureux. Bon, cesse de penser à ça et laisse Karen faire son travail. Au moins James était-il plus calme maintenant.

Cinnie finit de l'habiller – peignoir à rayures et chaussons « Yankee » –, passa un peigne dans ses cheveux, et lui frotta les joues pour y faire venir un peu de couleur.

– Sois bien sage avec Karen, James. À plus tard. D'accord ?

– Maman ?

– Oui, mon chou ?

– Croquette, maman.

– Des idées de chocolat te trottent par la tête, hein ? dit Cinnie. Ça doit aller mieux.

Elle le serra prudemment dans ses bras, respira son odeur, puis se força à l'abandonner aux soins de Karen. Elle attendit que celle-ci l'eût emmené vers le service de kinésithérapie pour quitter l'étage et se diriger vers son cabinet.

Elle trouva un bouquet de fleurs fraîches sur son bureau et un mot de bienvenue épinglé sur le tableau d'affichage. Les dossiers de ses consultations matinales l'attendaient, soigneusement empilés sur un coin du bureau. Elle ouvrit le premier et appuya sur le bouton de l'interphone pour demander à Sandy de lui envoyer son premier patient.

Il était vêtu d'un costume gris et d'une chemise blanche amidonnée. Sa cravate à motif cachemire était maladroitement nouée, et décentrée. Une raie luisante de pommade zigzaguait au milieu de son crâne. Elle perçut une odeur d'eau de toilette pour hommes.

– Bonjour, monsieur London. Ma parole, vous êtes tiré à quatre épingles aujourd'hui !

Il émit un grognement et tendit lentement son bras derrière lui. Il sortit de la sacoche un paquet bosselé.

– Gu… ga… bredouilla-t-il. Il fronça les sourcils. Ga… garçon !

Cinnie ouvrit de grands yeux.

– Vous ai-je bien entendu dire « garçon » ? Encore une fois, monsieur London. Répétez.

– Ga… ga-a-arçon ! lâcha-t-il avec un rictus de triomphe.

Elle adopta un ton plus modéré, car elle ne voulait pas qu'il s'énerve trop.

– Vous avez apporté quelque chose pour James ? Comme c'est gentil à vous.

Garçon. Ses sourcils se rapprochèrent. V… Sa figure s'empourpra. Il essayait de former un autre mot, mais n'y parvenait pas. Irrité, il martela du poing le bras du fauteuil.

Cinnie posa une main sur la sienne.

– Ça va venir, monsieur London. Attendez un peu. Pas trop vite.

Il inspira plusieurs fois à fond et ses lèvres se remirent à bouger.

– V… Il redoubla son effort. V… va. Va !

– Bravo, ça y est. Prenez votre temps maintenant. Doucement.

– Va. Milieu. Garçon… va… milieu ?

Il rayonnait. Cinnie sourit.

– Bon travail, monsieur London. Vous voulez savoir si James va mieux ?

– Milieu, ouaip.

Processus typique de guérison. Beaucoup de patients aphasiques passaient par une phase de substitution de termes, utilisant des mots similaires, opposés ou associés à la place de ceux qu'ils voulaient dire : « chaise » pour « table », « haut » pour « bas », « cuire » pour « four », etc.

– James va beaucoup mieux, merci. Et vous aussi, à ce que je vois. Dites-moi la vérité. Vous avez consulté un autre médecin derrière mon dos ?

Il prit un air indigné.

– N… nan !

– Très bien, je vous crois sur parole. Si nous nous mettions au travail, maintenant ? Quelque chose me dit que vous allez finir par devenir mon prisonnier vedette.

Le reste de l'heure fut consacré à des exercices de prononciation : répétition de noms d'objets courants, de mots et de phrases particulièrement utiles tels que « bonjour », « au revoir », « le dîner est mauvais ».

– Dîner… merde fut son approximation la plus réussie.

– Pas mal. Nul doute que vous vous ferez parfaitement comprendre avec ça, lui assura Cinnie.

Elle lui demanda de compléter des expressions toutes faites où manquaient certains mots et de nommer des objets dessinés. C'était un travail lent et difficile. London devenait cramoisi, et son corps se contractait chaque fois qu'il essayait de trouver un mot nouveau et de faire concorder les sons avec des modèles cérébraux incomplets ou déformés. Souvent ses tentatives échouaient, mais il s'obstinait. Cinnie guettait des signes de fatigue, mais n'en voyait aucun. Ce vieil entêté semblait bien parti pour l'avoir à l'usure.

– Bon, ça ira pour aujourd'hui, dit-elle enfin. Vous avez été formidable.

– Garçon ?

Elle tapota le paquet.

– Je lui donnerai votre cadeau. Je suis sûre qu'il l'aimera.

– Garçon.

Sa main valide s'abattit sur le bras du fauteuil, puis tourna un volant imaginaire.

– Le chauffard, vous voulez dire ?

Hochement de tête affirmatif.

– Rien pour le moment, mais la police le recherche.

London leva la tête comme pour poser une question. Cinnie ne devina ce qu'il voulait demander que lorsqu'il montra sur sa poitrine l'endroit où il avait porté sa plaque de policier et fit prendre à ses doigts la forme d'un pistolet.

– Vous voulez savoir qui s'occupe de l'affaire ? Bonne question. Le responsable est le shérif adjoint Charles Allston. Mais, franchement, je ne suis pas convaincue que quelqu'un s'occupe réellement de l'affaire. Allston semble s'intéresser plus à son image personnelle qu'à d'éventuels résultats.

London prit son petit air supérieur.

– Que signifie cette expression, monsieur London ? Vous savez quelque chose que j'ignore ?

La moitié de sa bouche se releva en un petit sourire satisfait.

– Allons, dites-moi tout.

London agita devant lui un index grondeur.

– D'accord. Le shérif Carmody me répète toujours la même chose, de leur faire confiance. Alors je fais de mon mieux pour me tenir à l'écart. Mais ce n'est pas facile.

Autre sourire de guingois.

– Écoutez. Je sais que vous n'avez jamais eu ce super-hamburger que je vous avais promis. Alors, pour fêter vos progrès fabuleux, que diriez-vous d'un déjeuner avec moi au snack *Deliworld* demain ?

Il glapit et martela le bras du fauteuil.

– Ga... gaaarçon.

– C'est gentil, mais James ne va pas assez bien pour venir avec nous. Peut-être la prochaine fois.

Trois coups secs. Il secoua la tête.

– Il ne s'agit pas de James ? De quoi alors ?

Il se pinça le nez.

– World… merde.

– Vous voulez dire que c'est mauvais au *Deliworld* ?

Il hocha vigoureusement la tête et sourit.

– Ga-a-arçon.

– Un nom de garçon ?… Al, peut-être ? Vous voulez que je vous emmène au *Al's Deli* ?

Il salua militairement.

– Très bien, monsieur London. C'est comme vous voulez.

Le reste de la matinée passa très vite. À midi, Cinnie quitta son cabinet et se retint d'entrer dans le service de rééducation. Elle avait terriblement envie d'aller voir comment les choses se passaient pour James. Mais elle savait qu'il s'adapterait mieux à la routine de ses exercices sans elle. Et, à en croire ses légions d'espions, consultées fréquemment au cours des séances préliminaires, James s'en sortait fort bien.

Beaucoup mieux qu'elle-même en tout cas, elle le savait bien. Peut-être était-il temps d'envisager sérieusement une thérapie adaptée à son propre cas.

## 16

Elle sortit de l'hôpital avec l'intention de passer prendre Dal à son bureau et de l'entraîner vers un de leurs infâmes déjeuners.

Mais un besoin plus puissant la fit passer sans ralentir devant l'entrée de la société de marketing où travaillait Dal et prendre la direction du Bois-Tyler. Elle s'arrêta deux fois en chemin pour acheter du fromage et du vin. Il y avait une autre vieille amitié dont elle devait s'occuper sans plus tarder. En utilisant la réanimation d'urgence si nécessaire. Il était temps de tirer un trait sur les vaines rancœurs et récriminations. Du moins ça valait la peine d'essayer.

Lorsque enfin elle tourna entre les colonnes de pierre,

elle avait élaboré un plan d'attaque détaillé. Il y aurait un bon feu de cheminée. Une nappe étalée sur le tapis moelleux. Rien de plus douillettement agréable qu'un pique-nique à la maison : quignons croustillants de pain français tartinés de beurre et de fromage, une pomme succulente, et pour faire descendre le tout un verre de Chardonnay bien frais. Et Paul pour dessert.

La maison semblait morte. Cinnie craqua une allumette sous les trois bûches qui se trouvaient dans la cheminée. Elle laissa ses paquets dans la cuisine et, traversant la pelouse gelée, se dirigea vers le studio, en se reprochant de ne pas avoir pris ce genre d'initiative plus tôt. Du moment que les choses s'arrangeaient entre eux, peu importait qui faisait le premier pas.

Trois voitures et une vieille fourgonnette étaient garées sur le parking derrière le studio. Avec un sentiment aigu de déception, elle entrouvrit la porte et jeta un coup d'œil à l'intérieur. Paul était à la console, une paire de gros écouteurs sur les oreilles. Ses doigts allaient fébrilement d'une touche à une manette de réglage, parmi les lumières clignotantes. Un groupe jouait derrière la vitre d'insonorisation. Rien ne donnait à penser qu'une pause était imminente.

Elle attendit quelques minutes, espérant que Paul la remarquerait. Elle n'eut pas cette chance.

Alors elle contourna la maison et dirigea ses pas vers la rue du Bois. Elle en suivit les méandres paresseux à travers le quartier. Ses pieds s'enfonçaient dans les petits tas de brindilles et de feuilles mortes laissées là par le service de voirie municipal.

N'y avait-il vraiment que deux semaines que James avait passé la moitié d'un samedi à suivre les énormes camions jaunes qui roulaient pesamment de maison en maison en aspirant les montagnes de feuilles d'automne accumulées sur la chaussée ? Il était rentré les joues en feu et frissonnant de froid ; elle se souvenait de son odeur de terre et de gaz d'échappement, des fragments de feuilles accrochés à ses épais cheveux châtain-roux et à son pull-over. Avec un sourire de triomphe, il avait offert à Cinnie un bouquet de feuilles d'érable desséchées. Elle se demanda si elles étaient encore dans le pot de beurre de cacahouètes vide, sur l'appui de la fenêtre de la cuisine.

Elle aperçut Todd Holroyd qui venait vers elle sur un tricycle. Il avançait avec la lenteur résignée d'une chenille.

– Bonjour, Todd. Pas d'école cet après-midi ?

– Non, il y a une réunion des maîtres. Comment va James ?

– Pas mal. Je lui dirai que tu as demandé de ses nouvelles.

Il leva sur elle un regard terne et vaguement surpris.

– Vous le lui direz ?

– Oui.

– Mais maman dit qu'il ne peut pas...

Le garçon se mordit la lèvre inférieure, baissa les yeux, et se remit à pédaler.

Cinnie refoula un amer sentiment d'envie. Même Odd Todd pouvait faire un tas de choses que James ne pouvait plus faire. Ne pourrait peut-être plus jamais faire.

Elle continua son chemin et aperçut bientôt un petit groupe compact de quatre voisines près du belvédère des Derosa : Lydia Holroyd, Ellen Podhoretz, Lucy Pavan et Vivian Goldblatt. Têtes rapprochées, elles parlaient d'un air absorbé. C'était manifestement une discussion sérieuse. Leurs bras étaient croisés, leur épaules relevées, leur regard empreint de gravité.

Lucy Pavan aperçut Cinnie à son tour et lui fit signe de venir les rejoindre. Après un moment d'hésitation, Cinnie se dirigea vers elles.

– Alors, comment ça va ? demanda Lucy, une femme très menue, coiffée à la Jeanne d'Arc, dont les grands yeux curieux évoquaient ceux d'un chevreuil.

– Il y a du mieux.

– Ah ? Est-ce que James a repris conscience alors ? fit Lydia en lissant de la main sa jupe plissée et en remontant le col de son corsage blanc amidonné.

– Un peu.

Lydia fit claquer sa langue.

– Ça doit être si terriblement difficile pour vous, ma chère. James était un enfant si brillant.

*Était.* Cinnie ne put trouver les mots ni l'énergie suffisante pour répondre à cette garce. Pourquoi se donner cette peine ?

– Vous devez m'excuser maintenant, dit-elle. Il faut que je retourne à l'hôpital.

Tout en battant en retraite vers sa maison, elle se rappela les fois où elle avait elle aussi fait partie d'un groupe de femmes satisfaites d'elles-mêmes, dont les discussions sérieuses avaient été interrompues par l'apparition fortuite d'une de leurs malheureuses voisines. Mais face à une telle douleur, toute attitude paraissait inadéquate, toute parole vaine.

Elle se souvint d'avoir rencontré par hasard Marion Druce peu après l'accident de Laure. Cinnie avait voulu lui dire des paroles de réconfort, l'assurer de son soutien moral, mais sa langue avait été comme nouée. Elle n'avait rien pu dire de ce qu'elle aurait voulu exprimer. Après cette rencontre embarrassée, elle s'était sentie honteuse d'avoir été si peu à la hauteur.

Et maintenant c'était son tour de se sentir exclue. Elle était certaine que ces femmes avaient parlé de James, de Paul et d'elle-même quand elle les avait vues. Elle pouvait presque entendre leurs paroles. *Quelle tristesse. Pauvre James. Pauvres parents. On se demande comment ils arrivent à faire face.*

Elle savait aussi quelle pensée coupable se cachait sous ce vernis de compassion : *Mieux vaut que ça leur arrive à eux qu'à moi.* Elles se demandaient ce que Paul et elle avaient fait pour mériter un tel malheur, obscurément persuadées qu'ils devaient en effet l'avoir mérité d'une façon ou d'une autre. Elles se défendaient comme elles pouvaient de la menace de contagion.

Une voiture passait de temps en temps, mais sinon la rue était calme. En cette mi-journée, on ne percevait guère que le son assourdi d'une lointaine télévision, quelques aboiements, un moteur tournant au ralenti dans un garage fermé.

Le bruit de sa propre respiration et de ses pas sur la chaussée lui emplit les oreilles. Elle frissonna. Le soleil éclatant manquait singulièrement de force. Elle boutonna le haut de son manteau et en releva le col.

Rien n'avait changé, mais tout était différent : un décor

vide, une cruelle plaisanterie. Elle imagina des mains géantes broyant un univers creux. Rien à perdre que du vent…

Tout lui rappelait James, le moindre arbre, la moindre butte. Elle le revoyait sur le terrain de base-ball improvisé, une batte en plastique sur l'épaule, sa langue gonflant sa joue. Ou allant pêcher des grenouilles, avec d'autres marmots de son âge, dans l'étang peu profond situé derrière la maison de Mme Zielinski, avant de rejoindre leur quartier général « secret » – la vieille caisse en bois à moitié pourrie qui avait été balancée derrière la véranda grillagée des Pavan et oubliée là.

Quand Paul et elle étaient venus visiter la maison, l'agent immobilier s'était longuement étendu sur les vertus du Bois-Tyler. « Beaucoup d'enfants dans le voisinage… Votre petit garçon aura de la compagnie… Et vous ne pourriez rêver d'un quartier plus sûr. »

Elle s'aperçut qu'elle s'était engagée sur le sentier dallé des Druce. Il menait à une maison moderne en cèdre, pourvue de larges baies vitrées étincelantes, d'où rayonnaient des petites terrasses de forme inattendue. Marion Druce – une illustratrice indépendante – travaillait dans un atelier ensoleillé aménagé à l'étage.

La sonnerie résonna dans l'intérieur caverneux. Cinnie entendit quelqu'un descendre l'escalier en colimaçon et Démon, le chien d'arrêt au pelage doré des Druce, bondir vers la porte.

Marion tint l'animal fermement par son collier pendant qu'elle tirait les verrous.

– Allons, tais-toi, Démon, dit-elle. Cinnie ? Quelle bonne surprise. Entre donc.

Cinnie remarqua que Marion avait vieilli. Avant l'accident de Laure, Dal, Marion et elle-même s'étaient fait une règle de se réunir une fois par semaine environ avec les enfants. Toutes ces dernières années, Marion avait été en quelque sorte la conseillère en éducation du quartier.

Maintenant les traits de Marion avaient perdu de leur fermeté, et ses joues de leurs couleurs. Pas étonnant. Au cours des onze mois qui s'étaient écoulés depuis l'accident, Laure avait subi cinq opérations à la jambe, de nombreuses séances de rééducation intensive et plusieurs alertes médicales. À deux reprises il avait été question de lui amputer la jambe. L'enfant souffrait encore de douleurs chroniques.

– Tu avais une question à me poser ? dit Marion.

– Oui. Je voulais savoir si tu ne t'étonnes jamais de tous ces accidents. (Elle plissa sa jupe entre ses doigts.) Celui de Laure et les autres ?

– Bien sûr. Je me demande parfois pourquoi il fallait que ce genre de chose nous arrive... Mais ce n'est pas cela que tu as en tête, hein ?

– Je ne sais pas au juste ce que j'ai en tête. Mais je ne peux pas m'empêcher de penser qu'il doit y avoir une explication – rationnelle ou non.

Marion haussa les épaules.

– Des accidents, Cin. Tu l'as dit toi-même. Le monde est plein d'accidents et d'étranges coïncidences. Nous avons été les victimes d'une série noire. On ne peut rien y faire, sinon espérer que la série est terminée.

– Mais si c'étaient plus que de simples coïncidences ? S'il y avait quelque chose derrière toutes ces choses horribles qui arrivent ici ?

Marion but une gorgée de café.

– Quoi par exemple ?

– Qui sait ? Une malédiction, un mauvais sort. Je sais que ça a l'air ridicule, mais je ne peux me débarrasser de cette impression qu'il y a dans tout ceci autre chose que des coïncidences. Qu'il y a forcément autre chose.

Marion fixa son café des yeux et passa lentement son doigt sur le bord de sa tasse.

– Écoute, je vais être franche avec toi, Cinnie. Il m'arrive aussi de penser ce genre de chose. Mais où ça nous mène ? Ça ne sert qu'à nous faire perdre la boule. À quoi bon se tuer à ruminer ces histoires ? Cela ne changera rien pour Laure ou pour James.

– Ça servirait au moins à essayer de comprendre pourquoi toutes ces choses terribles arrivent ici.

– Non. Ce qui compte, c'est de dépasser tout ça. Crois-moi, c'est la seule solution.

Quand Cinnie quitta la maison, ces mots lui revinrent à l'esprit. Marion avait raison. Il valait mieux laisser les doutes et les questions derrière elle. C'était plus sage, mais impossible. Elle était persuadée qu'une telle série d'affreux accidents avait nécessairement une explication.

Son côté logique la portait à se dire que toutes ces questions étaient futiles. Même si elle arrivait à prouver qu'il y avait une force maléfique derrière ces tragédies, que pourraient-ils y faire ? Partir ? Faire évacuer et isoler le Bois-Tyler comme un village hanté ?

Elle se dirigea vers sa maison. Rassembler les affaires qu'elle voulait rapporter à James et un peu de linge frais pour elle-même ne lui prendrait que quelques minutes. Elle serait de retour à l'hôpital bien avant la fin des examens que James devait subir dans l'après-midi. Il ne lui resterait plus qu'à attendre – attendre et se morfondre d'inquiétude.

Elle pourrait aussi tourner en rond dans la maison et ressasser tous ces obsédants « si seulement » : si seulement elle avait demandé à voir Teejay chez elle le jour de l'accident ; si seulement Paul n'avait pas été si négligent, avait pris la peine de vérifier l'heure donnée par l'horloge du studio en regardant sa montre ; si seulement le car scolaire avait été en avance ou en retard, si seulement un voisin était passé par là et avait aidé James à traverser la route...

Assez.

Elle revenait sans cesse au *pourquoi*. Logique ou non, il y avait forcément une raison à ce qui était arrivé. Et elle était convaincue que lorsqu'elle l'aurait trouvée il lui serait plus facile d'aider James à guérir.

En passant devant la maison des Sanders, elle aperçut la Chrysler de Loïs dans l'allée. Prise d'une impulsion soudaine, elle actionna la sonnette. Loïs était professeur de physique à l'Université de Columbia ; c'était une intellectuelle placide et pragmatique. Pas du tout le genre de personne à se nourrir comme Cinnie de vagues impressions et d'absurdes soupçons.

Du moins c'est ce qu'elle croyait.

Loïs vint ouvrir et la fit entrer. Ses yeux étaient lourds de sentiments inexprimés. Elle était plus que disposée à parler.

# 17

La cage d'escalier était sombre et sentait le renfermé. Une unique ampoule grillagée projetait un cercle de lumière tremblotante sur le ciment taché des murs et la rampe métallique de couleur crue.

Quatre marches au-dessous de l'étage du service pédiatrique, Malcolm Cobb, recroquevillé sur une surface grise et rugueuse, écoutait. Son oreille fine percevait parfois un bruit de pas dans le couloir. La plainte pitoyable d'un enfant effrayé. Une toux prolongée.

D'après ses calculs, l'infirmière avait déjà visité plusieurs chambres après celle du garçon. Le bruit de ses pas et sa voix grinçante lui avaient permis de suivre sa progression. Il imaginait la façon dont la lumière aveuglante envahissait chaque chambre, puis s'éteignait avec la même irritante brusquerie. En ce lieu de cruelle indignité, malmener impitoyablement le sommeil des gens faisait partie de la routine.

Maudit endroit.

Maudite femme ! Sans cette présence injustifiée, il serait déjà satisfait, il serait parti depuis longtemps. Un sentiment de fureur le submergea. Et un tic de colère fit tressauter sa joue comme un élastique nerveusement manipulé.

Il se força à reporter son attention sur les sons qui lui parvenaient. On entendait le sifflement de l'air dans une tente à oxygène, le ronflement d'un ventilateur. Un cri. D'autres bruits de pas. Un enfant vomit.

Enfin le silence parut se consolider. Cobb gravit les quelques marches qui le séparaient de l'étage et entrouvrit la porte en retenant son souffle.

Personne en vue.

Il se dirigea prudemment vers la chambre de l'enfant. Des pas résonnèrent dans un couloir. Une porte claqua. Le tout à bonne distance. Rien pour gêner son approche.

La porte de la chambre était entrebâillée. Cobb se glissa à l'intérieur. La femme dormait tranquillement. Excellent. Il tourna son regard vers l'objet de sa convoitise, et son cœur se gonfla de joie.

Les yeux de l'enfant brillaient dans l'obscurité. Cobb sentit leur animosité.

– Sois sage, mon trésor, murmura-t-il. Tout va bien.

Il fit un pas en direction du lit. Un autre.

– Geeentil garçon, dit-il d'une voix suave. Personne ne te fera de mal. Ne t'inquiète pas.

Tirant l'aiguille et le tuyau de sa poche, il s'approcha du pied du lit. Les yeux de l'enfant s'agrandirent de peur.

– Très bien, James. Parfait. Reste comme tu es. Sois sage.

Cobb était à la hauteur du bras de l'enfant maintenant. Il n'avait plus qu'à tirer les couvertures pour mettre à nu l'endroit du prélèvement. Lorsque ce fut fait, il glissa ses doigts sous le poignet du garçon et le serra.

– Non. Pas de... tunnel vert. Non... Mme Bateau. Maman. *Ma-man !*

La femme fit une grimace et gémit. Cobb se baissa vivement derrière le pied du lit. Son cœur se mit à battre avec la violence et la rapidité d'un tir d'arme automatique.

Le calme revint lentement dans la pièce et la tension se dissipa. Cobb régla sa respiration sur celle de la femme. Rythme plus profond, plus lent. Métronome de Morphée. Douce sérénité. Silence divin.

Il s'apprêtait à se relever, lorsque soudain les ressorts du lit de camp grincèrent et il perçut le léger impact des pieds nus de la femme sur le dur linoléum. Elle s'approcha du lit et se pencha sur l'enfant.

– Ça va, mon lapin ?

– Mme Bateau. *Bateau*, maman.

– Chut. Ce n'est rien, Jimbo. Juste un mauvais rêve. Essaie de dormir un peu maintenant. D'accord ? (Elle remonta les couvertures et en repoussa les bords sous le matelas.) Là. Bien bordé et confortable. Ça va mieux ?

Cobb entendit trois baisers sonores, puis des pas feutrés qui retraversaient la pièce. Suivirent un soupir las et un nouveau grincement de ressorts lorsqu'elle s'assit lourdement sur le lit de camp.

– Dors bien, mon chou. À demain matin.

À nouveau le silence s'installa peu à peu et rien ne vint le troubler. Cobb attendit prudemment quelques minutes avant de sortir de l'ombre où il s'était tapi. Ses jambes étaient ankylosées, son dos courbaturé. Quand il se releva, ses genoux craquèrent comme des brindilles sèches. Tout en frottant les parties douloureuses, il posa son regard sur l'enfant.

L'impudent le fixait encore de ses yeux brillants, rebelles. Des yeux malveillants de félin. Un clair défi, une menace.

Cobb réprima une rage meurtrière. Il se força à penser aux laborieuses semaines de préparation, à l'opération « capture » si habilement conçue et exécutée. Il ne restait plus qu'à effectuer le prélèvement. La précieuse moisson. Seul un idiot mettrait en péril sa juste récompense quand elle était si proche. À portée de la main.

Il devait attendre, laisser le « spécimen » mariner et s'attendrir un peu plus longtemps.

Contrôle.

– Allons, James, chuchota-t-il. Je m'en vais maintenant, et tu dois te reposer. Te reposer et guérir, mon enfant. Baume de mon âme. Source de mon salut. Bonne nuit, James. Bonne nuit, mon enfant.

Il sentit son regard qui le suivait tandis qu'il traversait la chambre et jetait un coup d'œil dans le couloir.

Personne.

Tête baissée, Cobb passa très vite devant les portes des autres chambres et, arrivé au bout du couloir, s'engagea dans un corridor plus étroit. Au-delà du débarras et de la buanderie, il y avait une porte noire sans inscription. Il s'arrêta devant et fouilla dans ses poches. Il avait besoin de réfléchir, de mettre au point une nouvelle stratégie, aussi hardie qu'infaillible.

Ses doigts trouvèrent la clef volée, et il ouvrit rapidement la serrure. S'assurant à nouveau que personne ne l'observait, il s'introduisit dans son refuge.

# 18

Cobb examina la petite pièce à la lueur vacillante d'une allumette. Tout était exactement comme il l'avait laissé. Au centre du plancher, le fil bleu arachnéen qui lui servait de sentinelle dessinait toujours la même figure serpentine. Le moindre mouvement l'aurait déformée. Son refuge était resté inviolé.

Il renifla. Cette légère et agréable senteur venait de l'extrait de menthe qu'il avait appliqué sur le radiateur pour combattre l'odeur de renfermé. Il avança jusqu'au fond de la pièce et trouva le cordon qui servait à allumer une ampoule rose de faible puissance. Atmosphère douce, sereine.

Elle serait satisfaite, pensa-t-il avec un frisson de fierté. Il imagina la façon dont elle pincerait les lèvres et presserait ses gracieuses mains l'une contre l'autre si elle pouvait contempler le fruit de ses efforts... Son languide hochement de tête approbateur...

Trouver un havre sûr avait été une priorité absolue. Lors de sa dernière mission, il avait beaucoup souffert de ne pas en avoir.

Le souvenir de cette horrible expérience était aussi lancinant que la douleur causée par une plaie purulente. Alors qu'il se dirigeait vers la chambre du spécimen, il avait entendu quelqu'un approcher vivement du corridor où il se trouvait. Il n'avait eu d'autre solution que de s'enfermer dans un minuscule placard à matériel pour ne pas être vu.

Une activité inhabituelle dans les couloirs de l'étage l'avait contraint à rester terré dans cette tombe étouffante. Il avait été pris au piège.

Au bout d'un long moment, les cloisons s'étaient mises à trembler. Une rangée de gicleurs ronds s'était matérialisée au plafond et une vapeur bleue délétère s'en était échappée. L'air lui avait manqué. Une vertige de peur l'avait entraîné au fond d'un gouffre noir.

Chute dans le temps.

... Il était un enfant à nouveau, enfermé dans le placard aux balais de la cuisine. Elles riaient toutes les deux de l'autre côté de la porte. Malcolm entendait leurs voix excitées ; elles se réjouissaient à l'avance de son humiliation. L'obscurité s'enroula autour de son cou comme un reptile et commença à serrer.

– Laissez-moi sortir ! S'il vous plaît, laissez-moi sortir !

– Malcolm ? Cesse de pleurnicher comme un bébé. Tu sais pourtant ce qu'il en coûte de faire le paresseux et l'imbécile. C'est de ta faute. Tu l'as bien cherché.

– Laissez-moi sortir !

Ses poings meurtris s'écorchaient contre la porte.

– S'il vous plaît ! S'il vous plaît ! Laissez-moi sortir. Je ne peux plus respirer ! Il faut que j'aille aux toilettes. Ça presse. S'il vous plaît.

Toujours la même chose. Elles attendraient qu'il se taise. Que les ténèbres, transformées en un monstre aux multiples tentacules, aient commencé à le dévorer organe par organe. Il n'y avait rien d'autre à faire que de se recroqueviller dans un muet désespoir, paralysé par la peur.

Tout son corps, chair et muscles, se dissolvait dans l'obscurité, était happé morceau par morceau par le monstre. Pied, jambe, genou. Main, bras, épaule. Bientôt plus rien.

Puis la porte s'ouvrirait brusquement. Il serait ébloui par le flot de lumière, clignerait des yeux, et les verrait toutes les deux, debout de chaque côté de la porte. Rouges d'excitation, gloussant de plaisir anticipé.

Sans se soucier de son corps mutilé, elles le pousseraient dehors et le forceraient à s'asseoir sur le haut tabouret réservé aux punitions, là où les nombreux passants pourraient le voir. Elles l'affubleraient d'un museau retenu par un élastique et d'un bonnet d'âne aux grandes oreilles en carton. Puis elles enrouleraient la queue autour de lui de façon que le bout pende d'une ficelle nouée autour de sa taille et soit pointé d'une manière accusatrice sur la tache sombre qui s'élargirait sur son pantalon.

Alors elles placeraient l'écriteau sur le grand chevalet de bois et sonneraient la cloche de la honte… Il ne verrait que le dos de la pancarte, mais les mots étaient gravés dans son esprit. « Venez tous voir Malcolm Cobb, l'âne le plus stupide de l'univers. »

Tout ceci lui était revenu en mémoire quand il s'était caché dans le placard au matériel. Il avait lutté pour refouler le hurlement de panique qui était monté dans sa gorge. Il s'était mordu la langue et avait goûté la saveur métallique de son propre sang.

Il avait entendu derrière la porte les allées et venues du personnel soignant et des patients. Complotaient-ils aussi contre lui, comme ces femmes qui jadis riaient dans une cuisine, se délectaient de sa mortification, savouraient sa défaite ? Non ! Plus jamais ça !

Le hurlement avait failli franchir ses dents et ses lèvres serrées. Il avait été bien près de se trahir. Bien trop près.

Après cela, il s'était juré de tout prévoir, de se préparer à toute éventualité. Puisque le besoin d'un refuge risquait de se faire à nouveau sentir, et qu'un tel endroit pourrait favoriser son entreprise, il devait en trouver un. Il était resté vigilant, avait hanté les couloirs silencieux, exploré tous les recoins, à la recherche de pièces abandonnées ou oubliées qu'il pourrait utiliser.

Et puis, lors d'une de ses visites préparatoires, avant la capture de son dernier spécimen, il avait remarqué une porte noire sans inscription au bout d'un étroit corridor situé à la périphérie du service pédiatrique. Cette nuit-là, quand le garde avait abandonné son poste pour aller fumer une cigarette à la cafétéria, il avait subtilisé le passe-partout de l'hôpital et l'avait porté à un « clef-minute » proche, ouvert toute la nuit, pour qu'il en fasse un double.

En ouvrant la porte noire, il avait découvert une petite pièce encombrée d'objets poussiéreux. Il avait deviné, en voyant l'ameublement rudimentaire, qu'elle avait servi de salle de repos pour le personnel soignant. Il y en avait plusieurs autres dans l'hôpital, mais elles étaient beaucoup plus confortables.

Il s'était rappelé que Fairview avait cessé toute collaboration avec une école de médecine quelques années plus tôt. On avait probablement jugé que cette pièce, avec son ameublement spartiate et sa médiocre ventilation, convenait à de simples internes et à des étudiants en médecine, mais qu'elle était ridiculement inadéquate pour de vrais docteurs.

Ce snobisme le servait. Il lui procurait un refuge parfait. À proximité de l'enfant. Tout près... Il était désormais sa chose.

Au fil des semaines, Cobb avait vidé la pièce de ses objets superflus, en les jetant dans les vide-ordures et les poubelles des divers bâtiments. Puis il avait entrepris de l'aménager à sa convenance, avec des objets qu'il avait rapportés du chalet ou prélevés dans les placards de l'hôpital.

Il avait installé un petit miroir encadré au-dessus de l'évier, posé un cahier et un stylo pour ses exercices sur un tabouret près du lit, et étalé le vieux tapis élimé de Mère au milieu du parquet.

Il s'était aussi procuré des draps propres ; trois couvertures bleues étaient roulées au pied du matelas. Il avait rangé dans la petite armoire métallique près de la porte une boîte à chaussures pleine d'affaires de toilette de rechange. Les vêtements qu'il avait chapardés dans la buanderie constituaient une rassurante garde-robe : blouses blanches, tenues vertes de chirurgien au grand complet, combinaisons et masques jaunes utilisés pour les maladies contagieuses.

Dans le coin près de la fenêtre, il y avait un carton rempli de provisions et de matériel de survie : des bougies et du fil à coudre ; des biscuits salés sous cellophane ; une carafe à eau ; un nécessaire à toilette de patient, emballé sous film plastique, comprenant un urinal, un bassin hygiénique, un porte-savon et une cruche ; des pansements et des antiseptiques ; des livres, y compris son précieux volume. Il y avait aussi, dans une boîte en métal, plusieurs seringues à usage unique contenant diverses drogues essentielles.

Tout était donc prêt.

Pendant la phase préparatoire, il avait maintes fois décidé de passer la nuit dans son refuge. Au matin il avait revêtu l'une ou l'autre des tenues qu'il s'était procurées sans peine, et parcouru hardiment les couloirs des divers services. Sa présence n'avait jamais éveillé le moindre soupçon.

Stupides larves.

Mais depuis la capture du spécimen, il s'était efforcé de

rester aussi discret que possible. C'était certes plus difficile, mais aussi beaucoup plus judicieux.

Il s'assit avec lassitude sur le mince matelas et réfléchit à d'autres tactiques d'approche. Tout serait si simple sans ce vil obstacle – sans cette femme. C'était sa survie même que cette créature menaçait.

Il n'avait donc pas le choix. Sa chère colombe lui avait bien dit que la femme devrait être éliminée. Mais il n'avait pas trouvé le moyen de se débarrasser d'elle sans compromettre ses chances de réussite. Ce problème l'avait plongé dans une grande perplexité, et la solution lui avait échappé.

Mais il ne voulait pas penser à cela maintenant. Cela viendrait. Elle le jugerait et il ressusciterait. Et ils seraient unis dans la plus totale et harmonieuse des communions.

Une agréable chaleur envahit ses membres. Son esprit s'envola sur des ailes impalpables. Un frisson le parcourut.

Merveilleux.

Il glissa une main sous sa ceinture et sentit sous ses doigts le mélange de douceur soyeuse et de dureté. Libéré de toute entrave, il s'élevait. Chevauchait l'enivrante crête. Plus haut encore !

Il ne tint pas compte du fulgurant avertissement. Fit taire le strident cri d'admonestation. Dans un jaillissement glorieux il atteignit le périlleux sommet, puis sombra dans un bienheureux gouffre d'oubli.

## 19

Cobb se réveilla en sursaut. Les premières lueurs de l'aube s'infiltraient dans le refuge par l'étroite fenêtre. Il perçut ce regain d'activité qui annonce la relève d'une équipe par une autre : bruits de pas, chuintement d'un percolateur, voix.

– Bonjour, Gladys. J'espère que vous êtes prête pour la post-appendicectomie du douze. Ce gosse est un vrai démon sur un brancard.

– Aussi turbulent que cette petite double hernie du trois qui braille comme un putois ?

– Presque.

Ces pauvres crétins étaient absorbés par leurs médiocres tâches. Comment pouvaient-ils supporter le fardeau de leurs prosaïques obligations avec une telle obéissance d'esclaves bornés ? Une vague de mépris le submergea et lui donna l'énergie suffisante pour affronter cette nouvelle journée.

Il ne pouvait sans danger faire une autre tentative de prélèvement avant la nuit. Cette nuit il prendrait ce qui lui revenait de plein droit et renaîtrait. En attendant, il lui faudrait puiser dans ses réserves et trouver la force de jouer la cruelle comédie de son existence quotidienne. Il devait éviter à tout prix d'être soupçonné. Maintenant plus que jamais.

Il revêtit son abject uniforme et se força à aller prendre son service.

Heureusement, il n'eut à faire face à aucune difficulté majeure. Rien que des vérifications de routine. Des réparations et réglages sans conséquence. L'habituelle succession de pièces crasseuses et répugnantes qu'il était chargé de contrôler et de remettre en état.

Il évita tout contact superflu avec ses compagnons de travail et avec les autres personnes, essaya d'être aussi économe de ses mouvements que possible. Pourtant, lorsqu'il put enfin quitter son poste, il était tout engourdi d'épuisement.

Tout cela à cause de cette maudite femme qui s'était mise en travers de son chemin et menaçait son existence même. Maintenant ses forces et ses facultés étaient affaiblies. Il crut percevoir l'odeur écœurante de la vapeur bleue. Vil résidu de sa propre destruction.

Après son travail, il alla en voiture au chalet, où il espérait trouver un message de sa colombe. Elle devait être prête maintenant à se réconcilier avec lui, à s'excuser. Peut-être l'attendait-elle pour lui faire la surprise. Il l'imagina assise dans le fauteuil à bascule, avec sur le visage une expression aussi humble que celle d'un pénitent. Cette possibilité le ragaillardit. Mais cela ne dura pas.

Tandis qu'il conduisait, les muscles de son bras gauche – de son épaule au bout de ses doigts – se relâchèrent et devinrent insensibles. Il tenta désespérément de combattre cette faiblesse et de ramener la vie dans le membre inerte. Concentration mentale. Contrôle des fonctions vitales. Mais en vain.

Il eut recours à une réconfortante incantation. Il répéta plusieurs fois la liste des éléments qui le trahissaient : clavicule, omoplate, humérus, scaphoïde, trapézoïde, pisiforme, crochet, triangle, métacarpiens, phalanges. C'était une supplication. Une prière.

Pectoralis major, latissimus dorsi, trapezius, pectoralis minor, deltoïdus, teres major, biceps, coracobrachialis, brachialis, triceps. Chacun séparément invoqué.

Contrôle !

Les mots émoussèrent sa terreur, mais il n'y eut pas de véritable amélioration. Au contraire même, cela parut empirer inexorablement. Il n'aurait jamais dû céder à la chair. Combien de fois le lui avaient-elles répété, l'avaient-elles averti, Mère et elle ? Elles l'avaient puni pour qu'il n'oublie pas – pour son propre bien. La chair était un démon fatal, un piège plein de séduction.

Il s'était toujours efforcé de suivre leurs conseils, de résister à la tentation, mais trop souvent la chair le manipulait, l'attirait comme une courtisane fardée.

Ensuite venaient les sombres moments où ses pensées voletaient à l'aveuglette dans son esprit obscurci comme des papillons capricieux et insaisissables.

C'était alors qu'il commettait les erreurs les plus impardonnables, connaissait les pires échecs. Résultats scolaires désastreux. Chute ignominieuse par rapport à la position légitime qu'il occupait au firmament intellectuel. Le désespoir le poussait à perpétrer les actes abominables. Lesquels provoquaient leur dégoût et leurs représailles.

« Malcolm Cobb, âne bâté ! Venez voir l'âne le plus stupide de l'univers ! »

Comme il s'approchait de sa destination, une soudaine paralysie figea le côté droit de sa figure ; il était maintenant borgne et bavait comme un idiot. Ridicule. Grotesque !

Il entra dans le chalet en trébuchant et aperçut son visage

monstrueux dans le miroir qui se trouvait au-dessus de la commode d'érable. Hors de lui, il le fracassa avec un des serre-livres en bronze et en forme de tête de lion de Mère ; des éclats de verre tombèrent à ses pieds, et bientôt seul resta le vieux cadre, vide et impuissant.

Ça allait déjà mieux. Il sentit qu'il commençait à remonter progressivement la pente.

Il ne se laisserait pas dominer par la peur. D'une façon ou d'une autre il trouverait l'énergie d'effectuer le prélèvement qui le guérirait. La prochaine fois qu'il s'approcherait de l'enfant, il n'y aurait pas d'odieux obstacle.

Patience.

En attendant que sa faiblesse se dissipe, il décida de chercher une distraction dans les exercices du cinquième niveau. Il croyait ardemment à la vertu de ce programme. Les exercices décrits dans le manuel l'avaient aidé à supporter toutes ces années où la vapeur bleue l'avait impitoyablement tourmenté.

Un entraînement quotidien était nécessaire au conditionnement mental qui permettait d'atteindre par degrés le dixième niveau. Cobb savait que certains ne parvenaient jamais à ce sommet d'excellence intellectuelle. Mais quand il s'était joint à ce cercle de brillants cerveaux, il avait pu tout de suite commencer au quatrième, puis passer rapidement aux neuvième et dixième niveaux.

Pour lui, le cinquième niveau était presque apaisant dans sa simplicité. Si élémentaire. Simple mémorisation et restitution en diverses langues mortes ou exotiques. Parmi tous les idiomes qu'il maîtrisait, Cobb choisit d'abord le latin classique, puis le moyen anglais. Virgile. Chaucer. Tous aussi familiers que la paume de sa main. Pourtant il ne cessait de trébucher sur les mots, de perdre le fil des phrases par manque de concentration.

Il frissonna. Être tombé si bas. Si vite.

Il se félicitait maintenant qu'elle ne fût pas venue se réconcilier avec lui. Pas ce soir. Il ne fallait surtout pas qu'elle le voie dans cet état. Il frémit en imaginant la façon dont son visage se révulserait de dégoût et d'horreur.

Et si elle arrivait tout à coup ? À cette idée il fut pris de panique.

Alors il se souvint du trésor. Tremblant de convoitise, il poussa de tout son poids contre le châlit, qui recula suffisamment pour qu'il puisse ôter une latte du parquet, plonger sa main valide dans une cavité obscure et fraîche, et en retirer une des précieuses reliques. Un morceau du tee-shirt de l'enfant. Déchiré et souillé. Mais, pour lui, une pure merveille. Incomparablement beau. Inestimable.

Il pressa ses lèvres contre la tache rigide au centre du bout de tissu. Sa langue la lécha et l'humecta, sa bouche aspira l'humeur bienfaisante.

Aussitôt Cobb sentit s'infiltrer en lui une vigueur nouvelle. Réconfortante chaleur. Douce délivrance.

Quelques instants plus tard, il avait retrouvé toute son énergie vitale. Ses muscles vibraient d'une nouvelle jeunesse, son visage se délectait de sa propre mobilité. Splendide !

Seigneur de l'instant ! Lune noire ascendante !

Mais ce répit serait bref, trop bref. Bientôt la vapeur l'affaiblirait à nouveau. Il avait besoin d'une réserve importante de pur et précieux liquide. Il lui fallait commencer à le prélever sur le spécimen. Rien ne pourrait l'en empêcher.

## 20

Drum se réveilla au son d'un claquement de porte et d'une voix – celle de Booker – qui montait du rez-de-chaussée.

– Ohé ! Y'a quelqu'un ?

D'après la position du soleil, il devait être dans les trois heures et demie. Des rais de lumière filtraient à travers les stores et mouchetaient de taches jaunes la figure de Stella, qui dormait encore à poings fermés.

– V'z'êtes là, m'sieur Drum ? Madame Drum ?

– Ouais, Book, murmura Drum à travers la porte. On faisait un somme. Stella est encore flapie. Je descends tout de suite.

Il trouva le môme assis à la table de la cuisine ; il étudiait une liste de mots ; un verre de lait et une assiette de biscuits étaient posés devant lui.

– Alors ça va, champion ? Tout se passe bien ?

– J'peux pas m'plaindre.

Il leva les yeux de sa feuille et sourit d'un air espiègle.

– Un somme, hein ? Vous croyez que j'vais avaler ça, m'sieur Drum ?

– Ouais. Parfaitement.

– Vous preniez du bon temps, c'est ça ?

Drum fronça les sourcils.

– Ce genre de chose ne regarde que Stella et moi.

– Allons, m'sieur Drum, dit Booker en roulant les yeux. Vous pouvez bien m'le dire. Vous parlez d'une affaire !

– Laisse tomber, Book. Tu m'as entendu. Tu te mêles de ce qui ne te regarde pas.

– Tout le monde le fait, m'sieur Drum. C'est quelque chose de normal. Y'a rien de honteux là-dedans.

– J'ai dit *arrête* !

Le visage de Booker se rembrunit, et il mordilla une petite peau près d'un de ses ongles.

– C'est pas la peine de m'traiter comme un gamin.

– Si. Tu *es* un gamin.

– Mais j'suis pas un bébé, ça j'peux vous l'dire !

Ses lèvres étaient serrées, ses yeux lançaient des éclairs. Drum connaissait le numéro par cœur. Cette carapace que Booker s'était forgée pendant son enfance difficile, elle était encore là et reparaissait à la première occasion.

– Non, Book. Tu n'es pas un bébé.

– Pourquoi vous m'traitez comme un foutu bébé ? Merde, ça m'écœure !

Il se leva brusquement en renversant sa chaise, froissa sa feuille entre ses doigts et la jeta par terre, puis se dirigea d'un pas rageur vers la porte battante de la cuisine.

– J'vois pas pourquoi j'supporterais ça. J'fous l'camp. J'me casse.

Drum l'entendit monter l'escalier, ouvrir et refermer violemment des tiroirs. Attendant que la tempête se passe, il feuilleta le journal local et avala deux aspirines avec ce qui restait de lait dans le verre de Booker.

L'affaire de délit de fuite non résolue avait été reléguée en page cinq, où elle occupait un quart de colonne. Les Elk avaient ajouté cinq mille dollars à la récompense offerte à quiconque fournirait un renseignement décisif. La cagnotte s'élevait donc maintenant à vingt-cinq mille dollars. Beau chiffre rond, surtout si on y ajoutait la prime de cinq mille dollars promise par Carmody. Si le sort lui était favorable, Drum demanderait à ce vieux Dan de livrer cette somme en billets de dix dollars. Un peu d'exercice ne lui ferait certainement pas de mal.

On rapportait par ailleurs que le maire Schippani avait ouvertement critiqué le shérif, le rendant responsable de l'échec de la police dans cette affaire. D'après Schippani, le chef était coupable de maladresse et d'indécision dans la conduite des opérations, d'un mauvais usage des ressources de son département, de la tension au Moyen-Orient, et du trou dans la couche d'ozone. Ces paroles perfides lui avaient évidemment été soufflées par cette vipère de Charlie Allston, qui se voyait sans doute déjà dans le fauteuil de Carmody.

Quand le môme revint dans la cuisine en traînant les pieds, Drum était en train de parcourir des yeux les annonces classées – une habitude difficile à perdre après tant d'années passées à chercher quelque chose. Booker fit nonchalamment le tour de la cuisine, claqua deux ou trois portes de placard, puis vint se planter devant lui, bras croisés, traits tendus.

– Pardon de m'être fichu en colère comme ça.

– Ce n'est pas grave.

Drum tendit une main, et Booker lui donna quelques petites tapes stratégiques.

– Alors c'est d'accord, m'sieur Drum ? Ça baigne ?

– Et comment ! (Il regarda sa montre.) Écoute, il faut que j'y retourne maintenant. À plus tard.

– J'peux venir avec vous ? J'ai pas d'devoirs à faire.

– Pas aujourd'hui, Book. Une autre fois.

Le môme se renfrogna de nouveau. C'était souvent comme ça avec les gosses : un pas en avant, deux en arrière.

Stella entra d'un pas traînant. Elle portait un peignoir en

tissu éponge et des chaussons roses. Elle prit Booker par les oreilles et lui appliqua un gros baiser sur le front.

– Bonjour, mon joli. Tout se passe bien à la mine de sel ?

– Ouais, très bien. Hé, madame Drum, vous avez bien dit que j'pouvais traîner et glander dehors si j'avais pas d'devoirs à faire ? Que c'était d'accord du moment que j'rentrais avant la tombée de la nuit ?

– Oui, mon chou. Mais aujourd'hui j'ai besoin de toi à la maison. Mlle Bergmuller, l'assistante sociale, a dit qu'elle passerait nous voir entre quatre et cinq.

Elle essayait de paraître insouciante, mais Drum crut discerner dans sa voix un soupçon d'inquiétude.

– Qu'est-ce qu'elle veut ?

Drum n'avait jamais aimé cette fille. Elle était trop jeune, trop dynamique. Elle avait beaucoup trop de dents.

Stella haussa les épaules.

– Elle n'a pas voulu le dire. Elle m'a raconté qu'elle avait des nouvelles pour nous. Qu'elle voulait l'expliquer de vive voix. C'est tout.

Drum n'aimait pas trop ça.

– Je vais attendre alors.

– Inutile, Jerry.

Drum comprit qu'elle parlait sérieusement ; il savait que sa place était dehors, là où il pouvait essayer de gagner son bifteck.

– Tu peux y aller.

Il la regarda en levant les sourcils, comme pour obtenir une confirmation. Elle hocha la tête de cette façon qui signifiait : « Oui, je peux venir à bout du problème, quel qu'il soit. » Il se laissa donc pousser dehors.

Tout en roulant vers le nord au volant de la Mustang, Drum se dit qu'on ne pouvait décidément jamais prévoir comment les choses tourneraient. L'année d'avant, à peu près à la même époque, ils avaient été furieux que les services sociaux ne fassent rien. La fille Bergmuller était censée s'occuper du dossier de Booker, mais pendant des mois et des mois le silence avait été assourdissant. Drum avait téléphoné à son bureau et laissé de nombreux messages, mais elle ne tenait manifestement pas à lui répondre. Quand enfin il avait réussi à la coincer au téléphone en se faisant passer pour un vieux copain de terminale, elle avait admis qu'il n'allait pas être facile de trouver à Booker des parents adoptifs : trop âgé, trop pauvre, trop d'antécédents – et le teint beaucoup trop foncé.

Ce qui, en fin de compte, avait parfaitement convenu à Drum et à Stella. Tout se passait bien, très bien même, entre Booker et eux. Ils n'avaient certainement pas besoin qu'une donzelle aux dents de requin, trop énergique et zélée, vienne regarder par-dessus leur épaule. Rien que d'y penser, il sentait la moutarde lui monter au nez.

Peut-être que ce n'était rien. Drum écarta ces pensées irritantes et se prépara pour le round suivant. Le moment était venu d'aller rendre une petite visite aux voisins curieux dont il avait repéré les maisons.

Il décida de se transformer cette fois en agent recenseur. La plupart des gens étaient disposés à coopérer quand il tirait de sa serviette les dix pages de formulaire qu'il avait imprimées lui-même dans sa cave et exhibait sa carte plastifiée avec son faux tampon officiel. Une fois qu'il s'était introduit dans une maison et que les gens commençaient à bavarder, le reste venait facilement.

Personne ne répondit à son premier coup de sonnette. La porte de la maison suivante, de style faux Tudor, fut ouverte par un couple de septuagénaires. Marvin et Binnie Proust ressemblaient aux deux côtés « face » de médailles identiques – petits, corpulents, même figure ronde – et se déplaçaient en tandem, avec une lenteur de tortue, comme des siamois réunis par la hanche.

Ils étaient plus que disposés à répondre à ses questions. Binnie sortit un gros album de famille pour qu'il puisse mettre un visage sur tous les noms qu'elle était amenée à mentionner, tandis que Marvin versait de généreuses mesures de Chivas Regal pour Drum et lui-même.

Drum lui fit remarquer qu'il n'était pas censé boire pendant son travail, mais il se laissa faire et accepta un ou deux verres pour ne pas l'offenser. Tout pour la bonne cause.

Quand Binnie parla de son petit-fils de cinq ans qui habitait à Phoenix, Drum en profita pour leur demander s'ils connaissaient le gamin du même âge qui avait été renversé par un chauffard non loin de là. Aussitôt leur expression se fit grave et attentive. Mais quand Drum les pressa doucement de se rappeler s'ils avaient vu une voiture passer très vite vers midi le jour de l'accident, il ne réussit qu'à les plonger dans la confusion la plus totale.

– Le vingt et un ? Ce n'est pas le jour où on est allés chez le dentiste ?

– L'oculiste, tu veux dire. J'avais besoin de nouveaux verres. Tu te souviens, je lisais *Téléguide* et je ne pouvais pas trouver la page du mardi.

– Oui, c'est juste. Et ensuite on a déjeuné à la cafétéria de Summer Street ? Sandwich au thon pour moi, et pour toi blanc de poulet à la sauce rouge, c'est ça ?

– C'était au *Friendly*, Binnie. Rappelle-toi, les œufs étaient froids.

– Oh ! oui, et durs comme du caoutchouc ! Et la friteuse était détraquée, alors j'ai dû prendre des chips au lieu de frites, n'est-ce pas ?

– Attends une minute. Ce n'est pas plutôt le jour où Tante Sadie est venue déjeuner et où elle n'a pas cessé de se plaindre de Rose sous prétexte qu'elle ne l'avait pas invitée au mariage d'Eddie ?

Binnie poussa un profond soupir.

– Sadie est morte il y a cinq ans, Marvin. Combien de fois faudra-t-il te le dire ?

– Ah oui ! Une attaque, hein ? Ça m'était sorti de la tête.

– Pas une attaque. Un infarctus. C'est Milton qui a eu une attaque.

– Ah ouais !

La maison suivante se trouvait près du carrefour de Cascade Road. Une jeune femme tenant un nourrisson dans ses bras vint lui ouvrir. Le bébé, tout crispé de colère, hurlait comme une alarme malencontreusement déclenchée. Drum essaya de placer son baratin malgré ce vacarme.

La mère secouait le môme comme un cocktail, mais cela n'arrangeait rien. Au bout d'une ou deux minutes, elle haussa les épaules d'un air de s'excuser et dit que ce n'était pas le bon moment. Drum saisit le mot « colique » et crut comprendre qu'elle lui demandait de repasser plus tard, quand l'enfant serait peut-être calmé. Elle ne devait pas avoir plus de dix-huit ou vingt ans.

Il espéra qu'il aurait plus de chance à sa prochaine halte, une grande maison grise de style « ranch ». Il estima que la femme qui le fit entrer, Helen Silberfeld, devait approcher de la soixantaine. Ses réponses au faux questionnaire de recensement lui apprirent qu'elle était veuve et qu'elle vivait seule avec trois chats, deux setters irlandais et un perroquet bavard. Pas d'enfants. Elle avait travaillé pendant des années comme bibliothécaire, mais elle avait arrêté quand son mari était tombé malade et n'avait pu se décider à continuer.

Mme Silberfeld était une femme séduisante et intelligente, qui avait beaucoup de classe. Mais la solitude était inscrite sur chacun de ses traits. Elle parlait trop et trop vite – ce qui, en l'occurrence, convenait parfaitement à Drum.

Il s'arrangea pour amener la conversation là où il le voulait, et elle put consulter ses souvenirs bien rangés avec toute la précision méthodique d'une archiviste expérimentée. Elle se souvenait en effet d'avoir entendu un crissement de pneus et d'être allée à la fenêtre pour voir ce qui se passait. Elle y était arrivée juste à temps pour entr'apercevoir une voiture de couleur sombre qui négociait le virage serré en direction de l'embranchement de High Ridge Road.

Drum insista mine de rien pour avoir des détails, mais elle resta dans le vague. La couleur du véhicule ? Cela pouvait être n'importe quelle couleur sombre, ou même quelque chose d'intermédiaire. La voiture avait disparu derrière le virage avant même qu'elle eût atteint la fenêtre. Sa première impression avait été qu'il s'agissait d'une fourgonnette ou d'un break brun-vert ou vert foncé, mais, après avoir lu qu'un autre témoin avait parlé d'une berline bordeaux se dirigeant dans la direction opposée, elle avait dû s'avouer que tout était arrivé trop vite pour qu'elle puisse être sûre de quoi que ce soit.

Un policier était passé deux ou trois jours plus tard pour voir si elle avait des renseignements à donner sur l'accident, mais elle avait jugé cet incident trop insignifiant pour être mentionné. Et Drum, à regret, commençait à penser la même chose. Cette femme ne serait pas son témoin vedette. Il vida la tasse de café qu'elle avait tenu à lui offrir et prit congé.

Deux heures de travail, et tout ce que cela lui avait rapporté jusqu'à présent, c'était une vessie pleine.

## 21

Drum avait une dernière carte à jouer. Il traversa une nouvelle fois lentement le Bois-Tyler. Il était presque cinq heures et le quartier commençait enfin à avoir l'air habité. Des enfants jouaient bruyamment dans la rue par petits groupes, sautillant comme des gouttes d'eau sur un poêlon brûlant. Des images muettes dansaient sur des écrans de télévision. Une fumée épaisse sortait de plusieurs cheminées en pierre et flottait, fantomatique, dans l'air glacé.

Résolu à interroger le seul témoin connu, Drum s'arrêta devant la maison des Holroyd, allée des Melons, et alla sonner à la porte. Il voulait voir ce que devenait le récit de cette femme quand elle le racontait en personne et de vive voix.

Pas de réponse.

C'était une maison de style colonial classique, à porche central. Façade grise fatiguée, moulures brun-roux. Drum regarda à travers une large fenêtre en saillie et vit une salle de séjour méticuleusement rangée, remplie de vieux meubles anglais ventrus. Rien ne traînait – aucune chaussure, aucun magazine froissé. Des napperons tricotés au crochet protégeaient les dossiers et les bras d'un sofa rebondi et de plusieurs fauteuils recouverts de chintz à motif de roses cent-feuilles roses sur fond ivoire. Les tables basses étaient vides de tout objet, à l'exception de deux ou trois trésors de famille appuyés contre des supports trapus en bois : une assiette peinte à la main, un livre d'enfant... Le seul îlot d'aimable désordre était un vieux pupitre d'écolier en noyer dans un coin ; des papiers et deux livres d'école étaient posés sur sa surface criblée de petits trous.

Drum examina la pièce comme si elle pouvait lui apprendre quelque chose. Mais apparemment ce n'était pas le cas.

Un de ces jours où rien ne vous réussit.

Il retourna à la Mustang, en tapant du pied contre le dallage bleuté de la large allée privée des Holroyd pour se soulager de sa frustration. Le moment était venu d'élargir le cercle.

Il prit High Ridge Road vers le nord, puis Trinity Pass Road, et atteignit la minuscule bourgade de Scotts Corners, New York. Celle-ci se réduisait à quelques maisons éparses et à une seule rangée de magasins et d'établissements qui ne payaient pas de mine : appareils ménagers, cuisines, cures de rajeunissement, tricots irlandais ; un salon de beauté, un restaurant italien, une papeterie-snack-pharmacie où l'on pouvait aussi parier officieusement sur des matches de football. Drum longea la grand-rue et s'arrêta un peu plus loin à une station-service. Il traversa un petit bureau encombré et se retrouva dans un garage.

Il aperçut les pieds de Billy Driscoll qui dépassaient de la carcasse d'une Pontiac. Les brodequins de travail troués et encroûtés de crasse le trahissaient immanquablement, de même que les orteils noircis, aux longs ongles endeuillés, qui passaient par l'ouverture. Drum saisit la corde du chariot en bois sur lequel il était allongé et tira jusqu'à ce qu'il puisse contempler l'affligeant spectacle dans sa totalité.

Les yeux clignotèrent. Des yeux noirs et huileux flottant dans une mare de cambouis. Une fois, Drum avait vu Driscoll propre et bien habillé, à l'enterrement de sa mère. Il s'était alors aperçu que sous cette couche de crasse se cachait un vrai visage. Un long nez avec des narines pincées, une bouche pleine, des sourcils épais, des pommettes saillantes, un menton rond. Équipement standard. Mais jamais vous ne l'auriez deviné dans des circonstances ordinaires. Le Driscoll de tous les jours avait forcément des cheveux emmêlés qui pendaient en filaments graisseux et une peau couleur d'huile de vidange. Odeur à l'avenant. L'élégance personnifiée.

Les yeux restèrent fixés sur Drum jusqu'à ce qu'ils eussent fait leur travail. Enfin ils le reconnurent.

– C'est toi, Jerry ? Mais qu'est-ce c'est que cette tenue de carnaval ? Hallowe'en est déjà passé.

– Ouais, Billy. Merci du renseignement. Comment ça va ?

Driscoll siffla.

– Bon Dieu, t'es drôlement bien déguisé. Si j'étais pas un génie, j't'aurais pas reconnu. (Il se mit debout et tendit une main.) Toujours prêt à tout pour gagner un dollar, hein, Jerry ? Comme au bon vieux temps.

Drum faillit serrer la main tendue, mais il se reprit à temps. Autant plonger directement les doigts dans un égout.

– Je ne suis pas venu ici pour me faire insulter, Barbac.

– Pourquoi alors ?

– Je travaille sur une petite affaire pour un type. Je voudrais te soumettre certains détails. Voir ce que tu en penses.

Driscoll essuya ses paumes sur son bleu de travail. Ses lèvres maculées découvrirent une rangée de chicots noircis. Drum savait que certaines de ces dents avaient été victimes de l'étrange habitude qu'avait Driscoll d'avaler sa nourriture telle quelle – avec les os et tout. Cru ou cuit, vivant ou mort, cela revenait au même pour Billy, et c'est pourquoi on l'avait surnommé Barbac.

Driscoll était un génie pour tout ce qui touchait à la mécanique et à la science. Très tôt il avait démonté tout ce qui lui tombait sous la main pour voir comment ça marchait. Il avait commencé par des grille-pain et des radios, et fini par un vieux type borgne qui avait vécu dans un hôtel miteux de Bridgeport. C'est Driscoll lui-même qui avait raconté cet épisode à Drum à l'époque où ils occupaient des cellules voisines dans la maison de correction de Long Lane. Barbac parlait toujours de ce vieux borgne avec affection.

Il conduisit Drum vers le bureau de derrière, un repaire à cancrelats coincé entre le garage et les gogues des employés. Il ouvrit une bouteille de Jim Beam, versa une bonne rasade dans un verre où restait un fond de crème sucrée, et lampa l'affreux mélange d'un trait. Puis il s'essuya la bouche avec le dos de sa main, remplit le verre et le tendit à Drum.

Celui-ci passa son tour, mais avec la plus grande courtoisie. Offenser Barbac était bien la dernière chose que vous aviez envie de faire.

Ragaillardi, Driscoll croisa les bras et hocha la tête.

– Vas-y, j't'écoute.

Drum décrivit les blessures de l'enfant : fracture multiple du tibia gauche, fracture de la partie antérieure gauche du crâne. Coma léger persistant. Il ne dit pas que la victime était un enfant pour ne pas influencer Driscoll. Il évita aussi de parler de voiture ou d'accident. Un cerveau comme celui de Driscoll avait besoin de beaucoup de place pour décoller. Et on ne savait jamais très bien où il allait atterrir. Drum se disait que cela ne donnerait sans doute rien, mais que ça ne coûtait rien d'essayer.

Driscoll réfléchit une minute, puis il se mit à le bombarder de questions. Les vaisseaux sanguins à la périphérie du cerveau avaient-ils été affectés ? Le cuir chevelu avait-il été déchiré ? La lésion cérébrale croisait-elle l'artère méningée moyenne ? Quelles étaient la nature et l'importance de la fracture crânienne ? L'intensité exacte du coma ?

Comme d'habitude, Drum était impressionné. Driscoll aurait fait un sacré toubib si on ne l'avait pas surpris en train de jouer au boucher.

– Alors ? fit Drum. Qu'est-ce que tu en dis ?

– Bon sang, attends une minute, Jerry. Tu sais bien que je ne montre pas mon jeu avant d'avoir toutes les cartes en main.

Driscoll posa encore toutes sortes de questions au sujet de l'état post-traumatique de la victime. Vomissements ? Asymétrie pupillaire ? Avait-on dû recourir à l'intubation endotrachéale ? À la respiration assistée ou contrôlée ? Que donnaient les analyses de sang ?

Drum connaissait ses limites. Il alla chercher les copies des rapports médicaux dans le coffre de la Mustang. Il garda la première feuille, où figuraient des renseignements sur l'identité de la victime, tendit la liasse de papiers à Driscoll, et regarda le cloaque s'absorber dans sa lecture.

Driscoll mordilla une de ses phalanges. Gratta sa tête crasseuse. À un moment donné, il boucha une de ses narines et propulsa le contenu de l'autre dans la poche de sa chemise. Ses manières s'amélioraient.

Quand il eut fini sa lecture, il jeta les feuilles sur la table et sombra dans une de ses torpeurs. Drum avait déjà vu ce phénomène. Visage sans expression, immobilité de pierre. Le seul signe de vie était un faible bourdonnement qui semblait venir de ses entrailles. On aurait dit qu'il avait avalé une ruche. D'ailleurs, avec Barbac, tout était possible.

Drum attendit qu'il sorte de son brouillard en se secouant comme un chien mouillé. « Vu », dit-il. Et il commença à débiter une ribambelle de faits et de suppositions.

La victime était un enfant de sexe masculin, qui devait avoir entre cinq et six ans. Driscoll récita les caractéristiques physiques de l'enfant comme s'il venait de prendre ses mesures pour un costume : poids vingt kilos, taille un mètre ; cheveux ni blonds ni bruns, yeux clairs, aucune blessure ou maladie grave depuis sa naissance. Pas d'allergies. Pas de frères ni de sœurs. Parents cultivés. Travaillant tous les deux. Professions libérales ou artistiques. La mère exerçait une profession médicale. Barbac était moins précis quant à celle du père, mais il était certain qu'il mesurait plus d'un mètre quatre-vingts et avait du talent.

Drum savait que Barbac ne faisait que s'échauffer. Il lui avait été facile de trouver tous ces renseignements dans les prescriptions concernant les médicaments et les fournitures, les rapports quotidiens et les copies grossières que Drum avait faites des radios de l'enfant. Driscoll était capable de lire toute la vie d'une personne dans une radiographie.

Quand ils étaient à Long Lane, un vétérinaire de Belmont avait pris l'habitude de venir voir Driscoll une fois par semaine pendant la saison hippique. Il suffisait à Barbac de jeter un coup d'œil sur les radios des chevaux pour pouvoir dire au type exactement où placer son pognon.

Le vétérinaire était devenu riche, et Barbac encore plus riche. Et il avait sagement investi ses gains. Drum savait qu'il possédait une douzaine de stations-service comme celle-ci dans diverses régions du pays, une compagnie de taxis et de limousines, ainsi qu'une chaîne de dispensaires et de laboratoires médicaux.

– Tout colle jusque-là, Barbac. Maintenant, dis-moi quelque chose que je ne sache pas déjà.

Driscoll plissa les yeux.

– Tu as toujours été un impatient fils de pute, Jerry. Attends un peu, veux-tu ? J'ai pas fini.

La fracture de la jambe avait été causée par un choc violent avec un morceau de métal arrondi. Probablement un alliage d'acier. Une douzaine de centimètres de large. Fixé sur une base en caoutchouc montée sur ressorts.

Traduction, un pare-chocs pourvu d'un système d'amortissement de collision dernier cri. La voiture avait un châssis en acier, une transmission automatique, une direction assistée. C'était soit un modèle étranger, soit une de ces voitures américaines munies de pièces japonaises qui étaient assemblées dans le Michigan. Barbac estimait que son poids correspondait à celui d'une berline de taille moyenne ou d'un break bien chargé. Pneus à carcasse radiale. Pneus neige à l'arrière. Si la voiture n'avait pas été lavée, il y avait des traces de sang sur l'aile avant droite et peut-être sur le capot et le pare-brise.

La blessure à la tête donna à Driscoll plus de fil à retordre. La fracture du crâne ne s'accompagnait d'aucune des lésions vasculaires qu'il se serait attendu à trouver. La déchirure circulaire du cuir chevelu était aussi surprenante.

– Tu vois, Jerry, si la tête du gosse avait heurté quelque chose de rond et de dur comme un capot ou un gros caillou sur le sol, on obtiendrait une image complètement différente. Les membranes et les vaisseaux sanguins à la périphérie du cerveau auraient été écrasés. Ils auraient saigné, enflé. (Il leva une radio à la lumière et pointa dessus un index taché.) Regarde ce cliché, vieux. Pourrait pas être plus net.

Il y avait d'autres choses qui ne cadraient pas. Barbac ne voyait pas comment ce genre de blessure avait pu entraîner des troubles cardiaques. Le cœur de l'enfant s'était arrêté trois fois, et son état était resté critique pendant une journée entière après l'accident. Même après cela, il avait souffert à plusieurs reprises de tachycardie : des battements de cœur si rapides qu'il avait fallu lui donner un médicament antiarythmique appelé Indéral. Bizarrement, même cela n'avait pas suffi à résorber l'anomalie au début. Ce qui rendait Driscoll perplexe.

Il joignit ses pattes crasseuses derrière son cou non moins crasseux et marqua délibérément un temps d'arrêt.

– ... De sorte qu'à mon avis nous avons là deux questions intéressantes. Comment se fait-il que la blessure à la tête soit si nette ? Et pourquoi les troubles cardiaques ?

– Tu as une idée des réponses ?

– Ma mère, qu'elle repose en paix, m'a dit de ne jamais lire dans le noir, Jerry. Il n'y a qu'une façon de savoir avec certitude à quoi nous avons affaire.

Drum fronça les sourcils quand Driscoll lui expliqua ce dont il avait besoin pour passer à l'étape suivante.

– Dis-moi que tu plaisantes, Barbac. Comment je vais pouvoir faire ça ?

– C'est ton problème, mon pote. Si tu veux que je fasse du vin, il faut m'apporter du raisin.

Drum écouta les instructions de Driscoll, reprit les rapports médicaux, et retourna à la Mustang.

Le soleil disparaissait derrière l'horizon. L'ombre de Drum s'étirait, vacillante, sur l'asphalte graisseux, et son souffle se condensait dans l'air froid en bouffées impatientes.

Barbac avait refusé d'avancer la moindre hypothèse, mais Drum brûlait d'envie d'en échafauder quelques-unes de son cru. Mais comment assembler tous les morceaux du puzzle ? Il essaya de trouver une place pour les pièces nouvelles. Troubles cardiaques inexpliqués ? Blessures qui ne concordaient pas avec les faits ? Étranges réactions aux médicaments ? À quoi diable Barbac pouvait-il bien penser ?

Drum voyait bien le moment où le chauffard avait renversé l'enfant et où, pris d'une panique aveugle, il avait fui. Mais cela s'arrêtait là. Tout ce qu'il pouvait imaginer, c'était une fuite éperdue et sans fin.

Et puis cette drôle d'intuition lui revint en mémoire.

Un murmure dans le vent.

Pourquoi repensait-il à cela ? Qu'est-ce que cela signifiait ? Il pouvait presque sentir le déplacement d'air. Un projectile fantôme traversant un ciel silencieux.

Drum secoua la tête pour chasser cette rêverie. La mère de Barbac avait raison. Lire dans le noir n'était certainement pas la bonne solution. Ce qu'il fallait, c'était suivre chaque piste avec méthode. Il entendait encore la voix du grand Matt : « Sers-toi de ce que tu as, Jerry. Tout ce que tu trouves peut te raconter une histoire si tu prends le temps d'écouter et d'apprendre, fils. »

Drum mit le moteur en marche et fit demi-tour. Un petit sourire se dessina sur ses lèvres. Sans doute Barbac avait-il refusé de dire le fond de sa pensée, mais il avait manifestement flairé quelque chose, et son flair était légendaire. Étrange comme les gens qui font tout leur possible pour disparaître s'arrangent toujours pour laisser derrière eux une carte de visite…

## 22

Lorsque Drum arriva à l'hôpital, l'heure des visites était passée. En entrant dans le hall, il entendit la voix nasillarde d'un haut-parleur qui priait les retardataires de quitter les lieux. Ce qui exigeait la mise en œuvre du plan B.

Il entra dans une cabine téléphonique près de la cafétéria et demanda au standardiste de l'hôpital de lui passer la salle d'attente du service des accouchements. Un type à la voix rauque répondit et Drum lui demanda s'il y avait du nouveau du côté de Mme Rodriguez. Il entendit le combiné heurter quelque chose et le type poser des questions autour de lui. Pas de Mme Rodriguez.

Drum raccrocha, attendit trente secondes et rappela. La patience du type commença à donner des signes de faiblesse. Au bout du cinquième appel, il explosa.

– Écoutez, mon vieux, je vous ai dit qu'il n'y avait personne ici du nom de Rodriguez. Il y a un Frasier et un Mahoney et un Minotti, point final. Maintenant voulez-vous cesser de faire sonner ce foutu téléphone ? Il se trouve que nous attendons des nouvelles importantes.

Drum se dirigea vers le bureau du garde et lui demanda où se trouvait le service des accouchements.

– Ma fille va avoir un bébé. Mon nom est Minotti.

Le garde était un géant rougeaud aux dents trop blanches et à la moustache tombante poivre et sel. Il sourit en voyant le trench-coat mal boutonné de Drum, son air agité, et l'énorme panier de fleurs qu'il portait.

– C'est la première fois que vous êtes grand-père ?

– Ça se voit ?

– J'suis passé par là. La première fois, j'étais comme fou. J'ai quatre petits-enfants maintenant. Deux autres en chemin. Tout se passera très bien, vous verrez.

– Ouais. Je l'espère.

Drum porta le mauvais bout d'une cigarette à ses lèvres. Drôle de sensation. Il l'avait prise dans un paquet qu'il avait caché dans son tiroir à chaussettes pour les cas d'urgence absolue et qu'il avait réussi à ne pas toucher jusque-là. Le garde rigola et enfonça quelques touches sur un clavier d'ordinateur.

– Votre fille n'a pas encore accouché. Allez-y, grand-papa. Ça sera fini en un rien de temps, et vous aurez un beau petit bébé à dorloter et à gâter. Y'a rien d'mieux.

Une fois dans le couloir, à l'abri des regards, Drum ôta prestement son trench-coat, le roula en un cylindre bien serré, et le glissa derrière une boîte à ordures.

Il était maintenant vêtu d'une combinaison bleue ; sur la poche de poitrine était cousu le prénom Joe, et dans le dos étaient brodés les mots « Propriété de l'hôpital Fairview ». Luigi, le tailleur de Carmody, n'était certes pas le meilleur au monde, mais il devait être un des plus rapides. Drum avait passé sa commande par téléphone de bonne heure ce matin-là, et il avait trouvé le paquet chez lui quand il était rentré faire sa petite sieste.

Il sortit les fleurs du panier. À l'intérieur de celui-ci il y avait un seau en métal, un peu de détergent et une éponge. Drum remit les fleurs dans le panier, qu'il posa sur le rebord de la fenêtre, au bout du couloir. Puis il remplit le seau dans les toilettes les plus proches et se dirigea d'un pas vif vers le laboratoire, en passant par la passerelle en verre et les ascenseurs de derrière. La porte était bien verrouillée, mais Drum et ses rossignols en vinrent à bout.

L'endroit se présentait exactement comme Barbac le lui avait dit. Il traversa un vaste hall de réception, dont le silence n'était troublé que par le tic-tac irrité d'une horloge murale. Plus loin, un étroit couloir central donnait à gauche sur des bureaux minuscules et sans fenêtre qui faisaient penser à des terriers de lapins, et à droite sur une série de labos séparés par des cloisons en verre. Leurs spécialités étaient inscrites au pochoir sur les portes vitrées : hématologie, toxicologie, cytologie, génétique, chimie, et d'autres mots que Drum préférait ne pas avoir à prononcer. Des sortes de comptoirs en acier poli étaient encombrés d'appareils intimidants.

Il entra dans le labo d'hématologie. Le long d'un mur courait une rangée de réfrigérateurs à portes d'acier. Ils contenaient des centaines de porte-éprouvettes, dont chacun était lesté de douzaines de tubes étiquetés.

D'après Barbac, le dossier médical du petit Merritt prévoyait des analyses de sang quotidiennes. Les toubibs voulaient pouvoir détecter toute trace d'infection, et toute anomalie dans le métabolisme de l'enfant qui pourrait faire craindre une crise imminente. Il s'agissait là, avait assuré Barbac, d'une procédure habituelle dans les cas de ce genre.

Driscoll avait remarqué qu'il n'était nulle part fait mention de prises de sang à jeun, par conséquent il était probable que l'enfant serait sur la liste des prélèvements effectués le soir. D'après Barbac, cela signifiait que les échantillons seraient sans doute stockés pour être analysés le lendemain. Il y aurait aussi un échantillon-témoin réfrigéré, prélevé au moment de l'admission du patient, et tenu en réserve pour des comparaisons ultérieures. C'était précisément ce dont Barbac avait besoin.

Toujours selon Driscoll, chaque prélèvement était vraisemblablement divisé en cinq échantillons. Il avait dit à Drum de verser l'échantillon-témoin dont il avait besoin dans un flacon et de remplir le tube à vide avec environ un centimètre de chaque échantillon. Compliqué – mais c'était le seul moyen d'être sûr que le larcin passerait inaperçu.

Drum commença son travail de recherche. Les échantillons étaient rangés par étages, ce qui facilitait sa tâche. Il sortit un par un les porte-éprouvettes du cinquième étage et chercha les tubes qui portaient le nom et le numéro de patient à six chiffres du petit Merritt.

Il ne lui en restait plus que quelques-uns à vérifier, lorsqu'il entendit le bruit d'une clef qui tournait dans la serrure de la porte du laboratoire. Son premier mouvement fut de disparaître, mais il y avait trop de verre et de surfaces polies dans cette pièce pour qu'il pût y trouver une cachette sûre. Il inspira à fond et resta où il était.

La clef appartenait à un docteur aux traits sévères, vêtu d'une blouse verte. Il s'arrêta net quand il aperçut Drum, lequel frottait une surface en inox avec des petits mouvements circulaires. Mais après un rapide coup d'œil et un hochement de tête hautain, il entra dans le local contigu, un labo de bactériologie, ouvrit un incubateur et se mit à examiner des boîtes de Petri. Pas le genre à perdre trop de temps à cause d'un malheureux agent d'entretien, pensa Drum. Une chance pour lui.

Une armoire à matériel à portes vitrées lui renvoya l'image du toubib. Il avait l'impression d'avoir déjà vu ce type quelque part, mais il n'arrivait pas à se rappeler où ni quand. Il espéra que cette amnésie était mutuelle. Il avait beau être déguisé, des yeux avertis pourraient le reconnaître.

Le toubib regardait longuement chaque boîte. Drum distingua sur plusieurs d'entre elles les endroits où des taches vertes et visqueuses s'étaient répandues sur les surfaces rose gencive, de sorte qu'elles ressemblaient maintenant à des cartes des nations africaines en voie de développement. Le docteur prenait des notes dans un carnet relié de cuir avant de remettre chaque boîte de Petri dans l'incubateur.

Le gars prenait tout son temps. Cela rendait Drum diablement nerveux. Les surfaces en inox étaient déjà si propres qu'elles crissaient sous son éponge. Il aspira une bouffée d'air aseptisé, puis la laissa s'échapper très lentement de ses poumons.

Enfin le toubib referma son carnet et s'éloigna. Ses

semelles de caoutchouc firent un bruit de succion sur le carrelage blanc et noir, et la porte se referma sur lui avec un déclic résolu. Drum attendit un bon moment avant de poursuivre ses recherches.

Plus que trois porte-éprouvettes. Les noms et les numéros sur les étiquettes étaient peu lisibles. Il dut en lever plusieurs à la lumière pour mieux voir. Cinq minutes lui furent nécessaires pour éliminer ce qui restait du premier lot.

Il repéra le nom de l'enfant vers le milieu du deuxième. Les autres échantillons étaient sûrement à côté. Il vérifiait les noms sur les autres tubes, quand quelqu'un frappa à la porte verrouillée du laboratoire. Les coups étaient trop insistants pour qu'il pût ne pas en tenir compte. Jurant entre ses dents, il alla ouvrir.

Une infirmière grassouillette, aux cheveux blond-roux, lui dit en lui faisant signe de la suivre :

– Il y a du vomi à nettoyer dans la chambre 527, l'ami. Le docteur examinait la gorge d'un gosse et le dîner est remonté. Personne ne répond à l'entretien. Où sont-ils tous passés ?

Drum haussa les épaules.

– Je vais chercher mon balai laveur. Je vous retrouve au cinquième.

– Tss-tss, fit-elle. Maintenant que je vous tiens, je ne vous lâche plus. Nous avons un magnifique balai laveur là-haut avec votre nom dessus, Joe. Venez, je vais vous présenter l'un à l'autre.

Elle saisit le coude de Drum entre ses doigts charnus et l'escorta jusqu'au service pédiatrique. Il épongea le vomi en respirant par la bouche pour échapper à la puanteur. Ceci allait certainement coûter à Carmody quelque chose en plus. Peut-être ce jeu électronique portable dont Booker avait envie. Peut-être plus.

En retournant vers les ascenseurs, il fut encore retardé à cause d'un verre de jus de fruits renversé dans la chambre 530 et d'un store vénitien coincé dans la 517. La porte de la chambre du petit Merritt était fermée. En passant lentement devant, il entendit des voix assourdies, mais ne put distinguer les paroles.

Il prit l'ascenseur et retourna dans le laboratoire. Il

retrouva le numéro de l'enfant au milieu du lot et repéra cinq autres tubes avec des étiquettes semblables. Il versa l'échantillon-témoin dans le flacon stérilisé que Barbac lui avait donné et remplit le tube vide avec un peu de chaque échantillon. Délicate opération. Il ne remarqua les taches rouges sur ses doigts que lorsqu'il eut refermé la porte du laboratoire derrière lui.

Il remit son trench-coat avant de traverser le hall. Ses mains étaient bien enfoncées dans ses poches. Le garde lui lança un regard interrogateur.

Drum répondit en hochant lentement la tête. Son sourire ne s'effaça que lorsqu'il eut atteint le parking. Il sourirait pour de bon quand il aurait sur les mains le sang qu'il voulait y voir.

## 23

Dix minutes après le retour de Cinnie à l'hôpital, Karen Sands ramena James dans la chambre après sa journée de tests et d'examens. L'enfant avait l'air épuisé.

– Il a été formidable, Cin, dit Karen. Il a vraiment fait de son mieux.

Cinnie posa un baiser sur chaque paupière tombante et écarta de son front une mèche de cheveux.

– Ça va, Jimbo ? Tu ressembles à un spaghetti trop cuit.

– Je parie qu'il dormirait au moins une semaine, dit Karen. Repose-toi bien maintenant, mon joli. Plus de travaux forcés à l'île du Diable avant demain matin. D'accord ?

Elles soulevèrent James du fauteuil roulant et l'installèrent dans son lit. Ses yeux se fermèrent presque aussitôt ; sa respiration se fit plus régulière, et il se mit à ronfler doucement.

Karen tapota la main de Cinnie.

– Il s'en est vraiment très bien tiré, Cin. Beaucoup mieux que je ne m'y attendais, en fait. Si tu veux mon avis d'amateur, il surmontera cette épreuve bien plus vite que toi.

– Les examens se sont bien passés aussi ?

– Très bien, d'après ce que j'ai cru comprendre.

– Allons, Karen. Tu sais ce que je te demande : des chiffres, des conclusions, un pronostic. Je n'ai rien à faire d'un vague « très bien ». Je veux savoir la vérité.

Karen se laissa tomber sur la chaise en soupirant.

– Les médecins font les pires patients et *incontestablement* les pires mères de patients, Cin. Voilà la vérité.

– Ne détourne pas la conversation. Dis-moi.

– Il n'y a rien que tu ne saches déjà. Ça va être long. Tout le monde est raisonnablement optimiste quant au résultat final, mais cela va nécessiter une longue période de rééducation intensive.

– Bon, et alors ?

– Alors, dès que le docteur Silver le pourra, il réunira toutes les personnes concernées afin qu'elles discutent des diverses possibilités de traitement et de la meilleure façon d'atteindre les résultats escomptés.

– Je veux être invitée à cette réunion.

Karen haussa les épaules.

– Tu sais bien que ces réunions sont strictement réservées au personnel soignant, Cin. Silver ne t'autorisera jamais à y assister. Paul et toi serez consultés avant qu'aucune décision ne soit prise. Cela je te le promets.

– Je veux une invitation, ou à défaut un compte rendu ou un enregistrement. C'est mon enfant, et j'ai le droit de savoir ce qui est dit à son sujet. Comment diable peut-on prendre une décision réfléchie si on n'est pas informé ?

– Pourquoi faut-il que tu sois toujours si terriblement logique ?

– Je veux savoir ce qui est dit, et qui le dit, mot pour mot.

Elles se regardèrent dans les yeux. Karen fut la première à baisser les siens.

– Je vais voir ce que je peux faire.

Lorsque Karen eut quitté la pièce, Cinnie s'assit sur la chaise près de James. Elle regarda son fils dormir et sentit un engourdissement l'envahir. Son esprit partit à la dérive. Elle était presque assoupie elle-même, quand la voix de James se fraya un chemin jusqu'à sa conscience.

– Livre, maman.

– Chut, mon lapin. Repose-toi maintenant.

– Livre, maman. Livre !

– Une soif soudaine d'enrichissement littéraire, mon chou ? Bon, d'accord.

Elle alla en bâillant prendre plusieurs volumes parmi ceux qui étaient empilés sur l'appui de la fenêtre.

– Bon, j'ai ici *Monsieur Angelo, Celui du milieu est le Kangourou Vert*, et ce classique poème épique, *Que nenni, dit la fourmi*. Qu'est-ce que Monsieur choisira ?

James secoua la tête.

– Livre, maman.

– Aucun de ceux-ci ?

Elle alla reposer la première pile et en rapporta une autre. Il continua son manège jusqu'au moment où il la vit prendre un mince volume beige intitulé *Le Jardin de mauvaises herbes*. Alors il hocha affirmativement la tête et tapota la couverture avec sa main.

– Livre.

Cinnie l'ouvrit et commença à lire. C'était une histoire étrange et déplaisante où il était question d'une méchante femme qui vivait dans une vieille maison en pierre. Elle ne faisait pousser que des mauvaises herbes dans son jardin, et arrachait toute fleur sauvage ou baie comestible qu'elle apercevait dans l'enchevêtrement de feuilles et de ronces.

Ses mauvaises herbes finirent par croître tant et si bien qu'elles commencèrent à envahir les autres jardins du village. Les voisins de la femme la prièrent de couper tout ça, mais elle refusa. Alors, une nuit, ils entrèrent subrepticement dans le vilain jardin et y répandirent partout du désherbant.

Au matin, tout était mort, sauf deux herbes jeunes et vigoureuses nommées Colombe et Élégant. La femme les emporta dans sa maison et prit autant soin d'elles que si elles avaient été ses propres enfants. En se soutenant mutuellement, les herbes traversèrent sans peine un hiver long et difficile ponctué d'horribles menaces de la part des voisins en colère, et au printemps suivant la vieille femme les replanta dans le jardin pour qu'elles s'y épanouissent et s'y propagent.

Les herbes étaient unies par quelque lien étrange. Quand l'une d'elles avait une bonne journée, l'autre devenait plus forte. Et quand l'une d'elles souffrait de quelque manière, l'autre s'affaiblissait et perdait une amère sève verte. L'herbe malade ne pouvait retrouver la santé qu'en suçant la sève d'une herbe plus robuste dans un autre jardin. Charmant.

Cinnie termina sa lecture et posa le livre près d'elle.

– Livre, maman.

– Que dirais-tu de celui-ci, Jimbo ? C'est une énigme policière d'Encyclopédio Brown, le petit limier super-intelligent que tu as toujours adoré.

Mais il saisit le livre qu'elle venait de lire et le poussa vers elle.

– Livre.

Elle le relut donc, à contrecœur. Cette histoire lui donnait la chair de poule. C'était un petit volume assez laid. Les pages étaient jaunies sur leur pourtour, les illustrations peu attrayantes. Elle pensa avec un soupçon de contrariété que c'était sans doute la femme de son père, Madeleine, qui avait apporté ce livre pour James, avec la boîte de chocolats nouée d'un ruban qui était sur sa table de nuit et le nouveau pyjama marron qu'elle avait vu dans son tiroir.

La belle-mère de Cinnie était une fanatique des « bonnes affaires ». Le pyjama et les chocolats étaient sûrement des articles soldés. Le *Jardin* était manifestement un livre d'occasion. Un prénom, Malcolm, était griffonné au verso de la couverture. Le nez de Cinnie se plissait à cause de l'odeur de moisi qui émanait de ces pages.

Elle n'avait rien contre les soldes, mais les démarques étaient le Saint-Graal de Madeleine. Peu importait que le pyjama fût moche, l'histoire sinistre, les chocolats trop vieux. Peu importait que le pyjama fût couleur de chocolat et que les chocolats eussent un goût de pyjama. Du moment qu'il y avait un rabais. Cela rendait Cinnie furieuse. Mais tout dans la personne de Madeleine rendait Cinnie furieuse. Au moins personne ne pouvait l'accuser d'incohérence.

– Livre, maman.

– Allons, Jimbo. Assez de cette histoire putride. Veux-tu

que je te lise *Georges va à l'hôpital* ? On y trouve de tout : du suspense, du sentiment, de l'aventure.

Elle poussa le répugnant petit bouquin sous une pile de jouets et trouva plusieurs autres livres plus appétissants. Mais rien à faire. Rouge, crispé, James tendait la main dans la direction du volume caché.

– Livre, livre ! *Livre*, maman !

Il était au bord des larmes. Désespéré.

– D'accord, mon chéri. D'accord, tu gagnes. Comment se fait-il que tu gagnes toujours alors que je suis la plus forte ?

Elle relut l'histoire des mauvaises herbes une demi-douzaine de fois, mais James n'était toujours pas satisfait. Et l'accoutumance ne rendait pas ce conte plus sympathique aux yeux de Cinnie. Elle imagina un instant qu'elle aspergeait Madeleine d'herbicide, puis la regardait se ratatiner et roussir sur les bords. Affreux bouquin.

Lorsque James s'endormit enfin, Cinnie fut tentée de jeter le livre par la fenêtre ou de le planquer dans un endroit approprié, le bassin hygiénique par exemple. Mais elle pressentait que James le réclamerait à nouveau dès qu'il se réveillerait. Au moins il demandait quelque chose.

Il dormit à poings fermés pendant toute la visite de Dal. Celle-ci mit Cinnie au courant des dernières nouvelles du voisinage, y compris le délicieux commérage selon lequel le mari de Lydia Holroyd avait changé de poste : l'ancien comportait déjà soixante pour cent de déplacements, mais maintenant il serait presque tout le temps parti.

– Je le comprends, dit Dal. Si j'étais un homme et marié avec cette garce, cette madame je-sais-tout, je crois que je me ferais astronaute.

Puis le docteur Ferris vint voir comment les choses s'étaient passées pour James en thérapie. Il caressa délicatement le front de l'enfant et sourit. Cinnie fut touchée par cette marque inhabituelle d'affection.

Étant donné qu'elle faisait elle-même partie du personnel de l'hôpital, elle en savait assez pour choisir ses docteurs pour leur compétence plutôt que pour leur personnalité. Elle n'avait tenu aucun compte de toutes les remarques malveillantes dirigées contre Ferris par des collègues jaloux de son génie médical et irrités par son attitude distante. Il avait commis la faute impardonnable de décliner des invitations à dîner ou de refuser d'assister à des bals de charité.

Cinnie savait que ce n'était pas la fréquentation de la communauté médicale qui faisait de quelqu'un un meilleur docteur. Mais elle avait souvent attendu de Ferris un minimum de chaleur humaine – envers elle-même ou James, ou n'importe qui d'autre. La plupart du temps il lui faisait penser à un de ces objets emballés sous film plastique. Mais maintenant elle avait un aperçu de ce que dissimulait ce soigneux emballage.

Le regard de Ferris rencontra le sien.

– Je ne peux vous dire combien je suis heureux, madame Merritt. Et soulagé. Pendant un moment…

– Mais il n'est pas encore entièrement conscient, n'est-ce pas ? Il semble encore flotter dans un état intermédiaire.

Le docteur fronça les sourcils.

– Pas entièrement, mais presque. Je pense qu'il peut à tout moment retrouver toutes ses facultés. James a toujours été un petit garçon si vif et éveillé, si avancé pour son âge… Vous devez être très fière de lui.

Cinnie ne se souvenait pas de l'avoir vu si aimable. Il n'était pas mal physiquement : un visage d'artiste, des yeux intelligents, des mains délicates. Quant à son âge, elle ne s'était encore jamais posé la question, mais il ne pouvait avoir beaucoup plus de trente-cinq ans. Elle se dit que ce ne serait pas un mauvais parti, et se demanda comment il réagirait si elle faisait allusion à la sœur célibataire de Dal, qui habitait à Norwalk. C'était drôle de penser à lui comme à autre chose qu'une machine à soigner.

– Oui, je suis fière de lui, docteur Ferris. Et merci pour le vote de confiance. Si vous saviez combien de gens parlent de James au passé ou font comme s'il était devenu invisible…

Il fit un geste rassurant et s'éclaircit la gorge.

– S'il y a quelque chose que je peux faire pour vous, à n'importe quel moment, n'hésitez pas à m'appeler, madame Merritt. Je sais que tout ceci doit être terriblement difficile pour vous.

Il griffonna le numéro de son bip sur une feuille d'ordonnance et le lui tendit.

– Appelez quand vous voulez.

Le docteur Silver, le neurologue, entra dans la chambre peu après que Ferris l'eut quittée. Le contraste entre les deux hommes était saisissant. Silver était du genre bourru et grande gueule ; il avait toute la finesse d'un gorille.

Cinnie avait eu maintes prises de bec avec lui au fil des ans. Il était farouchement opposé à toute rééducation pour les patients âgés qui avaient eu une attaque, et pour lui toute personne de plus de soixante-cinq ans était un « sucreur de fraises » ou un « branleur de tête ». Il prétendait que c'était un gaspillage d'argent. De son point de vue, les précieux dollars devaient être réservés pour des choses plus importantes – par exemple, de plus gros salaires pour les joueurs de base-ball. Cinnie pensait qu'il était sûrement bien placé pour parler de branleurs. Elle ne supportait qu'il s'occupât de James que parce que c'était le meilleur neurologue de la ville. Étrange talent pour un être aussi simiesque.

Silver regarda James et se racla la gorge.

– Flapi, hein ? Comment va-t-il ?

– C'est à vous de me le dire, répliqua Cinnie. C'est vous le docteur.

Silver tourna la tête dans sa direction et fronça les sourcils. Il avait les dents jaunes d'un fumeur de cigares ; son nez était un champignon spongieux, piqueté de gros pores et veiné de couperose.

– Vous avez bien mauvaise mine, ma petite. Depuis quand n'avez-vous pas eu une bonne nuit de sommeil ?

– James est votre patient, docteur Silver. Pas moi. Qu'ont donné les examens ?

– Ne vous en faites pas pour ça, jolie maman. Prenez soin de vous-même et nous ferons le reste.

– Gardez votre condescendance pour d'autres, Marty. Je veux savoir comment ça s'est passé.

Silver ricana.

– Allons, allons. Je sais que c'est dur pour vous, mais tout ira mieux si vous vous détendez et si vous nous laissez faire notre travail.

– Bien sûr, vous avez raison, docteur Silver. Où avais-je la tête ? Une mère qui s'inquiète des progrès de son fils, on aura tout vu !

– Écoutez, vous êtes aussi médecin. Vous savez qu'il n'est pas bon de poser trop de questions. Ça ne sert qu'à se tourmenter inutilement.

Les dents de Cinnie étaient si serrées que ses gencives lui faisaient mal.

– Juste une question alors, docteur Silver. Est-ce que vous savez où aller vous faire foutre ?

Elle parvint à tenir James éveillé pendant le dîner, mais il s'endormit avant le dessert. Quand Paul arriva, elle essaya de réveiller l'enfant le temps d'un câlin et d'un bonjour, mais en vain. James était KO pour de bon.

Paul et elle, assis de chaque côté du lit, parlèrent un moment, de travail, du temps qu'il faisait – des sujets si légers que Cinnie pouvait presque les voir danser dans l'air comme des grains de poussière. Elle songea bien à lui faire part de ses soucis quant à la réunion dont lui avait parlé Karen, à lui raconter les visites qu'elle avait rendues à Marion Druce et à Loïs Sanders dans l'après-midi. Mais l'effort nécessaire lui parut démesuré.

Un laps de temps convenable s'était écoulé, et Paul se préparait à partir. Il accorda une guitare imaginaire et chanta un refrain de sa chanson du soir traditionnelle : « À demain matin, roi James, à moins que je dorme jusqu'au soir. » Après l'accord final, accompagné d'un grand geste du bras, il remit l'instrument invisible dans son étui, embrassa James, qui répondit par un ronflement, et lança à Cinnie un regard interrogateur.

– Tu as besoin de quelque chose pour demain ?

En guise de réponse, elle emballa quelques affaires fantômes dans une valise imaginaire, qu'elle referma soigneusement avant de se lever.

– Tu viens à la maison ? dit Paul.

– Ouaip. J'ai décidé de m'évader.

Ils roulèrent vers la maison dans un silence complice. Une fois à l'intérieur, Paul alluma un feu et versa du sherry sec dans deux verres.

Assise sur le tapis moelleux devant la cheminée, Cinnie

but à petites gorgées en regardant les flammes. Une délicieuse somnolence l'envahit, et elle sentit ses muscles se détendre. Paul releva ses cheveux et posa un baiser sur le point sensible derrière son oreille gauche. Il glissa une main par-dessus son épaule et caressa le mamelon de son sein droit. Il jouait d'elle comme d'un instrument bien accordé dont il tirait des accords cachés. Elle éprouvait une sensation de légèreté ; son esprit semblait se dilater et s'envoler comme un ballon emporté par le vent.

Plus tard, étendue contre Paul – elle avait posé sa tête sur son épaule, et leurs membres étaient emmêlés comme du linge pas encore trié –, elle dit :

– C'était bien. Amical.

Elle se sentait si bien. L'intimité, la chaleur... Son cerveau tournait au ralenti, au point mort. Elle aurait pu rester ainsi indéfiniment. C'est sans doute ce qui se serait passé si elle avait pu tenir sa langue.

Mais ses pensées revenaient sans cesse aux discussions qu'elle avait eues avec Marion et Loïs dans l'après-midi, en particulier celle avec Loïs. Et elle céda à une envie irrésistible d'en parler à Paul.

Elle sentit qu'il se raidissait.

– Encore ces absurdités ?

– C'est différent, Paul. Écoute-moi, je t'en prie.

Il se leva en maugréant. Cinnie le regarda enfiler un pantalon et un chandail molletonné.

– Je vais au studio.

– Ne pouvons-nous pas discuter de cela, Paul ? Pourquoi faut-il toujours que tu te réfugies dans ce maudit studio ?

– Il se trouve que le *maudit* studio est mon outil de travail.

– Ta raison d'être.

– Si tu le dis.

– Je dis que si tu n'étais pas aussi égoïste et préoccupé de toi-même, rien de tout ceci ne serait arrivé.

Elle se mordit la lèvre, mais c'était trop tard. Les mots étaient sortis. Aussitôt l'atmosphère s'alourdit. Paul plissa les yeux.

– Bon Dieu, est-ce que c'est ma faute s'il y a eu une panne d'électricité ?

– Tu as une montre, Paul. Tu aurais pu prendre la peine de vérifier l'heure.

Le visage de Paul s'assombrit.

– Bon sang, c'est injuste ! J'aime ce gosse autant que toi.

– Peut-être autant, Paul. Mais pas de la même manière.

– Comment ça, pas de la même manière ?

Les yeux de Cinnie étaient brûlants. Sa gorge se serra d'amertume.

– Je ne peux pas l'expliquer. C'est différent pour toi, c'est tout.

– Pas besoin d'explications. Je comprends très bien. Tu es merveilleuse et parfaite, et je suis un vaurien irresponsable. Jamais tu ne laisserais James se faire écraser, hein, Cin ? Rien ne peut jamais lui arriver tant que Super-maman est là ?

– Non. Ce n'est pas ce que je voulais dire. S'il te plaît, arrêtons. Je ne veux pas me disputer.

– Parfait. Au moins nous sommes d'accord sur quelque chose.

– Écoute, je ne voulais pas te reprocher quoi que ce soit. C'est simplement que…

– C'est simplement que tu penses que j'ai fait exprès de laisser notre fils avoir un accident. (Sa voix se brisa.) Inutile de tourner le couteau dans la plaie, Cin. Je m'en charge moi-même. Mille fois j'ai repensé à ce jour, mille fois j'ai regretté de ne pouvoir revenir en arrière pour que tout se passe différemment…

– Je regrette. Je ne voulais pas…

– Non, ne t'excuse pas. Tout est de ma faute. Je l'avoue. Je suis un crétin égoïste sur qui on ne peut pas compter, et en conséquence mon fils restera peut-être handicapé à vie. Et toi, tu es si sacrément parfaite qu'on peut à peine te regarder sans lunettes de soleil. C'est bien ça, n'est-ce pas ?

Son visage douloureux se renfrogna, puis se vida de toute expression. Elle pouvait presque le voir rentrer en lui-même, baisser les stores et tirer le verrou.

– Je sais que tu ne l'as pas fait exprès, Paul. Je ne te reproche rien. S'il te plaît, essaie de comprendre.

– Je comprends parfaitement.

Cinnie sentait qu'un abîme les séparait, un gouffre sombre et dangereux.

– Qu'est-ce qui nous arrive, Paul ? J'ai l'impression que nous coulons pour de bon, et je ne sais pas quoi faire pour l'empêcher.

Il s'assit sur le bord du lit ; leurs regards se croisèrent.

– Je ne sais pas non plus. Peut-être devrions-nous nous concentrer sur James pour le moment et remettre le reste à plus tard.

– Tu me manques, Paul. Toi et ce que nous étions l'un pour l'autre. Surtout maintenant.

Son regard s'adoucit, mais au bout de quelques secondes il se leva et lui adressa un signe de tête.

– À demain.

Tandis qu'il se dirigeait vers la porte, Cinnie songea à l'arrêter d'un plaquage au sol. Elle envisagea même le recours à une séduction vraiment déloyale. Paul avait toujours raffolé de son eau de toilette à la lavande avec un soupçon de Chanel 19. La dernière chose qu'elle voulait ce soir était de rester seule. Elle ne s'était jamais sentie aussi seule.

Mais elle ne bougea pas. Elle entendit la porte claquer et Paul s'éloigner vers le studio en faisant craquer le sol gelé sous ses pas. Et avant même qu'il ait eu le temps de traverser l'espace herbeux qui séparait la maison du cottage, les pensées de Cinnie s'étaient reportées sur son enfant blessé.

## 24

Pendant une heure Cinnie, allongée, fixa le plafond de ses yeux secs. Elle aurait bien voulu dormir, mais son esprit était trop fiévreux. Après un coup de fil au service pédiatrique, qui l'assura que James était toujours profondément endormi, elle se leva, s'habilla et sortit de la maison.

Le quartier était tranquille. Quelques lumières filtraient à travers des stores baissés, mais la plupart des maisons étaient des silhouettes éparses, sombres et trapues, qui se détachaient sur un ciel de velours.

Tout était si serein en apparence. Le Bois-Tyler, le quartier de banlieue américain modèle. Massifs sculptés, grands arbres, allées calmes, sentiers de pierre sinueux. Des ombres s'étendaient sur les pelouses assoupies comme autant d'édredons duveteux.

Oui, tout était si paisible en surface. Mais tant de choses vous rappelaient l'un ou l'autre de ces affreux accidents...

Il y avait, à mi-parcours de la rue du Bois, l'étang où Ricky Dolan était passé à travers une plaque de glace trop mince. C'était arrivé un dimanche après-midi, un an et demi plus tôt. Des enfants du voisinage avaient joué au hockey sur glace. Ç'avait été un bon hiver pour ce sport ; après trois mois d'un froid exceptionnel et persistant, l'étang de la rue du Bois était recouvert d'une bonne couche de glace.

Les enfants s'étaient dispersés au crépuscule, et Ricky, alors âgé de sept ans, s'était aperçu en rentrant chez lui qu'il avait oublié ses nouveaux gants de ski. Il était retourné les chercher en courant, et la malchance avait voulu qu'il dirige ses pas vers un endroit où la croûte de glace était plus fine qu'ailleurs.

Un voisin avait entendu les cris de l'enfant et appelé police-secours. C'est un garçonnet gris et sans vie qu'on avait retiré de l'eau glacée. Les auxiliaires médicaux avaient réussi à le ranimer, mais pas assez vite pour que son cerveau ne fût pas affecté ; depuis, Ricky souffrait de troubles de l'élocution et de la mémoire.

En passant devant la grande maison des Wilder, Cinnie frissonna ; elle pensait aux plaintes d'animal nocturne de Billy Wilder, à cette créature aux yeux caves qu'il était devenu. Parfois, quand elle se promenait avec James, elle l'apercevait tapi dans un coin, près de la fenêtre de la salle de séjour.

Ces événements – la disparition de Billy et l'hystérie collective qu'elle avait provoquée – avaient eu lieu en juin, quelques mois après l'accident survenu à Ricky Dolan. Billy était sorti faire du vélo dans le quartier, comme presque tous les jours en revenant de l'école. Plus tard, quand sa mère était allée le chercher, elle avait trouvé le vélo appuyé contre le grand chêne qui se dressait dans le jardin de devant. Mais aucune trace de Billy.

Le studio d'enregistrement ne désemplissait pas à l'époque, à cause de groupes venus d'autres régions, et Paul passait presque toutes ses nuits dans le cottage aménagé pour superviser les opérations. Résolue à protéger James du fou ravisseur d'enfants, Cinnie avait dormi sur le parquet au pied du lit de son fils et sursauté à chaque craquement et frémissement dans la charpente arthritique de l'ancien bâtiment de ferme – jusqu'à ce qu'on eût retrouvé Billy une semaine plus tard, errant dans le jardin botanique à deux kilomètres de là.

En longeant l'avenue des Potirons, elle vit la maison en brique des McArthur. Le malheur avait frappé là aussi, au printemps de cette année.

Cinnie, James et Paul se trouvaient sur la partie ombragée de la pelouse de derrière quand c'était arrivé. Paul retournait des hamburgers sur le gril. Debout près de lui, James le singeait en retournant des touffes d'herbe. Cinnie entendait encore la voix mélodieuse de l'enfant tandis qu'il imitait le boniment habituel de Paul dans ces cas-là :

– Qui les veut sai-ai-aignants ? Qui les veut bie-e-en cuits ?

– Un de chaque pour moi, avait dit Cinnie. Vous êtes un si bon cuisinier que je ne me lasse pas de vos délicieux hamburgers, monsieur le maître queux.

– Hamberbers de chez James. V'nez vous servir.

Parfaite scène de famille.

C'est alors qu'avait retenti le cri inhumain. Le sang de Cinnie se glaçait encore dans ses veines quand elle y pensait.

Le temps s'était figé un bref et horrible instant, puis avait recommencé à s'écouler à une allure irréelle. Paul était parti en courant voir ce qui se passait. Cinnie avait pris James dans ses bras et l'avait serré fort contre sa poitrine.

En quelques minutes le Bois-Tyler avait paru grouiller de voitures de police et d'ambulances. Des voisins s'étaient rassemblés en petits groupes anxieux. Des rumeurs s'étaient propagées, faites de peur et de conjectures.

James avait posé sa tête sur l'épaule de Cinnie et s'était assoupi. Sa respiration s'était ralentie, et la chaleur du sommeil avait rosi ses joues. Elle l'avait bercé et avait fredonné un air apaisant, tout en se dirigeant comme malgré elle vers la foule et le bruit. Peut-être qu'il continuerait à dormir.

Quelques maisons plus loin, elle avait vu Paul en discussion avec un groupe d'hommes. Elle les avait dépassés lentement, attirée comme par un aimant géant par l'horreur qu'elle pressentait.

L'enfant mort gisait dans le caniveau, sur un lit d'herbe coupée et de pétales roses de fleurs de cornouiller. Elle avait remarqué avec une sorte de détachement qu'il était grand pour son âge, pâle et médiocrement bâti. Son tee-shirt découvrait un ventre trop gras, ses membres étaient d'une blancheur de lait et flasques. Il avait de grosses joues, un menton informe et un minuscule nez retroussé.

À quelques pas de là, une femme hystérique était réconfortée par un homme obèse aux cheveux gominés, qui portait des lunettes noires et une chemise hawaïenne trop voyante. Sans doute le père, avait pensé Cinnie.

– C'est pas possible, hurlait la femme. Il se tenait juste là. Juste là sur l'herbe, Larry. Juste là. Non. Non !

Il y avait aussi un brouhaha de voix graves qui évoquait le grondement d'un train souterrain. Cinnie avait serré plus fort James contre elle et était retournée vers sa maison. Le conducteur du véhicule qui avait renversé le garçon n'avait jamais été retrouvé.

Cinnie n'oublierait jamais cette scène. Pas plus que le choc et l'angoisse similaires qu'elle avait ressentis quand Laure Druce avait été blessée. Elle s'était trouvée à la maison ce jour-là aussi – elle faisait des croquettes avec James – quand les bruits de sirènes avaient retenti du côté de chez Marion.

Après le départ de l'ambulance qui avait emmené Laure et Marion à l'hôpital, Cinnie était retournée chez elle avec James. Elle ne s'était rendu compte qu'elle serrait sa main trop fort que quand il s'était tortillé pour se libérer.

Ils avaient vu en passant le camion de livraison de meubles. Le chauffeur, effondré derrière le volant, ne cessait de marmonner pour lui-même : « Elle a surgi de nulle part. Comme si quelqu'un l'avait poussée sur la route. J'ai rien fait d'mal. J'le jure. »

Et puis il y avait eu le petit Jason Sanders.

Cinnie était encore sous le choc de la discussion qu'elle avait eue avec Loïs Sanders en sortant de chez Marion Druce. Loïs, avec toute sa froide intelligence, était bien la dernière personne dont elle aurait imaginé qu'elle partageait ses doutes et ses soupçons.

Mais Loïs l'avait surprise. Elle avait ouvert la porte et fait entrer Cinnie dans sa superbe salle de séjour à la façon d'une conspiratrice un peu honteuse.

Quand Cinnie lui avait demandé si elle avait une théorie au sujet de tous ces accidents, Loïs l'avait conduite sur la grande plate-forme en séquoia derrière la maison et avait montré du doigt une sorte d'enclos carré, construit avec des traverses de chemin de fer et bordé de galets colorés, au milieu du jardin.

– C'était le bac à sable de Jason, avait-elle dit. Il jouait là pendant des heures d'affilée. Nous disions souvent pour plaisanter qu'à son âge ce n'était pas très grave d'être sur le sable... Ce jour-là, Jason était seul à la maison avec Stacy, ma baby-sitter habituelle. Le téléphone a sonné et Stacy est vite allée répondre à l'intérieur. Ce n'était qu'une erreur de numéro, par conséquent elle ne s'est pas éloignée du bac à sable plus d'une minute. Mais ç'a été suffisant pour que Jason trouve le pétard et le fasse exploser. Le SAMU s'est arrangé pour qu'il soit transporté par hélicoptère à Bellevue. L'équipe de microchirurgie a essayé pendant presque douze heures de rattacher les deux doigts, mais les brûlures avaient causé trop de dégâts. Même chose pour l'œil. Ils m'ont dit qu'il avait eu de la chance de ne pas perdre les deux. De la chance, vous vous rendez compte !

– Jason est un petit gars formidable, avait dit Cinnie. Je ne comprends pas comment il arrive à jouer au base-ball avec ses prothèses. James est persuadé qu'il est bien parti pour finir en première division.

– Merci. Je sais qu'il s'en sort très bien. Il ne semble même pas se souvenir du jour de l'accident. Le problème, c'est que je ne peux pas en dire autant. (Elle avait tourné les yeux vers le bac à sable.) Étrange comme rien ne veut pousser dans ce fichu machin. Tous les étés j'essaye, mais tout ce que je plante finit par crever. C'est devenu une obsession pour moi de faire entendre raison à cette stupide petite parcelle de terre.

Cinnie avait suivi son regard.

– Jason va bien, avait-elle dit, plus pour elle-même que pour Loïs. C'est ce qui compte.

– C'est vrai, mais pour répondre à votre question, j'ai en effet une théorie. Plus qu'une théorie, en fait. Je sais que ce qui est arrivé à Jason n'était pas un accident. Ce pétard a été mis là exprès.

– Qu'est-ce qui vous fait dire ça ?

– Le matin du jour où c'est arrivé, Jason a cru qu'il avait perdu un de ses petits personnages en plastique favoris dans le sable. Grosse catastrophe. Avant que je parte au travail, Stacy et moi avons passé au crible chaque centimètre carré du maudit bac, mais nous n'avons pas pu trouver l'objet manquant. Pour la bonne raison que Jason l'avait fourré dans la poche de son jean.

– Est-ce que vous l'avez dit à la police ?

– Bien sûr. Je l'ai dit à tous ceux qui voulaient m'écouter et à beaucoup d'autres qui ne le voulaient pas. Mais tout ce que j'ai récolté pour ma peine, c'est de la condescendance. « Allons, Loïs. Tu es simplement bouleversée, ma chérie. C'est si dur pour toi, ma pauvre. Nous comprenons. »

Une lueur terrible brillait dans les yeux de Loïs. Une colère froide.

– Personne ne m'a prise au sérieux, continua-t-elle. Même Stacy s'est rangée à l'avis de tout le monde et pense qu'on a dû passer à côté du pétard quand on a fouillé le sable. C'est beaucoup plus rassurant de croire que ce truc était là depuis le Quatre Juillet.

– Mais c'est possible, n'est-ce pas ?

– Non, je ne pense pas.

Cette discussion avait plongé Cinnie dans le désarroi. Qui donc aurait blessé intentionnellement Jason ? Cela n'avait aucun sens, même dans ses plus folles conjectures. Mais qu'est-ce qui en avait ?

Et si Loïs avait raison ?

Se pouvait-il qu'il y eût un lien – et un lien d'origine humaine – entre les affreux événements qui s'étaient produits dans le quartier ? Si le pétard ne s'était pas trouvé là par hasard, peut-être que les autres accidents n'étaient pas des accidents non plus…

Elle frissonna et secoua la tête. Impossible.

…Ou possible ? Elle n'avait pas le commencement d'une preuve – seulement cette conviction terrible et obsédante que quelque chose n'allait vraiment pas du tout.

Paul appelait ça de la superstition. Il prononçait ce mot comme si c'était une pure obscénité. « Tu dois être folle pour penser que quelqu'un pourrait être derrière ces accidents, disait-il. Complètement maboule. »

Ses réflexions furent interrompues par un strident crissement de pneus sur l'asphalte. Quelqu'un freinait à mort sur Mill Road – quelque part du côté des colonnes de pierre. Figée sur place, elle attendit les cris et les bruits de sirènes.

Rien.

Elle s'efforça de chasser l'horrible image de son esprit. Mais elle voyait l'enfant sans visage étendu, brisé et ensanglanté, sur le côté de la route. Les parents angoissés blottis l'un contre l'autre près de là. Le cercle de voisins anxieux, excluant instinctivement les malheureux de leur groupe de privilégiés. Se protégeant de cette nouvelle tragédie. Barrant la route à la douleur.

Elle écouta le murmure régulier du vent, la rumeur des voitures qui passaient au loin, les violents battements de son cœur.

Lentement, elle fit demi-tour et reprit le chemin de sa maison.

## 25

Les portes coulissantes de l'hôpital s'ouvrirent devant Malcolm Cobb. Une fois dans le hall désert, il renifla et fronça les sourcils. Répugnante odeur de chair malade. Parfum rance du désespoir.

Cobb avait observé les allées et venues du garde derrière les portes. Il savait par expérience que le fainéant s'éclipsait à intervalles réguliers pour aller satisfaire son besoin de nicotine. De fait, il l'avait vu s'éloigner tranquillement au bout de cinq minutes et il avait ressenti comme une bouffée de mépris. Misérable masse d'entrailles putrides. Il avait imaginé les poumons encrassés, les vaisseaux sanguins racornis comme autant de vers desséchés, le cœur pareil à un immonde pruneau sans force.

Tout en se dirigeant à grands pas vers l'escalier, Cobb s'efforça de surmonter son dégoût et de se concentrer sur la moisson imminente. Il évoqua presque tendrement la peau veloutée du spécimen, ses traits fins, la force et l'intelligence qui en émanaient. Merveilleuse abondance ! Source de sa délivrance !

Son cœur se gonfla de joie. Il était la lune noire ascendante. Il s'élevait au-dessus de l'horizon de pierre et imprimait le sceau de son génie sur le ciel somnolent.

La récompense était maintenant toute proche. Les secondes s'égrenaient joyeusement dans ses veines. Il frémit de plaisir anticipé.

Il monta les cinq étages sans tenir compte du déclin progressif de ses pauvres forces. Bientôt les réserves infinies seraient à lui.

Une fois arrivé, il s'arrêta un instant et s'apprêta à entrer en possession de son trésor. Peu à peu sa respiration et les battements de son cœur se calmèrent. Tout était en ordre.

Mais lorsqu'il toucha le bouton de la porte, il se rendit compte que sa main droite était engourdie. Il essaya de saisir le globe de métal, mais ses doigts n'étaient plus que des appendices flasques et inutiles. La main, le poignet, le bras tout entier étaient comme morts. Déjà pourris. Festin de vers.

Impossible !

Il avala sa salive. Essaya de refouler la peur panique qui montait en lui.

Trébuchant dans le couloir, il sentit la faiblesse se propager dans son corps. Soudain son genou se tordit, il tituba et alla heurter le mur. Son crâne et sa mâchoire s'écrasèrent sur la cruelle surface cimentée. Une douleur aiguë le pénétra jusqu'à la moelle des os.

Maudite vapeur. Diabolique trahison !

Il sombrait, se dissolvait dans un gouffre sombre. Ces violents élancements dans sa tête, cette obscurité croissante... Poids de la souffrance. Puissance de la terrible flamme bleue.

La voix fantôme s'éleva en lui, persifleuse. « Âne bâté ! L'âne le plus stupide de l'univers. Jette-lui une de tes pommes pourries, ma chérie. Allez, vas-y. Amuse-toi. Il est trop gourde pour sentir quoi que ce soit. »

Plof ! et l'âcre pourriture dégoulina le long de son visage, s'insinua sous son col, glissa ses doigts répugnants sur son corps. Les mouches suivirent. Paresseuses, moqueuses.

Maudite invasion. Elles le harcèleraient jusqu'à ce qu'elles percent sa peau et s'engouffrent en essaim dans ses entrailles.

Alors viendrait le hurlement intérieur. Les voix aiguës et hideuses, coupantes comme des rasoirs, le saigneraient à mort.

Un infime signal d'alarme parvint jusqu'à son esprit torturé. Il fit un effort pour écouter, pour comprendre.

Une voix. Un bruit de pas. Quelqu'un approchait en fredonnant. Il ne fallait pas qu'il soit découvert. Chancelant, trébuchant, il longea tant bien que mal le couloir et disparut.

## 26

Le rêve s'éleva du silence comme une bulle. Si vague au début qu'il n'était guère plus qu'un frisson. Qu'un murmure. Puis vint un âpre soupir qui s'amplifia jusqu'à former le souffle rauque et rythmique d'une locomotive qui s'approche.

James n'eut pas tout de suite conscience du danger. Il courait dans la lumière du soleil, joyeux et libre. Un rire jaillit de sa gorge et flotta dans l'air comme une vapeur. Il courait plus vite maintenant, en larges cercles, à la poursuite du soleil.

Puis vint l'avertissement, le sifflement plaintif et perçant ; il chatouilla d'abord ses oreilles avec espièglerie, puis il commença à l'encercler, s'enroula autour de lui comme un fouet brutal, l'attrapa aux genoux, et le fit tomber par terre tête la première.

James essaya de se relever, de s'échapper. Mais ses jambes s'étaient transformées en sable. Il haletait, suffoquait. Le sifflement se fit plus fort ; c'était maintenant un hurlement.

Il était pris. Le monstre s'approchait, menaçant. Il sentait son haleine torride et la brûlure de son venin. Il devait fuir. Mais il ne pouvait bouger !

*Au secours !*

Il se réveilla en sursaut. Son cœur bondissait dans sa poitrine comme un chiot fou. Il tendit le cou pour jeter un coup d'œil réconfortant du côté du lit de camp.

Sa mère n'y était pas.

Il entendit la porte s'ouvrir. Un bruit de pas. Le faisceau d'une torche électrique balaya la chambre et s'arrêta sous son menton.

– Encore réveillé, mon gars ? Nous avons un veilleur de nuit ici, tu sais. Tu essaies de lui prendre sa place ou quoi ?

James regarda l'infirmière café au lait s'approcher du lit. Il sentit un parfum de fleur quand, ayant sorti le thermomètre électronique blanc de son logement, elle se pencha pour le glisser sous sa langue. En attendant que sa température fût enregistrée, elle prit son poignet entre ses doigts charnus et dirigea le faisceau de sa lampe sur sa montre.

La tension due à son cauchemar se dissipait, et il ressentit une pointe d'amusement. Il voyait toujours tout en double. Il y avait deux infirmières qui tenaient son poignet, deux ours en peluche en maillot de lutteur assis au pied de son lit, lequel avait deux barres et deux matelas. Deux cruches à eau et des verres jumeaux étaient posés sur la table de nuit en double exemplaire. Deux grappes de ballons identiques pendaient de la tringle à rideau ; ils avaient tous bien besoin d'être regonflés.

L'infirmière eut l'air intriguée quand il pouffa de rire. Elles eurent toutes les deux l'air intriguées. Les deux bouches se déformèrent ensemble et les deux sourcils droits se relevèrent en accent circonflexe. James s'efforça de redevenir sérieux et d'expliquer son accès de gaieté. Il montra du doigt la pile de livres sur le radiateur. « Livre, livre. »

Elle agita ses deux mains droites.

– Tu me fais marcher, hein, James Merritt ? C'est le milieu de la nuit, mon gars. Ce n'est pas le moment de se soucier de lecture ou de livres ou de quoi que ce soit d'autre. Tu vas dormir maintenant, d'accord ?

James soupira et essaya autre chose. « Ours, ours. »

– Pas question de jouer non plus, mon cher. Il est temps de dormir. Nuit, nuit. Compris ?

Elle griffonna quelque chose sur la feuille de température qui était au pied du lit et s'apprêta à quitter la chambre. Il tourna à nouveau les yeux vers le lit de camp.

Toujours vide.

Où était maman ? James essaya de se rappeler le moment où elle était partie, mais en vain. Ça ne lui ressemblait pas de s'en aller sans dire au revoir. Pourtant il était évident qu'elle n'était plus là depuis un certain temps. Son oreiller était bien lisse, ses couvertures bien tirées sous le mince matelas. Son sac à main n'était pas à sa place habituelle près dc la table de nuit, et sa mallette manquait. Il fut forcé de conclure qu'elle avait décidé de passer la nuit à la maison.

Il essaya d'écarter un léger sentiment de malaise. Il tâcha de se convaincre qu'il était parfaitement capable de faire face à cette situation. Aucune raison de s'en faire. Il allait simplement se rendormir et rester au pays des songes jusqu'à ce qu'elle revienne le lendemain matin.

Il cherchait une position plus confortable, quand son regard tomba sur la porte du placard. Ouverte.

Non !... L'infirmière sortait de la chambre. Il voulut trouver les mots pour l'arrêter. Mais il ne pouvait séparer ceux dont il avait besoin du fatras de termes rebelles qui grouillaient dans sa tête. Elle était dans le couloir maintenant et refermait la porte. Désespéré, il fit avec sa bouche un fort bruit de baiser.

L'infirmière s'immobilisa et passa sa tête dans l'entrebâillement de la porte. James vit la blancheur de ses dents quand elle lui sourit. Elle leva une main et lui envoya un baiser. « Tu es adorable. Bonne nuit maintenant, Mister James. Dors bien, mon mignon. D'accord ? »

James fit un gros effort pour parler. Mais la porte se referma avec un déclic avant qu'il ait pu prononcer un mot.

Étendu dans la pénombre, il s'efforça de combattre sa peur naissante en faisant appel à sa raison. Ceci n'était pas sa chambre à la maison. Il était hautement improbable que son monstre eût les moyens de venir s'installer dans ce placard d'hôpital. D'ailleurs, Vinton ignorait sans doute complètement où il était allé.

Tout cela était rassurant en théorie. Mais James sentait, posé sur lui et venant du placard ouvert, le regard brûlant d'un observateur malveillant. Si seulement il pouvait aller fermer cette porte…

Il essaya d'abaisser la barre latérale du lit, mais elle était solidement maintenue en place et il ne savait pas comment la libérer. Il tenta de se soulever suffisamment pour franchir cette barrière métallique, mais ses muscles tremblèrent et se relâchèrent, et il retomba sur le matelas, moite de sueur, essoufflé.

Trois baisers, couvertures tirées sous le menton, porte bien fermée, et plus de Vinton. C'était si simple, mais il ne pouvait accomplir seul le rite protecteur. Des larmes d'amère frustration montèrent à ses yeux, et sa lèvre inférieure commença à trembler.

Mais attends, elle revient…

La porte s'ouvrit avec une lenteur exaspérante. James se tint prêt à prononcer le mot. « Porte. » Il le répéta plusieurs fois dans sa tête, forma le son avec sa bouche. Il se concentra dessus de toutes ses forces pour qu'il ne lui échappe pas quand elle apparaîtrait enfin. Il lui dirait ce qu'il fallait faire, et le monstre serait mis hors d'état de nuire.

« Porte », lâcha-t-il avec un mélange de satisfaction et de soulagement tandis que la lumière du couloir pénétrait dans la chambre et qu'elle s'y glissait elle-même. « Porte. »

Mais ce n'était pas l'infirmière.

– Excellent, mon enfant. Tu te rétablis exactement dans

les délais prévus. Je vois que tu communiques maintenant d'une façon réfléchie. Et tu me comprends aussi, n'est-ce pas, James ?

James resta silencieux. L'homme-ombre à nouveau. Qu'est-ce qu'il pouvait bien vouloir au milieu de la nuit ?

L'homme semblait lire dans ses pensées.

– Le moment de la moisson est venu. Le jour du grand rééquilibrage. Réjouis-toi !

James eut soudain très peur. Un petit cri de protestation s'échappa de ses lèvres.

– Allons, il ne faut pas t'inquiéter. C'est une procédure très élémentaire, comme tu vas voir. Un simple transfert de biens. Un rétablissement de l'équilibre cosmique. Justice et renouveau.

James ferma les yeux. Peut-être que l'homme-ombre s'en irait s'il faisait semblant de dormir. Son ventre était en révolution. Tout ce qu'il voulait, c'était qu'on le laisse tranquille.

– Parfait. Détends-toi. Rendors-toi. Tu ne vas rien sentir.

À ces mots, les yeux de James se rouvrirent brusquement de leur propre initiative. L'homme-ombre s'approchait en tirant quelque chose de sa poche. James se rappela sa dernière visite. Il appréhenda de voir le reflet métallique de l'aiguille.

– Non !

– Allons, tu n'as pas besoin d'avoir peur. C'est ta destinée. Tu seras l'instrument de ma grandeur, James. Le serviteur de la lune noire. Ce sera le plus noble des sacrifices. Un legs glorieux.

– Maman ? Maman !

L'homme fit « ssss » pour lui imposer silence, et son visage jusque-là sombre s'éclaira délibérément.

– Ta mère est partie, mon enfant. Elle nous a laissés à notre noble entreprise. Elle respecte ce que je dois faire. Elle désire que tu coopères avec moi en toute chose, James. Maintenant tu dois rester parfaitement immobile et faire ton offrande.

James scruta les yeux de l'homme-ombre pour y chercher des signes de duplicité ou de sincérité. Mais ils étaient comme des dos de cuillères polies : vides, brillants. James ne vit en leur centre luisant que son propre reflet déformé. Tout cela était si inquiétant, si troublant...

– Elle veut que tu m'obéisses, James. Elle m'a demandé de venir t'aider à t'acquitter de tes obligations. Ma guérison est ce qui rendra possible la tienne, mon garçon. Ma résurrection sera le signal de ta propre renaissance.

Un autre traitement ? James pensa à tous les tests bizarres qu'on lui avait fait subir en rééducation. On l'avait assis en équilibre sur des ballons de plage géants, suspendu à un filet, attaché à un curieux cadre métallique pour lui envoyer de la lumière dans les yeux.

Il ne savait que penser. Il regarda l'homme-ombre déchirer un sac en plastique avec ses dents. Une sorte de spaghetti transparent en sortit et tomba par terre. L'homme se baissa en maugréant pour le ramasser avec des mouvements gauches et saccadés.

– Mme Bateau ? Pop ?

Il aurait bien voulu comprendre.

– Silence maintenant ! Tiens-toi tranquille.

La voix était coupante. James mordilla sa lèvre inférieure. L'homme-ombre se redressa et s'approcha encore. Le spaghetti transparent pendait de sa bouche. Il tenait une aiguille entre le pouce et l'index de sa main gauche.

James détestait les piqûres. La vue de la pointe luisante le terrifia. Il mordit plus fort sa lèvre et sentit ses muscles se contracter.

Il se répéta les paroles de réconfort que sa mère lui disait dans ces cas-là. « Une seconde et c'est fini, Jimbo. Pas le temps de dire ouf. »

Alors pourquoi cela prenait-il tant de temps ? Les traits de l'homme-ombre devenaient plus tendus. Il laissa encore tomber le tuyau et mit un temps infini à s'accroupir et à le récupérer. Puis il essaya de fixer le fin spaghetti sur l'aiguille, mais ses doigts se mirent à trembler comme un personnage de dessin animé sur le point d'exploser. James faillit rire, mais il se retint.

Une idée curieuse lui vint à l'esprit. Peut-être l'homme-ombre faisait-il tout ceci pour l'amuser. Voilà qui expliquerait les gestes bizarres, les paroles étranges, les grimaces loufoques, les mouvements brusques et maladroits.

James se détendit et regarda la suite du numéro. L'homme-ombre avait presque réussi à enfoncer l'aiguille dans le tuyau, mais à ce moment il laissa tomber l'aiguille. Il devint cramoisi et lâcha un juron tout en s'agenouillant pour la ramasser sur le sombre linoléum.

Le mot interdit mit le comble à l'hilarité silencieuse de James. Il la sentit monter irrésistiblement de son ventre à sa gorge. Il ne put retenir plus longtemps son fou rire. C'était si drôle. Si ridicule !

Plus drôle encore, la figure de l'homme-ombre quand il se pencha sur lui. Il était furieux. De larges plaques rougeâtres montaient le long de son cou. Ses yeux étaient exorbités.

– Ça suffit, James. Ça suffit, je te dis !

James essaya de maîtriser son fou rire, mais sans succès. Il en pleurait. Ses narines palpitaient comme celles d'un lapin ; ses côtes commençaient à lui faire mal.

– Arrête ! Arrête tout de suite !

Alors vint la gifle. Un choc suivi d'une vive douleur.

Les yeux de l'homme se plissèrent, étincelants de haine.

– Comment oses-tu te moquer de moi ? Comment oses-tu !

La joue de James lui cuisait. Il sentait la chaleur se propager à partir de l'endroit où il avait été frappé. Sa gorge était tellement serrée qu'il lui était difficile de respirer, et impossible d'avaler.

La voix de l'homme n'était plus qu'un grincement vénéneux. Elle glaça le sang de James et le paralysa.

– Silence maintenant ! Silence, ou je vais t'apprendre à te tenir tranquille.

L'homme essaya encore de fixer l'aiguille dans le tuyau, mais sa main tremblait trop. Il inspira à fond pour tenter de réduire le tremblement, mais il ne put effectuer la délicate opération. Exaspéré et dégoûté, il alla jeter l'aiguille et le tuyau dans la boîte à ordures qui se trouvait près de la porte et revint vers le lit d'un pas mal assuré.

Il sortit une lampe-stylo de sa poche et en dirigea le mince faisceau sur le bras de James. Le rond de lumière s'arrêta sur le sparadrap qui maintenait en place une aiguille de perfusion sur le dos de sa main gauche. James se souvenait qu'on appelait ça un garde-veine. Sa mère lui avait expliqué que c'était une précaution pour les cas d'urgence, tout en lui assurant qu'un tel cas était maintenant très improbable.

L'homme-ombre tira sur le sparadrap, mais il ne put libérer l'aiguille. Alors il se pencha vivement par-dessus la barre latérale, leva la main de James jusqu'à sa bouche, et saisit le bord du sparadrap avec ses dents.

Une lueur de triomphe passa dans ses yeux quand le sparadrap céda enfin et qu'apparut l'aiguille intraveineuse protégée par un capuchon. James tressaillit à la vue de la petite tige métallique enfoncée dans une veine distendue, mais il parvint à rester silencieux.

Maintenant l'homme-ombre tirait sur le capuchon en plastique avec ses dents. James sentit une vive douleur quand l'aiguille sortit de la veine et tomba. Un peu de liquide chaud et gluant coula sur sa main et dégoulina sur la couverture.

Bon. Ça y est. Va-t'en maintenant. La bouche de James était sèche, sa sueur glacée.

Mais l'homme n'était pas satisfait. Une étrange expression se peignit sur son visage quand il pressa la main de James contre ses lèvres et commença à sucer la plaie minuscule comme un nourrisson affamé.

James sentit sur sa peau une langue lécheuse, une succion rythmique. L'homme ronronna de contentement.

Il n'y avait plus de douleur – rien que le petit chatouillement produit par la bouche de l'homme-ombre, qui faisait semblant d'être un petit bébé tétant le sein de sa mère. Si absurde, pensa James. Cet homme devait être fou.

Il faudrait qu'il raconte tout cela à maman le lendemain matin. Elle aurait sûrement une explication logique et rassurante à lui donner. James s'absorba dans cette réconfortante perspective jusqu'au moment où l'homme-ombre retira sa bouche de sa main, tira les couvertures sous son menton, et se dirigea vers la porte.

Il l'avait presque atteinte quand le mot resurgit de la mémoire de James et s'échappa de ses lèvres. « Porte », dit-il en tournant les yeux vers le placard.

« Certainement, mon enfant », répondit l'homme-ombre en fermant le placard. James le regarda jeter un coup d'œil dans le couloir et sortir furtivement de la chambre.

Resté seul dans la pénombre, il essaya de trouver un sens à l'étrange incident. Mais une vague d'épuisement le submergea, et son esprit s'embruma.

« Mme Bateau, bredouilla-t-il faiblement. Homme-ombre. Pop la fouine. » Tout était si difficile à démêler et à comprendre. Comment s'y retrouver ? « Tunnel vert volant. Dame au manteau bleu. » Rien n'avait le moindre sens. Il avait beau essayer, il ne pouvait ajuster entre eux tous ces éléments rebelles. « Pop. Maman ? Mme Bateau. Livre, maman. »

Les mots tourbillonnaient dans sa tête pour former un visqueux amalgame. Il s'efforçait de les replacer dans un ordre logique, mais ils étaient trop glissants.

Un agréable picotement l'envahit. Ses paupières étaient si lourdes... Il les laissa se refermer lentement, renonça à l'impossible effort, et s'endormit.

## 27

Drum arriva à la station-service avant l'heure convenue. Il découvrit Driscoll allongé sous un break Mercedes au centre du garage. Le gros malin avait avancé le chariot de façon qu'il fût hors de portée, et glissé la corde sous ses jambes. C'était sa façon à lui de dire « Prière de ne pas déranger ».

Drum l'appela, mais Barbac ne daigna pas répondre. Il attendit aussi patiemment qu'il le put pendant quelques minutes, mais rien n'indiquait que Driscoll comptait remonter bientôt de ses profondeurs pour venir respirer à la surface.

Drum se glissa derrière le volant de la Mercedes, emballa le moteur, et klaxonna bruyamment. Quand il ressortit, il vit la main de Barbac qui dépassait du châssis, médius pointé vers lui.

– Désolé, Barbac, dit Drum au doigt obscènement dressé, mais tu sais que j'ai horreur d'attendre.

– Tiens-toi occupé alors, Jerry. Va te faire foutre pour commencer. J'ai une fuite ici. Ça va prendre quelques minutes. Que ça te plaise ou non c'est pareil.

Drum tua le temps en fumant nerveusement deux ou trois cigarettes imaginaires et en arpentant le sol graisseux. Driscoll émergea une dizaine de minutes plus tard. En se relevant il remarqua le flacon qui dépassait de la poche de chemise de Drum et manifesta son approbation d'un hochement de tête. Il fit signe à Drum de le suivre et se dirigea d'un pas énergique vers le parking.

Driscoll grimpa dans une fourgonnette noire surhaussée, décorée de flammes de dragon, et mit le contact. L'engin rugit comme rugissait Stella quand Drum avait fait quelque chose pour allumer son moteur. Drum monta dans sa Mustang et démarra dans le sillage de la camionnette en s'accrochant à son volant.

Driscoll l'entraîna dans une véritable course poursuite le long de High Ridge Road, puis sur la route des Parcs vers l'ouest, ne ralentissant brusquement que quand son détecteur de radar émettait son bip-bip.

Une fois passée la frontière de l'État de New York, dans la petite ville de Purchase, la fourgonnette s'engagea dans King Street et passa devant une enfilade de vieux hôtels particuliers qui avaient été convertis en écoles privées, en couvents, en académies de danse et en maisons de retraite. Aux feux suivants, Barbac tourna à gauche et fila comme le vent sur la route qui menait à l'aérodrome de Westchester.

Lorsqu'il déboula sur le parking de l'aérodrome, un bimoteur Cessna était en train d'effectuer sa manœuvre d'approche. La camionnette franchit en cahotant l'accotement herbeux qui entourait le parking, renversa un bout de clôture mobile, et traversa à toute allure l'aire d'envol. Drum arrêta la Mustang au bord du parking et se cala sur son siège pour assister au spectacle.

Un type qui ressemblait à Mickey Mouse avec ses gros protège-oreilles se mit à adresser à Driscoll de grands signes frénétiques ; on aurait dit un pantin lumineux.

Barbac répondit par un signe de la main et coupa le contact au beau milieu des lumières qui bordaient la piste.

Le Cessna avait déjà atterri et fonçait droit sur la fourgonnette de Barbac. Un petit sourire se dessina au coin des lèvres de Drum. Driscoll ne payait pas de mine, mais il pouvait être amusant.

Mickey sautait en l'air et hurlait. Drum distinguait le large ovale de sa bouche et les tendons en relief de son cou de poulet, mais ses cris étaient noyés par le bruit du Cessna. Le pilote avait inversé la poussée des moteurs, et l'avion vrombissait comme une tornade. Une traînée d'étincelles jaillit de chaque roue arrière.

L'appareil s'immobilisa brutalement. Drum perçut une âcre odeur de caoutchouc brûlé. Difficile de dire si elle venait de l'avion ou du petit bonhomme aux protège-oreilles.

Barbac sauta de la cabine de son véhicule, qui était assez près du Cessna pour pouvoir l'embrasser sur la joue. Le petit bonhomme gesticulait et vociférait, au bord de l'apoplexie. Sans prendre garde à lui, Driscoll s'approcha de la porte de l'appareil.

Un type grand, aux épaules voûtées, vêtu d'un blouson d'aviateur en cuir et coiffé d'une casquette de base-ball, descendit le premier. Il était suivi d'un individu remarquable par sa petite taille, sa grosse tête, sa tonsure de moine et son strabisme prononcé.

Barbac les conduisit tous les deux vers l'endroit où Drum attendait et fit les présentations. Le grand type était Jeff Harkavy, un vétéran du Viêt-nam qui pilotait l'avion et l'hélicoptère d'affaires de Driscoll et dirigeait aussi une école de pilotage.

Le sosie de Mister Magoo était Alvin Greenglass. Barbac expliqua que Greenglass venait de passer deux jours à Honolulu, où il avait assisté à un colloque consacré à la structure moléculaire des bactéries tropicales.

– Après ton départ, dit Driscoll, je me suis rappelé que le grand Alvin que voici revenait ce soir. Tu as de la veine, Jerry. C'est le meilleur de mes hommes.

Drum hocha la tête.

– Et ton plus rapide aussi ?

Driscoll fit la moue.

– M. Drum a le feu aux trousses, Alvin. Tu crois que tu peux l'éteindre ?

Greenglass releva sa trop grosse tête.

– Qu'attendez-vous de moi ?

– Juste une petite analyse de sang et un coup d'œil sur un bout de tissu, dit Driscoll. Rien que tu ne puisses faire dans ton sommeil.

– Tant mieux, dit Greenglass. La journée a été longue.

Ils roulèrent en procession jusqu'au laboratoire de Driscoll, qui se trouvait près du grand hôpital Cornell de Valhalla, New York, dans un bâtiment lisse en acier et verre fumé. L'intérieur était austère : sols carrelés et luisants, murs blancs, éclairage violent. Driscoll poussa les portes battantes qui donnaient sur un des labos immaculés et y fit entrer Greenglass et Drum.

C'était une grande pièce carrée, pleine de gadgets électroniques. Tout y était impeccable et imposant. Le laboratoire de Fairview avait l'air préhistorique en comparaison.

Pendant que Greenglass se mettait au travail, Barbac fit rapidement visiter l'installation à Drum. Une succession de passages reliaient les labos entre eux. Greenglass travaillait dans la partie consacrée aux tests radio-immunologiques. Quand Drum et Driscoll y revinrent, le chimiste était penché sur une machine intimidante et posait des flacons remplis d'un liquide jaunâtre sur un tapis roulant miniature.

– Au fond, mon boulot consiste à jouer aux chaises musicales avec des molécules, dit Greenglass. Je sépare les molécules libres de celles qui sont liées à des atomes radioactifs. De cette façon je peux comparer les molécules libres avec une série de sérums préalablement étalonnés. Si nous trouvons l'élément dont nous avons postulé l'existence en quantité suffisante, il ne nous reste plus qu'à éliminer les substances interférantes, et voilà ! Vous comprenez ?

– Ouais, bien sûr, dit Drum. Exactement ce que je ferais moi-même.

Driscoll et Greenglass parlèrent boutique pendant que le second s'affairait.

– Tu es prêt pour le compteur gamma ? demanda Barbac.

– Presque. Je pense que je vais utiliser un Isoflex vingt-quatre. Ça gagnera un peu de temps.

– Bonne idée.

– Et moi je pense que je vais aller pisser un coup, dit Drum. Vous vous débrouillerez bien sans moi pendant deux ou trois minutes ?

– On survivra, répondit Barbac. Mais reviens vite, hein, Jerry ? Des fois qu'on aurait besoin de l'avis d'un expert.

Quand Drum revint, les appareils étaient arrêtés ; Greenglass et Driscoll discutaient, têtes rapprochées. Drum essaya de s'immiscer dans leur conversation, mais Driscoll lui fit signe de se tenir à l'écart.

Quand ils eurent fini de parler, Driscoll laissa Greenglass dans le labo et conduisit Drum dans son bureau privé, à l'autre bout du bâtiment. C'était une grande pièce d'angle jonchée de papiers et de détritus.

Driscoll s'assit sur le divan de cuir marron et posa ses pieds sur une table basse couverte de tasses sales, de papiers graisseux qui avaient contenu des beignets, et pis encore. Il remua ses orteils noircis à travers les trous de ses godillots et s'étira. Drum courut le risque de s'asseoir dans un fauteuil inclinable d'aspect peu ragoûtant.

– Le sang sur le bout de tissu est du même groupe que celui du gosse, si ça peut t'être utile. Quant au reste, c'est à peu près ce à quoi je m'attendais, Jerry. Mais pas tout à fait.

Barbac expliqua que Greenglass avait trouvé des traces d'un agent cardiotonique dans l'échantillon de sang de James Merritt. Exactement ce qu'il avait pensé qu'ils trouveraient, étant donné qu'il n'y avait pas d'autre explication aux irrégularités cardiaques de l'enfant après l'accident.

– Pas de lésions internes, ni d'hémorragie importante, ajouta Driscoll. Alors je me suis dit qu'on avait dû administrer à l'enfant un quelconque stimulant cardiaque.

– Tu veux dire que les ambulanciers ont fait une connerie sur les lieux de l'accident ?

Driscoll se massa le lobe de l'oreille.

– C'est possible. Bien qu'il soit très rare que des ambulanciers administrent des médicaments. Normalement ils ne sont autorisés qu'à mettre les victimes sous perfusion et à surveiller leurs fonctions vitales.

– Alors tu crois qu'il y avait un toubib dans l'ambulance ?

– Il y a des tas de possibilités, Jerry. Tu le sais aussi bien que moi. Peut-être que quelqu'un a fait l'idiot sur le chemin de l'hôpital ou dans la salle des urgences. Ou que la solution saline de la perfusion a été mal préparée en laboratoire. Ou que quelqu'un a injecté le contenu de la mauvaise ampoule dans le feu de l'action. C'est triste à dire, mais ça arrive tout le temps.

– Tout ça est bien beau, ou plutôt bien moche, Barbac, mais rien de tout ceci ne va m'aider à retrouver ce chauffard.

– Peut-être, mais il y a quelque chose de curieux. Comme je te l'ai dit, j'ai trouvé ce que je m'attendais à trouver, mais pas exactement.

– C'est-à-dire ?

Driscoll leva un sourcil.

– C'est-à-dire que la substance que Greenglass a réussi à isoler dans l'échantillon de sang ne correspond à aucun des médicaments habituellement utilisés pour stimuler le cœur, la digitaline par exemple.

– Tu veux dire que ce n'était pas un médicament pour le cœur en fin de compte ?

– Pas un que nous connaissions en tout cas. Greenglass pense que c'est probablement un produit expérimental. La bonne nouvelle, c'est que ce n'est pas quelque chose qui court les rues. Une fois la substance identifiée, ça ne devrait pas être trop difficile de découvrir d'où venait la dose injectée dans le gosse.

Drum fronça les sourcils.

– Et à quoi ça m'avancera ?

– Eh bien, qu'un médicament courant soit administré par erreur à un patient, c'est assez banal. Mais une substance rare – voilà qui pique ma curiosité.

Drum avait beau se creuser la cervelle, il n'y comprenait rien.

– Mais pourquoi ? Qui ? Bon Dieu, ça n'a aucun sens.

Driscoll rigola doucement.

– Pourquoi veux-tu que les choses aient un sens, Jerry ? Tu crois encore au Père Noël, mon mignon.

Drum n'allait pas perdre son temps à discuter. On ne savait jamais d'où viendrait la solution d'une affaire. L'important était de ne rien jeter tant qu'on n'était pas sûr que ça n'avait aucune valeur.

– D'accord, je vais faire avec. Ça va lui prendre combien de temps, à Greenglass, pour identifier ce truc ? Je peux attendre.

– Tu risques d'attendre longtemps, Jerry. On n'est pas équipés pour ça ici. Ce qu'il te faut maintenant, c'est un bon labo de toxicologie et quelqu'un qui s'y connaisse en substances rares.

– Qu'est-ce que tu suggères ?

Driscoll haussa les épaules.

– Tu veux le meilleur ? Alors je pense que tu ferais aussi bien d'aller voir directement le Magicien.

## 28

Le ciel était pommelé, la lune fantomatique. Quelques rares véhicules se traînaient sur la route obscure. Drum dépassa un TRANS AM conduit par un type au nez retroussé et une Honda cabossée dont les deux jeunes occupants avaient l'air dans les vapes. Plusieurs motos passèrent en trombe près de lui. Et il dut faire une embardée pour éviter une lente fourgonnette aux vitres teintées. À cette heure il n'y avait que deux sortes de gens sur la route : ceux qui cherchaient des ennuis, et ceux qui les avaient déjà trouvés. Drum se dit qu'on aurait pu le ranger sans peine dans les deux catégories.

Il ralentit pour quitter High Ridge Road et essaya de chasser de son esprit les événements de la journée. Il était impatient d'arriver chez lui et de se glisser dans son lit à côté de Stella. Il n'aspirait qu'à une chose : se pelotonner contre ses collines et ses vallons crémeux et s'endormir.

En tournant dans sa rue, il fut surpris de voir que les lumières de sa maison étaient allumées. Plusieurs explications rassurantes lui passèrent par la tête. Peut-être Stella était-elle rentrée plus tard que d'habitude et avait-elle décidé de l'attendre. À moins que, morte de fatigue, elle n'ait oublié d'éteindre. Ou encore qu'elle n'ait laissé allumé exprès, pour qu'il ne tâtonne pas dans le noir.

Ce qu'il n'avait pas prévu, c'était de la trouver dans la cuisine avec Booker. Assis dans des coins opposés de la pièce, ils se faisaient face comme des boxeurs entre deux rounds.

– Qu'est-ce qui se passe ? demanda-t-il.

– Dis-lui, ordonna Stella. Vas-y.

– J'ai rien à dire, grommela Booker en mordillant une envie et en fixant le sol des yeux.

– Ah, vraiment ? dit-elle. Eh bien, moi si. Tu veux savoir comment j'ai passé ma soirée, Jerry ? J'ai fait une charmante promenade dans les quartiers ouest. J'ai vu toutes les attractions : les stands de tir, les tripots en plein air, les racoleurs de tous sexes. On m'a malmenée, injuriée, on m'a proposé tous les actes et substances illicites connus. J'ai risqué ma peau comme une idiote pour retrouver ce petit serin qui juge bon de s'envoler chaque fois que l'envie lui en prend.

– Personne vous a dit d'venir me chercher, madame Drum. Vous auriez pas dû faire ça.

Stella souffla par la bouche avec colère.

– Je me fais du *souci* pour toi, petit crétin. Tu crois peut-être que je vais te laisser traîner toute la nuit et risquer toutes sortes d'accidents ?

– J'peux m'débrouiller tout seul. Ça r'garde que moi c'que j'fais.

Drum décida qu'il était temps d'intervenir.

– C'est là que tu te trompes, champion. N'oublie pas que nous sommes ta famille. Alors ce que tu fais nous regarde aussi. Qu'est-ce qui t'a pris de partir comme ça ? Je t'écoute.

– J'appartiens à personne. Personne va m'dire où j'dois être et c'que j'dois faire. J'suis pas un foutu bébé.

Stella soupira.

– Combien de fois faut-il te le dire, Booker ? Il n'y a aucune raison pour que tu te mettes dans des états pareils. Rien n'est fait encore. Ce ne sont que des paroles.

Stella expliqua que Mlle Bergmuller, l'assistante sociale, était venue leur annoncer qu'un couple de New Haven s'était montré intéressé par une éventuelle adoption de Booker. Tous deux étaient de brillants avocats noirs d'un peu plus de quarante ans, qui cherchaient depuis quelque temps déjà le « bon » enfant. D'après la fille Bergmuller, ils voulaient adopter un garçon exceptionnellement intelligent. Un petit prodige.

Stella imitait le gazouillis de la fille à la perfection, et jusqu'à ses mouvements enjoués, son éternel sourire. Drum était si occupé à admirer la ressemblance qu'il ne saisit pas tout de suite le sens de ses paroles.

– Tu veux dire qu'ils vont nous prendre Booker ?

Stella lui décocha un regard acéré.

– Ce n'est qu'une démarche préliminaire, Jerry. Ça n'aboutira sans doute à rien.

– J'irai pas à New Haven ou Old Haven ou n'importe quel autre foutu Haven, m'sieur Drum. Ça j'vous l'garantis.

– Comment ça, *préliminaire* ? demanda Drum.

Stella le fusilla à nouveau du regard, mais il n'en tint pas compte. Il répéta sa question.

– Je veux dire que rien n'est décidé. Ces gens-là ont lu cet article dans le journal quand Booker a gagné le concours d'orthographe de son école, et ça les a fait gamberger. Ils ont demandé à voir son dossier scolaire. Si après cela ils sont toujours intéressés, une rencontre sera organisée. Pour voir si le courant passe. L'assistante sociale dit qu'ils ont déjà fait la même chose avec plusieurs gosses, mais que ça n'a jamais marché. Elle dit qu'ils sont impossibles à satisfaire. Alors ça ne donnera probablement rien.

– Ça tu peux en être sûre. Je ne vois pas pourquoi Booker devrait accepter d'être exhibé comme un foutu caniche de cirque. Je vais appeler cette garce de Bergmuller à la première heure demain matin pour le lui dire.

Les dents de Stella étaient serrées, et ses poings aussi.

– Tu n'en feras rien. Tu vas garder tes sentiments pour toi et la boucler. Il y a de fortes chances pour que toute cette histoire se tasse d'elle-même et pour que Mlle Bergmuller retourne dans son petit trou. À moins bien sûr que tu ne fasses un esclandre et que tu n'exaspères cette donzelle. Auquel cas elle pourrait bien décider que nous ne sommes en aucun cas qualifiés pour nous occuper de Booker. Tu me suis ?

Drum se mordit la lèvre inférieure.

– Ouais, d'accord. Je suppose que tu as raison. Stella a raison, champion. Le mieux est de faire le gros dos et d'attendre que ça passe.

– Aucun foutu Haven pour moi, m'sieur Drum. C'est mon dernier mot.

Drum prit le môme par les épaules et le regarda droit dans les yeux.

– J'ai dit que tout allait bien se passer.

Booker baissa les yeux en bougonnant. Drum accentua la pression de ses doigts.

– Tu as entendu, champion. Ça n'arrivera pas. C'est une promesse.

Le visage de Booker se transforma. Le môme était encore sur ses gardes, mais Drum sentit qu'il se détendait.

– Va te coucher maintenant. Il est minuit passé.

– Ouais, d'accord. Bonne nuit, m'sieur Drum, madame Drum.

– Bonne nuit, Book. Dors bien.

Ils l'entendirent monter quelques marches, s'arrêter, redescendre lourdement et revenir dans la cuisine.

– Pardon, madame Drum, murmura-t-il comme à contre-cœur.

Stella le serra dans ses bras.

– Ça va, mon joli. N'y pense plus.

– Dites-moi qui vous a insultée, et je ferai passer le mot. Ils recevront une sacrée raclée. J'ai des amis…

– Merci, mais je ne veux pas. C'est fini. L'essentiel est que tout le monde soit en sécurité à la maison.

– Ouais, mais personne a l'droit d'vous traiter comme ça. Vous êtes chic tous les deux.

– Toi aussi, mon gars, dit Stella en l'embrassant sur les deux joues. Bonne nuit maintenant.

Drum essaya d'avoir l'air vraiment fâché.

– Et si tu nous joues ce tour-là encore une fois, tu auras affaire à moi. C'est compris ?

Le môme baissa les yeux.
– Pardon, m'sieur Drum. J'ai pas réfléchi…
– Ah ouais ? Eh bien la prochaine fois je te conseille de le faire, sinon je te donnerai moi-même un douloureux sujet de réflexion. Maintenant va au lit et dors.
Cette fois Booker monta l'escalier au trot, et ils entendirent un gémissement de ressorts quand il se laissa tomber sur son lit.
Le visage de Drum s'assombrit.
– Alors, qu'est-ce que ça va donner ?
Les yeux de Stella brillaient de larmes refoulées.
– J'aimerais bien le savoir. Le pire serait que ce couple d'avocats se prenne d'affection pour lui et nous l'enlève. Oh ! Jerry, je ne veux pas perdre cet enfant.
Drum la prit dans ses bras. Elle sentait merveilleusement bon, et la douceur de sa peau était meilleure encore.
– Ne t'inquiète pas. Je vais trouver quelque chose. Book n'ira nulle part.
Stella sombra tout de suite dans le sommeil, mais Drum était trop agité pour dormir. Il ne pouvait laisser personne lui prendre Booker, ne pouvait imaginer la vie sans ce gosse.
Mais que pouvait-il faire ?
La fille Bergmuller avait bien fait comprendre à Stella que si les deux Noirs décidaient d'adopter Booker, on pouvait considérer la chose comme faite. Drum ne pouvait espérer leur faire échec en essayant de l'adopter lui-même. Cela impliquerait une enquête approfondie sur ses antécédents. Il suffirait que les services sociaux en aient un léger aperçu pour que Booker leur soit enlevé, et ce quelle que soit la décision du couple d'avocats.
Drum chercha une solution, mais sans cesse surgissaient de vains regrets, d'inutiles reproches. Si seulement il avait agi différemment, si seulement il pouvait revenir à cette nuit-là…
Rien que d'y penser, son sang s'échauffait dans ses veines. L'odieux visage s'insinua dans sa conscience. Il ressemblait beaucoup à celui de son père, mais il y avait de la dureté dans ces traits fins, et une froideur désagréable dans ces yeux d'émeraude.

Oncle Liam.

Avant la mort de son père, Liam avait été un quasi-inconnu pour lui. Le grand Matt n'avait jamais beaucoup parlé de son frère aîné. Et Jerry n'avait eu aucune raison particulière de poser beaucoup de questions à son sujet.

Après l'enterrement, Jerry était parti avec Oliver London. Cela lui avait paru être un bon arrangement, mais deux jours plus tard un type de grande taille, vêtu d'un complet-veston, était venu leur dire que Jerry allait être placé sous la tutelle de Liam.

Jerry, surpris, n'avait pas voulu aller chez lui, mais le type en complet-veston avait tendu à London quelques papiers officiels. Oncle Oliver les avait lus et avait haussé les épaules.

– Liam est ton plus proche parent, Jerry. Il a demandé à devenir ton tuteur légal, et le tribunal lui a accordé sa requête. On ne peut rien y faire.

Jerry était donc allé vivre chez l'oncle Liam. Et celui-ci lui avait fait plutôt bonne impression au début, malgré son évidente ignorance quant à la façon d'élever un enfant. Il l'emmenait avec lui quand il allait dans ses pubs et ses cabarets favoris, ou bien le laissait seul à la maison, parfois pendant des jours d'affilée. Il n'y avait pas de règles, pas de limites. Jerry en cherchait, mais il ne voyait jamais autour de lui qu'un espace silencieux et infini.

C'était une maison verte de style victorien, pleine de coins et de recoins, pourvue de tourelles imposantes et de moulures tarabiscotées, érigée sur une bande de terre solitaire qui dominait le détroit de Long Island. Elle était beaucoup plus imposante et bien des fois plus vaste que la modeste demeure où Jerry avait vécu avec ses parents.

Il y avait une salle de jeux pleine de billards, de tables de ping-pong et de flippers ; un gymnase avec tous les équipements nécessaires, y compris un sauna ; une salle de cinéma dotée d'une machine à pop-corn.

Après l'arrivée de Jerry, Liam avait fait installer dans l'immense salle de séjour un bar à limonade, un distributeur de bonbons et un juke-box. Les amis de Jerry étaient verts de jalousie, mais il se dégageait de cet endroit une impression de froideur et de vacuité qui faisait écho au vide glacé de son existence.

Au début, Jerry avait enduré sa nouvelle situation en la considérant avec la morne curiosité qui était devenue son émotion dominante depuis la mort de son père. Il était surtout curieux de son oncle. Apparemment Liam n'exerçait aucune activité particulière, mais le bonhomme semblait avoir une réserve inépuisable d'argent. Il ne cessait de glisser de gros billets dans les mains ou les poches de Jerry. Et celui-ci avait vite appris qu'il pouvait régler sa note, partout où il allait, rien qu'en demandant qu'on la mette sur le compte de l'oncle Liam. On aurait dit que cet homme possédait le monde entier, ou du moins qu'il en détenait l'hypothèque.

Jerry s'était adapté sans peine à ce que sa nouvelle vie comportait de facilités matérielles. Malheureusement, tout n'était pas aussi satisfaisant.

Sa solitude lui pesait terriblement. Elle résistait aux bruyantes invasions de ses amis, qui adoraient venir profiter des jeux, des gâteries et de la liberté qu'ils trouvaient dans la maison de son oncle. Et elle n'était pas allégée non plus par le défilé régulier d'amis et de connaissances excentriques qui venaient voir Oncle Liam.

Les individus les plus insolites arrivaient à toute heure du jour pour lui rendre visite, pour solliciter une faveur ou un conseil. La mère de Jerry les aurait appelés des « drôles de numéros » – voulant dire par là qu'ils étaient de ces gens qui attirent votre attention et vous intriguent. Jerry avait essayé d'en deviner un peu plus sur leur compte en échafaudant toutes sortes d'hypothèses, mais tout ce qu'ils semblaient avoir en commun, c'était leur âge. En effet, ils étaient tous en âge d'être des lycéens, de jeunes étudiants tout au plus. Jerry trouvait curieux que Liam eût tant de jeunes amis.

Le domestique de Liam, un blond à la silhouette élancée prénommé Kurt, introduisait la plupart des visiteurs dans le bureau situé dans la partie arrière du rez-de-chaussée. Ces rencontres se terminaient généralement sur le seuil de la maison, où on voyait Liam tirer des billets de cent dollars de l'épais rouleau qu'il portait toujours sur lui.

Ce bureau était la seule pièce dont l'accès était interdit à Jerry, ce qui naturellement exacerbait son désir d'y entrer. Quand il passait devant la lourde porte en chêne, il ne manquait jamais d'en tourner la poignée, en espérant que Liam avait négligé de la fermer à clef pour une fois. Une nuit, profitant d'une absence de Liam et d'un congé de Kurt, il avait passé plusieurs heures à fouiller dans les tiroirs de son oncle, dans l'espoir de trouver la clef. Espoir déçu.

Pendant de longs mois le bureau était resté un mystère pour Jerry. Et puis, un soir, après souper, Liam l'avait regardé d'une drôle de façon et lui avait dit : « Tu es presque un homme maintenant, hein, Jérémie ? Je pense qu'il est temps que tu sois traité comme tel. »

Il avait conduit Jerry le long du couloir et jusque dans le bureau mystérieux. Cette pièce ne ressemblait à rien de ce qu'il avait imaginé. Un des murs était recouvert d'un miroir teinté divisé en petits carrés ; son reflet en était tout brisé et il se sentait étrangement désorienté. Il y avait un canapé de cuir noir, deux fauteuils recouverts de fourrure blanche, des tapis de fourrure blanche, un vieux coffre avec des garnitures en cuir, le bureau de Liam, et une rangée de placards fermés.

… Liam prit un carafon en cristal, versa de bonnes mesures de cognac dans deux verres, et en tendit un à Jerry. « A ta santé, jeune homme. Allez bois. »

L'alcool lui brûla la gorge, mais il parvint à vider le verre. Une question de fierté. Il était presque un homme maintenant. Il ne savait pas très bien ce que Liam voulait dire par là, mais ça sonnait bien.

Presque aussitôt il sentit une douce chaleur l'envahir, et sa vue s'obscurcit. Ensuite il y eut ce puits en spirale dont il essayait de sortir, mais les parois en étaient trop lisses et il ne pouvait que glisser sans fin vers des profondeurs ténébreuses.

Quand il se réveilla, il vit l'oncle Liam allongé sur le canapé de cuir. Sa tête reposait sur le bras du canapé, son peignoir de soie était entrouvert. La blancheur de sa peau, le ventre distendu parcouru de veines bleuâtres, et dessous, la toison de poils bruns – tout cela emplit Jerry d'un vague effroi.

À la fois fasciné et mortifié, il regarda Liam caresser son membre tendu avec des gestes alanguis. La bouche de son oncle était ouverte, ses yeux brillaient. Il poussait de petits gémissements d'animal blessé.

Jerry réprima un petit rire nerveux et essaya de faire semblant de dormir encore. Il avait mal au crâne, sa bouche était sèche et aigre. Gueule de bois ?

Il ferma les yeux, mais le pilonnage dans sa tête redoubla et la pièce commença à tournoyer. Il laissa ses paupières s'entrouvrir et risqua un autre coup d'œil dans la direction de Liam. La figure de l'homme était plus rouge, sa peau luisait de sueur.

Il regardait fixement quelque chose sur le mur. Jerry suivit son regard et vit l'image de deux personnes projetée sur un écran portable. La plus grande se tortillait passionnément sur la plus petite, que Jerry distinguait à peine.

Un film porno. Jerry avait entendu parler de ces choses dans la cour de l'école. Un des garçons prétendait qu'il avait trouvé plusieurs bobines de film érotique dans le tiroir aux mouchoirs de son père. Une semaine durant, pendant la pause déjeuner, il avait diverti une bande de copains, dont Jerry, en déroulant les bobines devant eux.

L'image sur l'écran n'était pas très nette, et Jerry s'efforça de mieux voir. Les corps se déplacèrent. La caméra fit un zoom sur les visages. Jerry reconnut, dans le plus grand des individus, l'oncle Liam lui-même. Il touchait le plus petit, pétrissait sa peau nue. Jerry ressentit un choc. Il voulut détourner les yeux, mais il était comme pris au piège de ce qu'il voyait.

L'autre visage remplit peu à peu l'écran. Les yeux étaient fermés, les traits amollis comme de la cire fondue. Le dégoût de Jerry se transforma en pure horreur. Ce n'était pas possible. Ses yeux devaient lui jouer un mauvais tour.

Un sourire cruel et paresseux se dessina sur les lèvres de Liam. « Ça te plaît d'être une vedette de cinéma, Jerry ? Tu aimes ce joli film ? Il vient de sortir. Je l'ai développé moi-même... »

Jerry se précipita sur lui et se mit à frapper rageusement la chair laiteuse. « Je vous tuerai. Si vous me touchez encore, je jure que je vous tuerai ! »

Liam lui saisit les poignets. Jerry fut surpris par la force de ces bras blancs et grassouillets. Le sourire de Liam n'était plus qu'un rictus.

– Je te conseille de rester bien sage, Jérémie. Sinon je vais devoir organiser une projection privée de tes débuts de comédien. J'inviterai tous tes petits copains. Tu ne trouves pas que c'est une bonne idée ?

Jerry se dégagea brusquement et arracha la bobine du projecteur. Puis il la dévida et écrasa le celluloïd sous ses pieds.

Pantelant, il se tourna vers son oncle. Le salopard s'était levé ; son peignoir était toujours ouvert ; son ventre gras se soulevait et s'abaissait au-dessus de son érection finissante.

– Voilà ! cracha-t-il. Maintenant vous pouvez aller au diable !

– Très bien, Jérémie. J'irai, mais tu viendras avec moi. Tu vois, tu n'as détruit qu'une copie, mon garçon. L'original est sous clef dans mon bureau. Et il y restera tant que tu te conduiras comme il faut.

## 29

La journée qui commençait était morne et bruineuse. Il était presque huit heures et demie quand Drum, après quelques heures de route jusqu'à Philadelphie et retour, rangea enfin la Mustang dans son garage.

Il trouva Booker assis en tailleur sur le sol de la cuisine. Le môme mastiquait un petit pain beurré tout en étudiant de près la page financière du *Times*. Le moustique s'intéressait aux investissements – les bons comme les mauvais.

– Hé ! m'sieur Drum. Qu'est-ce qu'y s'passe ?

– Il se passe que je suis crevé. Attention à l'heure, champion. Tu ferais bien de te presser si tu ne veux pas rater le car scolaire.

– J'vais pas à l'école aujourd'hui.

– La loi dit que tu dois y aller, mon gars. C'est ça ou la prison.

– Au diable la loi ! J'vais passer la journée avec vous, m'sieur Drum. Faut qu'on parle, vous et moi.

– Allez, file à l'école. On parlera après.

Booker secoua la tête.

– Ça peut pas attendre jusque-là. Croyez-moi.

Drum monta au premier, s'aspergea le visage d'eau froide et mit une chemise propre. Stella dormait encore. Il posa sur elle un long regard de convoitise, observa le mouvement régulier de sa poitrine sous la dentelle blanche de sa chemise de nuit, admira la façon dont ses cheveux bruns s'étalaient en éventail sur l'oreiller, et le rose de ses joues. Il dut faire appel à toute sa volonté pour ne pas plonger sous les couvertures et se noyer dans cette douceur offerte.

Le môme avait déjà enfilé son anorak et attendait près de la porte.

– Ça baigne pour moi si vous avez du travail à faire aujourd'hui, m'sieur Drum. Ch'rai heureux d'pouvoir vous aider.

– Si on allait d'abord à la cafétéria ? Je mangerais bien un morceau.

– D'accord. J'ai déjà pris quelque chose, mais j'vous regarderai manger avec plaisir. Pas d'problème.

Une fois chez le Grec de High Ridge Road, Drum commanda un toast anglais et un café. Le moustique étudia la carte et demanda des œufs au bacon, des frites, une dizaine de crêpes et un grand verre de jus d'orange.

– J'vais pas vous laisser manger seul, dit-il.

Le môme aspirait la nourriture comme un Électrolux. « Dommage que Stella ne soit pas là pour voir ça », pensa Drum. Rien ne lui faisait plus plaisir que de voir le gamin s'empiffrer comme un goret.

Drum attendait que Booker parle de ce qui le tracassait, mais le môme n'avait pas l'air pressé de le faire. Jugeant peu raisonnable de perdre son temps à attendre, il décida d'aller rendre quelques petites visites.

Il s'arrêta d'abord au quartier général du Corps des Ambulanciers Bénévoles de Long Ridge Road. Il parvint, en se faisant passer pour un quidam nouvellement débarqué en ville et intéressé par une activité de ce genre, à obtenir un exemplaire du manuel d'ambulancier et des détails sur ce que les auxiliaires médicaux étaient autorisés ou non à faire.

Ils ne pouvaient en aucun cas administrer des médicaments de leur propre chef. Et jamais aucun toubib ne prenait place dans les ambulances de la ville. Par conséquent il était peu probable que le médicament pour le cœur, quel qu'il fût, eût été administré au petit Merritt sur le chemin de l'hôpital.

Ensuite il alla au Bois-Tyler dans l'espoir de trouver Mme Holroyd chez elle. Cette fois encore il n'eut pas de chance. Mais quand il rebroussa chemin, il vit quelques signes de vie encourageants du côté du studio d'enregistrement qui se trouvait derrière la maison des Merritt. Il laissa le gamin dans la Mustang et traversa la pelouse en direction du cottage.

Personne ne répondit quand il frappa à la porte, mais elle n'était pas verrouillée – ce qui équivalait pour lui à une invitation gravée.

À l'intérieur il y avait une pièce caverneuse aux murs épais recouverts de solides panneaux d'insonorisation. Elle était divisée par une cloison vitrée derrière laquelle on pouvait voir une sorte de scène et une forêt de microphones. L'espace le plus près de la porte était encombré d'appareils électroniques et d'énormes enceintes acoustiques. Drum remarqua les chiffres rouges et clignotants de l'horloge à affichage numérique sur la console. Difficile de ne pas les voir.

Un homme était assis sur un tabouret devant la console. Il écoutait quelque chose, une paire de gros écouteurs sur les oreilles. Drum devina que c'était de la musique douce. La tête du gars s'agitait comme un canard en caoutchouc dans une baignoire, et ses yeux étaient mi-clos.

Drum reconnut le type de l'hôpital : le père de l'enfant. Il correspondait tout à fait à la description de Barbac : grand, évoluant dans un milieu artistique. Drum était agacé de voir ce type se donner du bon temps pendant que son gosse était à l'hôpital. C'était sans doute une réaction injuste, mais ses allergies n'avaient guère le sens de la justice.

Il alla se planter là où le gars ne pouvait manquer de le voir. « M. Merritt ? »

L'homme ôta ses écouteurs et cligna des yeux.

– Oui. Désolé, je n'ai pas vu le temps passer. Nous avons rendez-vous ?

Avec son costume trois pièces, ses lentilles de contact bleues, son accent du Nord, ses cheveux peignés dans l'autre sens et son air très chic, Drum était métamorphosé. Il constata que le père de l'enfant ne le reconnaissait pas.

Il se présenta sous l'identité de Larry Tympani, directeur commercial chez Young et Rubicam, et tendit sa carte professionnelle. Il raconta que sa société envisageait de faire tourner un film publicitaire pour le marché local et avait besoin de louer les services d'un studio d'enregistrement pour les parties chantées. Il aurait donc voulu voir des échantillons de ce que le studio avait fait pour d'autres vidéos.

Drum examina son interlocuteur d'un œil critique pendant que celui-ci vantait la qualité des travaux exécutés dans son studio. Il partageait manifestement la passion de Stella pour la musique. Cela se voyait sur sa figure quand il parlait de bandes sonores, de mélodies et d'arrangements. Ses yeux scintillaient comme neige au soleil.

Drum éprouvait à son égard des sentiments mêlés. Il avait l'air d'un brave type, s'exprimait bien. Mais il avait ce genre de visage agréable, lisse et poupin qu'on retrouve parfois à la une des journaux à sensation.

Paul Merritt tira quelques cassettes vidéo d'un classeur métallique. Drum regarda mine de rien les dates sur les étiquettes et demanda à voir celle qui avait été enregistrée le jour de l'accident. Il s'assit dans un fauteuil pivotant pendant que le gars mettait la cassette dans l'appareil. Il remarqua que le fauteuil était fort confortable. Il ne manquait que le pop-corn.

La chanteuse du groupe était une femme à la voix rauque, dont la jupe avait la taille d'un pansement adhésif. Ses nichons étaient si gros qu'ils semblaient vouloir se prolonger jusqu'à sa voisine. Mais ce n'étaient pas les tétons géants qui retenaient l'attention de Drum.

Ses yeux étaient fixés sur les chiffres – heure, minutes, secondes, millisecondes – qui défilaient en bas de l'écran, sous les talons aiguilles trépidants de la chanteuse.

Drum regarda quelques minutes de plus, pour ne pas paraître impoli, et promit de revenir quand sa société aurait pris une décision. Son sourire ne s'effaça que quand il fut dehors.

L'heure affichée sur la bande vidéo commençait à onze heures moins dix, par conséquent l'histoire de la coupure de courant qui avait entraîné le retard du père pouvait être vraie. Mais cela laissait beaucoup de questions en suspens.

Drum chercha le fil électrique qui alimentait le cottage et le suivit. Il courait sous les avant-toits, puis descendait derrière le bâtiment pour se relier à une ligne souterraine qui allait jusqu'à la maison. Drum revérifia, mais il n'y avait pas d'erreur possible. La maison et le cottage étaient sur la même ligne. Une coupure de courant dans un endroit impliquait nécessairement une panne générale. Mais Mme Merritt avait été très claire sur ce point : cette coupure n'avait affecté que le cottage.

Tout ça n'avait aucun sens. Il tournait et retournait tous ces éléments dans sa tête comme les boutons d'une serrure à combinaison, impatient d'entendre le doux cliquetis annonciateur d'une ouverture imminente.

Il ne voyait que deux possibilités. Ou bien quelqu'un d'autre avait retardé l'horloge du studio par accident ou à dessein, ou bien le père de l'enfant l'avait fait lui-même. Il se pouvait qu'il eût modifié l'heure accidentellement en tripotant les commandes de sa console. Mais il se pouvait aussi qu'il eût voulu se donner une excuse pour son propre retard.

Ce qui débouchait sur une ou deux hypothèses que Drum aurait préféré ne pas avoir à envisager. Ce type n'avait-il pas pu programmer lui-même l'accident du gosse et retarder délibérément l'horloge pour se forger un alibi ?

C'était certes une idée folle, mais Drum avait vu des choses bien plus folles encore. Peut-être le père avait-il une poule quelque part qui n'aimait pas les enfants. Peut-être y avait-il une assurance sur la vie ou un legs testamentaire qui reviendrait à papa si l'enfant mourait.

La seule chose dont Drum était sûr, c'était qu'il ne fallait jamais être sûr de rien. Il prit mentalement quelques notes. L'enfant a-t-il un héritage ? Une assurance à son nom ? Papa a-t-il des aventures extra-conjugales ? Comment va le mariage ?

Il continua vers le nord et prit la route de Scotts Corners. Driscoll n'était pas à la station-service, alors Drum laissa un mot pour dire qu'il était allé voir le Magicien et que celui-ci lui avait promis des résultats dans deux jours.

Il voyait bien que le cerveau de Booker tournait à plein régime. Il n'eut pas plus tôt redémarré que le môme demanda :

– Alors où vous êtes allé cette nuit, m'sieur Drum ? J'vous ai entendu partir, y d'vait pas êt'loin d'trois heures du matin.

– Il fallait que je voie ce chimiste chinois de Philadelphie. Je ne pouvais pas dormir, alors je me suis dit : « Autant aller là-bas, ça sera toujours ça de fait. »

– Vous êtes allé voir ce type à cette heure-là ?

Drum hocha la tête.

– C'est le meilleur moment. Ce gars-là est un nocturne.

– J'croyais qu'vous aviez dit qu'c'était un Chinois...

Ils redescendaient vers le sud, le long de High Ridge Road, quand Drum sentit une certaine tension du côté du môme, qui regardait fixement par la vitre. Il ne dit rien.

Le silence paya au bout de quelques minutes.

– On est pas mal comme ça, hein, m'sieur Drum ? J'veux dire, on a une bonne petite vie tous les trois, vous croyez pas ?

– Ouais. Je ne me plains pas.

– Moi non plus... Alors c'est pour ça qu'j'ai décidé de faire c'qu'y fallait pour que les choses restent exactement comme elles sont.

Drum fronça les sourcils.

– Ce qui veut dire ? Il tourna la tête et remarqua le petit air satisfait de Booker. Parle-moi dans une langue que je comprenne, champion.

Booker tapota la main de Drum.

– Rien d'bien terrible. Mais j'ai un plan infaillible pour éviter d'aller chez ces gens de New Haven.

– Un plan ? Quel plan ?

– Vous en faites pas pour ça, m'sieur Drum. J'voulais juste vous dire que vous pouvez vous en remettre à moi. J'ai la situation bien en main.

– Ne fais pas le mariole, Book. Inutile de t'attirer des ennuis.

– Faites-moi confiance. J'suis pas un idiot.

Le gamin sortit un livre broché de la poche de son anorak et s'absorba dans sa lecture. Affaire réglée.

Si seulement Drum avait pu régler leur compte aussi facilement aux démons de son enfance... Mais ils étaient beaucoup trop gros, beaucoup trop laids.

Après ce soir où Liam l'avait fait venir dans son bureau, Jerry avait attendu qu'il essaye de le toucher à nouveau. Un seul doigt posé sur lui, et il s'était juré qu'il tuerait le fils de pute. Il s'était maintes fois représenté ce meurtre. Le sang de Liam hantait ses rêves. Visions de couteaux tailladant la chair molle et blanche ; image récurrente d'un canon de revolver enfoncé dans la grosse bouche de Liam et de sa cervelle éclaboussant les murs.

Mais Liam se tenait à distance, ne le regardait même pas. Il se comportait comme si Jerry était mort et oublié.

Il ne restait à celui-ci que la colère et la peur. L'idée que Liam puisse montrer ce film à quelqu'un lui glaçait le sang, le vidait de toute substance. Parfois il voyait, horrifié, les images granuleuses projetées sur le pignon de son lycée. Devant tout le monde.

Il essayait désespérément de trouver la bobine originale du film chaque fois que Liam avait le dos tourné. Mais il savait que le maudit objet était dans le bureau de son oncle. Hors de portée, dans un tiroir fermé à clef, cette chose empoisonnait son existence.

Odieux souvenir... Drum sentait sa fureur se rallumer, le consumer comme un bout de papier pris dans un incendie. Ses poings étaient si serrés que ses ongles s'enfonçaient dans sa chair. *Ça suffit, Drum. Laisse tomber, bon Dieu.* Sa gorge était brûlante ; il avait un goût de bile dans la bouche.

– Ça va, m'sieur Drum ? Vous avez l'air tout drôle.

Drum s'obligea à inspirer plusieurs fois à fond. Il eut besoin de toute son énergie pour repousser sa colère d'un cran. Lourd bureau plein de poison et de haine... Maudit objet trônant au cœur même de son existence, de sorte qu'il devait sans cesse le contourner...

– Ouais, champion. Ça va bien. Je rêvassais, c'est tout.

Booker secoua la tête.

– Même vot'voix a l'air drôle. Vous pourriez m'le dire, m'sieur Drum. Quel que soit le problème. Vous vous sentiriez sans doute mieux si vous en parliez.

– Ce n'est rien, Book. Rien qui vaille la peine d'être dit.

Sa colère reculait maintenant comme un petit voyou qui n'ose relever un défi. Ne restaient qu'une silhouette informe et l'impression que quelqu'un lui avait glacé les os.

Drum continua à inspirer à fond jusqu'à ce que sa rage se fût suffisamment éloignée. Il était presque revenu à son état normal – non que cet état fût quelque chose dont il pût être particulièrement fier.

Tout en roulant vers sa maison, il tourna son attention vers son boulot. C'était encore la meilleure façon de ne pas penser au reste. L'ami de Driscoll, le « magicien » de Philadelphie, lui avait dit qu'il n'aurait pas de réponse définitive au sujet de l'échantillon de sang de l'enfant avant deux jours. Drum savait qu'il ne pouvait se permettre d'attendre sans rien faire.

Mais que pouvait-il faire ?

Il se creusa la tête pour trouver une idée. L'autre grand point d'interrogation était cette foutue voiture. Il devait y avoir moyen de la retrouver. Il était difficilement croyable qu'un véhicule en fuite ait pu traverser un grand quartier de banlieue comme le Bois-Tyler au milieu d'une journée ensoleillée sans que personne ne le remarque, à une exception près. Le mieux était donc sans doute de chercher à savoir qui d'autre avait vu quelque chose et ne s'en était peut-être même pas rendu compte.

Un témoin unique et une description sommaire – voilà qui ne pouvait le mener bien loin. Il repensa à la bibliothécaire, mais même si la voiture qu'elle avait aperçue était bien celle qu'ils cherchaient, elle n'aurait pas grand-chose à ajouter au peu qu'elle avait pu dire.

Il se demanda ce que le grand Matt aurait fait en la circonstance. En tout cas il n'aurait sûrement pas essayé de jouer la partie avec seulement la moitié d'une donne. *Si tu n'as pas ce dont tu as besoin, va le chercher, fils.*

Il se revit à l'époque bénie où il était un gosse comme les autres. L'amour, la sécurité, les grands yeux... Pourquoi n'appréciait-on jamais ces choses simples pendant qu'on les avait ? On y pensait toujours quand il était trop tard.

Drum posa son bras droit sur les épaules de Booker et essaya de se concentrer sur la conduite de la Mustang.

## 30

Une brume glacée tombait sur la ville. Cinnie gara la Volvo sur le parking du personnel de l'hôpital Fairview et courut vers l'entrée de derrière. Elle avait appelé plusieurs fois le service de nuit, mais elle était impatiente de voir James et de s'assurer qu'il allait réellement bien.

Quand elle entra dans la chambre, une jeune infirmière, dont les cheveux étaient noués en une blonde et souple queue-de-cheval, était occupée à faire la toilette de James. Il avait l'air aussi flasque que la serviette mouillée dont elle se servait.

– Tiens, regarde qui est là, Jimmy. C'est ta maman.

Il parvint à sourire faiblement.

– Bonjour, mon chéri. Tu as bien dormi ?

– Maman ?

– Ouaip. Comment va mon petit soldat ? Il se sent mieux aujourd'hui ?

La voix de James n'était qu'un murmure. « Homme-ombre. Mme Bateau. Livre, maman. Pop la fouine. »

L'infirmière fronça les sourcils.

– Il répète toujours les mêmes mots. Qu'est-ce que ça signifie ?

– J'aimerais bien le savoir.

L'infirmière dégagea le bras gauche de James de sa chemise d'hôpital et plongea la serviette dans une cuvette d'eau savonneuse. Le regard de Cinnie fut attiré par une petite ecchymose bleuâtre sur le dos de sa main.

– Qu'est-ce que c'est que ça ?

La jeune fille regarda la meurtrissure.

– Ça ressemble à une piqûre d'aiguille de perfusion.

Cinnie se souvint du garde-veine.

– Ah ! oui. Ils en avaient laissé une là en cas d'urgence. Je suppose que ce n'est plus nécessaire. Tant mieux.

– Je pense, oui. Voilà, c'est fini, Jimmy.

L'infirmière lui passa une chemise propre, rinça la cuvette dans le lavabo, et quitta la chambre.

Cinnie s'assit sur le bord du lit.

– Ça va, Jimbo ? Tu n'as mal nulle part ?

À ces mots, il se crispa.

– Homme-ombre, maman. Homme-bébé. Porte, maman.

Elle caressa ses cheveux et remonta ses couvertures.

– Sssh. Repose-toi un peu maintenant, mon chou. Karen va venir te chercher pour t'emmener en rééducation dans un petit moment.

Les yeux de James se fermèrent presque aussitôt. Cinnie était nerveuse ; elle alla dans la salle des infirmières et feuilleta le dossier de James. Si quelqu'un lui posait des questions, elle pourrait toujours dire qu'elle consultait le dossier d'un patient ; ce ne serait qu'un demi-mensonge.

Elle ne trouva rien d'insolite dans les notes des infirmières. Elle tourna les pages en arrière, parcourut les gribouillages des médecins, et tiqua en lisant certaines « perles » du docteur Silver. « Condition du patient inchangée. Mère agitée et déraisonnable. »

– Je vais lui en donner, à cet enfoiré, de l'agité et du déraisonnable...

– Tout va bien, Cin ?

Cette question pleine de sollicitude venait d'Evelyn Larwin, l'infirmière en chef du service pédiatrique, qui faisait partie du personnel soignant de Fairview depuis l'ouverture de l'hôpital au début des années soixante. Evelyn était aussi un peu leur mère à tous : chaleureuse, rassurante.

– Très bien, répondit Cinnie. Je me parlais à moi-même…

L'infirmière jeta un regard lourd de sens sur le dossier de James.

– Nous prenons tous grand soin de votre adorable bambin, Cin. Traitement de star. Alors essayez de vous détendre un peu, voulez-vous ?

– J'essaie. C'est pour ça que je cherche à savoir ce qui se passe. Ça m'aide à tenir le coup.

– Je suppose que je ferais pareil. Vous avez des questions particulières à poser ? Je ferai de mon mieux pour y répondre.

Cinnie haussa les épaules.

– Non, rien de particulier. Je regardais à tout hasard… J'ai été heureuse de voir qu'on avait enlevé le garde-veine. Au moins c'est un progrès.

L'infirmière hésita. Une expression bizarre passa sur son visage.

– Écoutez, je ferais mieux d'y aller. Nous sommes à court de personnel aujourd'hui. Si vous avez besoin de quoi que ce soit, appelez-moi. D'accord ?

Cinnie regarda Evelyn s'éloigner d'un air affairé. Elle feuilleta le dossier quelques minutes de plus, le temps de se persuader que rien d'alarmant ne se cachait dans cette liasse de feuillets, puis elle retourna dans la chambre de James pour le regarder dormir.

Le docteur Ferris s'y arrêta lors de sa visite matinale. Il était suivi de toute une couvée d'internes. Il leur montra James avec un geste de propriétaire.

– Ce jeune garçon est le genre de patient qui nous récompense de tous nos efforts. Il a été gravement blessé dans un accident de voiture. Mais cet enfant a le genre de force d'âme qui pourrait aider quiconque à guérir. Et, naturellement, le solide soutien familial aide aussi beaucoup.

Il hocha la tête en direction de Cinnie, comme pour solliciter des applaudissements.

– Merci, docteur Ferris.

– Merci à *vous*, madame Merritt. Quand James se réveillera, dites-lui que je suis passé dire bonjour.

Il fit signe aux canetons de le suivre et sortit de la chambre pour continuer ses visites.

James dormait encore quand Karen Sands arriva, presque une heure plus tard, pour l'emmener en rééducation. Cinnie le secoua doucement pour le réveiller et l'aida à enfiler son peignoir.

– Bateau, maman.

– D'accord, mon lapin. Tu es prêt maintenant ?

– Vinton, maman. Plus de Vinton !

– C'est ce qu'il ne cessait de me répéter hier, dit Karen. Qu'est-ce que c'est qu'un vinton ?

– Vinton est le monstre personnel de James. Il vit dans le placard de sa chambre à la maison. Ne t'en fais pas, Jimbo. Vinton n'est pas ici, et il ne viendra pas. Même lui sait qu'il n'y a pas de placards convenables ici.

– Vinton venu, maman. Cette nuit.

Cinnie fut déconcertée. C'était là un langage plus clair que tout ce qu'elle avait entendu de la bouche de James depuis son accident. Si elle n'avait pas su à quoi s'en tenir, elle aurait juré que ce qu'il disait avait un sens.

Karen l'emmena dans le fauteuil roulant. Cinnie monta dans son bureau en empruntant l'escalier. Elle avait dix minutes avant sa première consultation. Assez de temps pour appeler le shérif adjoint Allston.

Allston était un grand blond au teint blême, aux yeux bleus et ternes et au nez aquilin. Il avait beau être un des gros bonnets de la police locale, comme il s'était empressé d'en informer lui-même Cinnie, elle n'était pas tenue de l'aimer pour autant. Dès sa première rencontre avec lui, sa brusquerie et sa froideur le lui avaient rendu antipathique. Maintenant, après plusieurs autres prises de bec, elle savait que sa première impression n'avait pas été la bonne. Allston n'était pas désagréable, il était carrément insupportable.

– Qu'est-ce qu'il y a, madame Merritt ? Je suis très occupé.

Elle refusa de se laisser gagner par la colère.

– Il me manque le cartable de James et son tee-shirt favori. Il les avait tous les deux le jour de l'accident.

Pourriez-vous vérifier s'il vous plaît si on les a gardés comme pièces à conviction ?

Le combiné heurta bruyamment une surface dure à l'autre bout du fil, et Cinnie entendit Allston parler d'une voix rauque dans l'interphone. Quelques instants plus tard il y eut une réponse également rauque et le shérif adjoint reprit le combiné.

– Nous avons le cartable, mais pas le tee-shirt. Pourquoi ne voyez-vous pas ça avec l'hôpital ? Les toubibs l'ont peut-être enlevé dans la salle des urgences et mis à la poubelle.

– Mais...

– Je dois vous laisser maintenant, madame Merritt. Je vous l'ai dit, je suis occupé.

La communication s'interrompit brusquement. Cinnie gratifia le combiné silencieux d'un regard noir.

– Encore une chose, mon cher Charlie. Dès que tu trouveras un moment dans ton emploi du temps surchargé, fais-moi plaisir et va au diable, veux-tu ?

Elle raccrocha rageusement. Ce connard ne voulait même pas l'écouter. Il ne faisait aucun doute que James n'avait plus son tee-shirt sur lui quand on l'avait mis dans l'ambulance. Cinnie revoyait très clairement sa poitrine nue sous le drap. Les policiers ou les ambulanciers avaient dû le retirer sur les lieux de l'accident.

Ce qui, à la réflexion, était fort étrange. Elle savait que la première règle en matière de secourisme était d'éviter de bouger un accidenté plus qu'il n'était absolument nécessaire.

Elle se rappelait que le chauffeur de l'ambulance lui avait tendu le blouson de James en disant : « Il a fallu l'enlever pour la perfusion. » Le tee-shirt ne les aurait pas gênés. Et même s'ils avaient décidé de l'enlever aussi, pour une raison ou pour une autre, pourquoi n'avait-on pas remis ce vêtement à la police ou à elle-même, comme les autres affaires de James ?

Tant de questions sans réponse. Tant de frustrantes conjectures...

Pour se changer les idées, elle prit le premier des dossiers empilés sur son bureau et elle le feuilleta.

Mme Hibbel était son premier patient de la matinée. Bien. C'était un de ses patients préférés, un professeur de chant à la retraite d'environ quatre-vingt-cinq ans qui souffrait de polypes des cordes vocales, aussi connus sous le nom de « nodules du crieur ». Mme Hibbel avait encore une belle voix. Cinnie avait été très perplexe quant à l'origine réelle de cette affection jusqu'au moment où, après plusieurs séances, la vieille dame lui avait avoué d'un air penaud qu'elle avait pendant des années chanté à pleins poumons des chansons d'Ethel Merman dans son bain sans effets adverses, mais que dernièrement son petit-fils lui avait fait découvrir Tina Turner.

On frappa à la porte. Quand celle-ci s'ouvrit, Cinnie fut surprise de voir Evelyn Larwin. L'infirmière arborait un sourire un peu contraint.

– Pardon de vous déranger, Cin. Je voulais vous demander si vous saviez qui a retiré le garde-veine de James.

– Aucune idée. Pourquoi ?

Le sourire d'Evelyn s'évanouit.

– Oh, ce n'est rien. Je n'ai pas trouvé d'ordre pour ce retrait dans le dossier, alors je me suis dit que je ferais aussi bien de vérifier.

– Il n'y était plus quand je suis arrivée ce matin. Vous voulez dire que quelqu'un l'a enlevé par méprise ?

Evelyn agita une main devant elle.

– N'y pensez plus. Je suis sûre qu'il y a une explication toute simple. Je vais mener ma petite enquête et je vous tiendrai au courant.

L'infirmière ne fut pas plus tôt sortie que Mme Hibbel arriva pour sa séance. Cinnie essaya de concentrer son attention sur la délicieuse vieille dame, mais ses pensées ne cessaient de se tourner vers James et le garde-veine manquant.

Était-il possible que quelqu'un l'eût enlevé sans ordre ? Elle savait trop bien que les meilleurs hôpitaux commettent leur part d'erreurs calamiteuses. Comme elle faisait partie du personnel, elle avait espéré que James obtiendrait le meilleur de ce que Fairview avait à offrir. Mais peut-être ce meilleur-là n'était-il pas encore assez bon.

C'était une idée terrible, qui vous donnait le frisson. Elle aurait voulu pouvoir emmener James loin de cet hôpital – là où il serait protégé de tout danger.

Si seulement un tel endroit existait… C'était étrange de penser qu'elle l'avait cru il n'y avait pas si longtemps.

## 31

La matinée avait passé très vite et ne lui avait heureusement pas laissé le temps de se faire du mauvais sang. Il y avait eu deux nouveaux diagnostics à établir, une heure passée à apprendre à un patient qui venait de subir une opération pour un cancer de la gorge à parler à l'aide d'un larynx électronique, après quoi on l'avait appelée dans la salle des urgences pour qu'elle serve d'interprète à une jeune sourde-muette qui était tombée dans un magasin du centre et qu'on avait amenée là pour un examen.

Elle était revenue à son bureau et essayait de combler le retard qu'elle avait pris dans ses papiers quand quelqu'un frappa à la porte. Elle fut surprise de le voir entrer, vêtu d'un élégant pantalon en tweed, d'un cardigan, et d'un nœud papillon à pois.

– Monsieur London ? J'ai dit à la réception de vous informer que j'avais eu une urgence et ne pouvais vous prendre aujourd'hui. Ils ne vous ont pas appelé ?

Le côté valide de sa figure s'affaissa.

– Mout-ah ?

– Pardon, je n'ai pas saisi ça. Essayez encore, voulez-vous ? Là, doucement.

Il prit une profonde inspiration.

– Mout-arrr.

– Moutard ? Moutarde ? Oh ! bien sûr, nous devions aller déjeuner ensemble, n'est-ce pas ? Ne bougez pas. Je prends mon manteau.

Il serra les mâchoires et commença à faire pivoter son fauteuil roulant vers la porte.

– Fout…

– Non, attendez. Ça me fait plaisir de déjeuner avec vous, vraiment. Mais j'ai été débordée ce matin, alors ça m'est sorti de la tête.

– Fout..., répéta-t-il fermement en dirigeant son fauteuil vers le couloir et la réception.

– Très bien. C'est à vous de voir. Si vous ne voulez pas venir, je peux toujours emmener Mme Hibbel ou M. Levinson. Je suis sûre qu'ils seraient tous les deux ravis de savourer avec moi un *délectable* potage au vermicelle et au poulet, un *super* hamburger bien chaud et bien juteux au pain de seigle, une *délicieuse* limonade bien fraîche...

London avança encore bravement de quelques mètres.

– ... une *double* coupe glacée Chantilly avec du caramel chaud et des noisettes...

C'en était trop. Le vieil homme s'arrêta net. Il leva son bras valide et hocha la tête en signe de capitulation.

Cinnie poussa le fauteuil roulant vers les ascenseurs.

– Vous aimez vous faire prier, mon cher. Heureusement que je pense que vous en valez la peine...

Elle prit High Ridge Road vers le nord et, sur le parking du snack, trouva un espace étroit où garer la Volvo. Toutes sortes de manœuvres furent nécessaires pour transférer London du siège avant dans son fauteuil roulant. Il s'appuyait lourdement sur l'épaule de Cinnie, mais boitait quand même sur sa jambe folle comme un meuble de pacotille. Enfin elle parvint tant bien que mal à l'installer dans son fauteuil.

Rouge et en sueur, elle s'efforça de reprendre son souffle.

Le patron du snack, un homme à allure d'ours nommé Ernie, les conduisit jusqu'à une petite table dans un coin et enleva une des chaises pour faire de la place à London.

– Vous avez l'air en pleine forme, lieutenant, dit-il. Ça fait plaisir de voir que vous sortez à nouveau.

– Fout... foutaises.

– Il est un peu grincheux, dit Cinnie. Pardonnez-lui.

Ernie haussa les épaules.

– Pas de problème. D'habitude il est *très* grincheux.

Ils commandèrent leur déjeuner, et London tua le temps en piquant avec sa fourchette les petites tomates au vinaigre qui étaient dans un bol au milieu de la table et en les fourrant tout entières dans sa bouche. Ses joues se gonflèrent, et bientôt une odeur d'ail l'enveloppa comme un halo invisible.

Quand le potage et les sandwichs arrivèrent, ils mangèrent un moment en silence. Cinnie remarqua un adoucissement dans l'attitude de London ; un air de contentement se répandit sur sa figure. Plaisirs simples...

Une fois qu'il eut englouti le potage et trois quarts du sandwich, le vieil homme estima qu'il pouvait s'arrêter une seconde. « Booon », dit-il en rotant de bon cœur.

– Heureuse que ça vous plaise. Prêt pour le dessert ?

Il rota encore. Ce n'était pas vraiment une réponse, mais la lueur dans son œil disait oui.

Cinnie épuisa son stock de menus propos avant qu'il n'arrive à la moitié de son banana split. Ses pensées se tournèrent alors d'elles-mêmes vers tous ces événements étranges et troublants, tous ces accidents suspects, le fait que James eût traversé tout seul Mill Road, le tee-shirt manquant, le garde-veine retiré sans ordre... Quand elle releva les yeux sur London, il fixait sur elle un regard interrogateur.

– Excusez-moi, je pensais à l'accident, pour changer... Ça me rend folle de penser qu'ils n'ont pas encore retrouvé ce chauffard. Et il y a tant de choses anormales...

– Chooooses ?

Cinnie n'avait pas eu l'intention d'embêter London avec ça, mais elle commença à parler du tee-shirt manquant, et finit par lui raconter toute l'affaire. Elle évoqua tous les accidents du Bois-Tyler. Tous survenus à des enfants.

Oui, tant de choses s'expliquaient mal dans cette histoire. Ricky Dolan passant à travers une mince couche de glace au cœur d'un hiver exceptionnellement froid, Jason Sanders trouvant un pétard dans son bac à sable et s'arrangeant pour le faire exploser après que sa mère eut passé le sable au crible pour chercher un jouet manquant, la disparition de Billy Walker qui n'avait jamais été élucidée, trois enfants renversés par des voitures en moins d'une année...

– Comment voir dans tout ça de simples coïncidences ? Il doit se passer quelque chose au Bois-Tyler que personne n'est disposé à admettre. Et je continue à penser que si rien n'est fait, d'autres enfants seront victimes d'accidents. Nous devons au moins essayer de mettre fin à cette série noire, n'est-ce pas ?

C'était si agréable d'avoir enfin devant soi quelqu'un qui était disposé à écouter. Rien, dans l'attitude de London, ne rappelait le scepticisme caustique de Paul, l'indulgence amicale mais incrédule de Dal, l'horripilant manque d'intérêt du shérif adjoint Allston.

En bon flic, London attendit qu'elle eût fini, puis il s'efforça de combler certaines lacunes de son récit.

– Glace ?

– Elle n'était mince que là où Ricky est passé au travers. Les policiers ont examiné toute la surface de l'étang le lendemain, et ils ont trouvé une couche de plusieurs centimètres partout ailleurs. Alors n'est-il pas étrange que Ricky ait mis le pied justement sur cette petite plaque fine ? Et d'ailleurs pourquoi y en avait-il une, puisqu'il faisait si froid ?

London forma un cercle avec son pouce et son index et le porta à son œil valide.

– Vu-u-u auto ?

– Vous voulez dire, est-ce qu'il y a eu un témoin ? Oui, une voisine a vu une voiture s'éloigner à toute vitesse juste après le moment où James a dû être renversé. Elle en a donné une description à la police, et elle a remarqué que la voiture était immatriculée dans l'État de New York. Alors pourquoi ne peuvent-ils pas la retrouver ? Vous savez mieux que personne comment fonctionnent les services de police, monsieur London. Suis-je déraisonnable ?

London semblait partager son point de vue.

– Je ne comprends pas. La personne qui a renversé James n'a pas disparu de la surface de la terre. Il doit y avoir un moyen de la retrouver. Mais que fait la police depuis tout ce temps ? Sûrement pas tout ce qu'elle pourrait faire. Il faut que je sache qui a fait ça. Il faut que je sache quel genre d'individu a pu laisser ainsi mon petit garçon blessé sur le bord de la route.

Des larmes inondèrent ses yeux et débordèrent. Elle les essuya furieusement.

London lui tapota la main. « Shhh, fit-il doucement. Shhh. »

– Pardon. Mes jérémiades sont bien la dernière chose dont vous ayez besoin. Mais c'est si exaspérant. Je commence à penser qu'ils ne trouveront jamais qui a renversé James.

– Tr... trouver. Si ! dit London en hochant fermement la tête et en frappant du poing sur la table.

– Vous croyez vraiment ? J'aimerais avoir votre assurance.

Une lueur espiègle passa dans les yeux de London.

– Vooous... dire.

– Dire ? Dire quoi et à qui ?

– D... dire... tooout.

– Désolée. Je ne comprends pas.

Elle essaya de se montrer aussi confiante que lui, mais elle ne se sentait pas très optimiste. À vrai dire, elle commençait à être aussi déprimée qu'elle l'avait été le jour de l'accident de James.

Il fallait absolument qu'elle réagisse.

– Vous êtes prêt ? Je vais demander l'addition.

– Dire... boum booumn [1].

Le visage congestionné de London se couvrait de plaques violacées. Il se pencha en avant et donna encore plusieurs coups de poing sur la table.

– Booum... boum. Dire. Tooout... dire.

– Calmez-vous, monsieur London. L'addition s'il vous plaît, Ernie. Allons-y, mon cher. Je pense qu'il est temps que vous preniez un peu de repos.

Elle aida London à remonter dans la Volvo, plia son fauteuil roulant et le remit dans le coffre. Peut-être que ça n'avait pas été une si bonne idée que ça de le sortir. Elle était maintenant impatiente de le ramener à l'hôpital.

Elle lui jeta un coup d'œil inquiet tout en se glissant derrière le volant. Il avait cessé de gesticuler, et son teint était passé du pourpre à un rose inoffensif. Ça allait mieux. Quelle qu'ait été la cause d'une telle émotion, celle-ci était manifestement passée.

Il lui adressa un sourire penaud. Elle lui tapota la main et ressentit pour lui une bouffée d'affection.

1. *Drum* signifie *tambour*. *(N.d.T.)*

– Merci de votre compagnie, monsieur London. Et merci de m'avoir écoutée.

Il avait maintenant l'air songeur et distrait. « Dire tooout… marmonna-t-il. D-dire, a-aller… merde ! »

– Ça ira, monsieur London. Ne vous en faites pas.

Cinnie écrasa l'accélérateur, mit le contact, et le vieux moteur quinteux revint à la vie.

## 32

Tunnel de ténèbres.

Malcolm Cobb plissa les yeux et scruta la rue obscure. Silencieuse parcelle de néant, à la fois effrayante et fascinante. Sous lui, le moteur tremblait comme une bête apeurée. Le volant frémissait sous ses doigts crispés.

Il refit lentement, en retenant son souffle, le tour du pâté de maisons. La chaussée était défoncée et jonchée de gravats. Comme il roulait sans phares, il ne pouvait les éviter. Des pierres claquaient contre le châssis, et les pneus s'enfonçaient comme des dents d'ogre dans les amoncellements de matière en putréfaction. Les secousses faisaient s'entrechoquer ses os.

Tunnel de malheur.

Sa maison était au bout de la sombre impasse. Cobb voyait en elle une séductrice – une sirène fardée, simultanément attirante et repoussante. Périlleuse tour, fatal précipice…

Un peu de lumière filtrait à travers les rideaux tirés. La lampe du porche brillait d'un vif éclat. Un halo de chaleur enveloppait le toit, et d'espiègles volutes de fumée s'échappaient de la cheminée. Cobb était comme hypnotisé.

Il s'approcha encore. Sa bouche était sèche et son sang battait douloureusement dans ses tempes. À l'instant critique, le doute força son pied à appuyer sur l'accélérateur. Il dépassa très vite l'allée privée de la maison et revint à son point de départ.

« Idiot, grommela-t-il entre ses dents. Espèce de clown poltron. »

Il reprit peu à peu courage et redémarra. La voiture cahota derechef sur le terrain inégal. L'appréhension de Cobb s'amplifia à la vitesse d'un feu attisé par le vent.

Cette fois il se parla à lui-même sans discontinuer. « Rien à craindre. Elle te recevra bien. Comment pourrait-il en être autrement ? Tu es uni à elle par le sang et par la destinée... »

Il approchait à nouveau de l'allée privée. « Sang de son sang... Va te réconcilier avec elle. »

Il y était presque. Seuls quelques mètres le séparaient de sa douce approbation. Mais avant qu'il ait pu franchir cette courte distance, son pied écrasa spasmodiquement la pédale de frein. La voiture émit une plainte d'animal blessé. Ce bruit aigu accrut l'inquiétude de son esprit tourmenté. Quelqu'un avait-il entendu ?

Il jeta un coup d'œil affolé sur les maisons voisines. Aucun mouvement de store, aucun visage curieux ou accusateur. Il ne s'était pas trahi. Pas encore.

Mais les précieuses secondes s'écoulaient une à une pour aller se perdre dans le gouffre sans fond d'un éternel regret. Fou qu'il était !

Il devait continuer sans plus tarder. Il se concentra. Contrôle maximum. Levier de volonté en prise.

Il engagea lentement la voiture dans l'allée privée, la dissimula derrière une haie de troènes, et coupa le contact.

Il descendit et sentit sur son visage le souffle d'une âpre brise qui poussait les nuages à travers le ciel nocturne.

Cobb leva les yeux. Oui, il était lui-même un nuage. Un cumulus aux formes rebondies, bercé par les doux bras de l'éternité. Grand prêtre de la nuit. Noble contempteur de la vision perdue et des entreprises vouées à l'échec.

Splendide !

Lune noire éclipsant le feu du jour. Régnant – sombre triomphe – sur un univers tremblant. Voyez !

Ses doutes s'évanouirent. Il s'avança hardiment jusqu'à la porte et frappa. Seul le silence répondit. Mais on ne pouvait lui refuser cela. Il frappa encore. Plus fort.

Enfin il perçut un bruit de pas assourdi à l'étage.

Suivirent de légers craquements de marches d'escalier. Encore quelques pas. Une lampe s'alluma dans le vestibule. La porte s'ouvrit.

Elle était si rayonnante – yeux brillants, sourire entendu aux lèvres – qu'il en eut le souffle coupé. Il ne l'avait jamais vue si belle. Elle le précéda dans la salle de séjour et le pria de s'asseoir.

– Alors, dit-elle, une lueur maligne dans les yeux. Je devine à te voir que ça n'a pas été un grand succès, hein, Malcolm ?

Cobb s'efforça de rester calme. Il aurait bien voulu avoir l'air sûr de lui et autoritaire, mais un tic dansait sous son œil droit, et sa gorge serrée laissait présager un bégaiement imminent.

Elle fronça les sourcils, pinça les lèvres.

– Qu'est-ce qui s'est passé exactement, Malcolm ? Qu'est-ce qui n'a pas marché ?

Malgré son désir de nier tout échec, il ne put s'empêcher de tout raconter. Il lui dit que les contretemps n'avaient pas été de son fait. C'était la mère de l'enfant qui en était responsable, elle qui avait constamment contrarié ses plans en s'interposant entre lui et sa juste récompense jusqu'à ce qu'il fût presque irrémédiablement affaibli. C'était elle qui l'avait privé de la moisson à laquelle il avait droit, qui l'avait forcé à se contenter de miettes. Tout était de sa faute. Tout.

Elle écouta sans faire de commentaires et sans émotion apparente. Quand Cobb eut fini son histoire, elle posa sur lui un regard dur.

– Alors tu sais ce qu'il te reste à faire, Malcolm. Ça ne sert à rien de gémir.

Cobb opina du chef. La menace de son courroux l'avait rendu muet.

– Et en attendant, comment te proposes-tu de regagner des forces, mon cher ? Tu as bien mauvaise mine.

Cobb, gêné, piqua un fard. Des paroles d'affection teintées de mépris… Elle était passée maître dans l'art de le désarçonner. Il fit un effort pour parler ; il devait réagir.

– Je v-vais bien. F-fatigué, c'est tout.

Le petit rire qu'elle poussa était aussi perçant qu'une alêne.

– Oh ! allons donc… Je vois bien que tu es anémié. Regarde-toi, Malcolm. Ça crève les yeux.

Il vit son reflet dans le carreau de la fenêtre. Ses traits commençaient à s'affaisser. Et son bras s'engourdissait à nouveau. Il suffoqua, horrifié. Il ne fallait pas qu'elle le voie dans cet état.

– Réfléchis, Malcolm, ajouta-t-elle. Il doit bien y avoir un moyen de remédier à ce petit revers. Tu es un garçon intelligent…

Sa lèvre trembla.

– J'essaie, tu sais… Ce n'est pas ma faute, je te l'ai dit. C'est à cause d'elle… cette misérable femme.

– Ne sois pas stupide. Ressaisis-toi maintenant, Malcolm.

– Je… j'essaie. (Ses yeux se remplirent de larmes ; une ou deux débordèrent.) C'est vrai.

– Écoute-toi. Quel ton ridicule ! Cesse de t'apitoyer sur toi-même et réfléchis, grand benêt. Sers-toi de ta tête. Et arrête de pleurnicher comme un bébé !

Ses reproches le fouettèrent comme un jet glacé. Il se raidit et essaya de se reprendre.

– Je suis désolé.

– Tu peux l'être. À quoi ça sert de s'effondrer comme ça ? Strictement à rien.

– Tu as r-raison, bien sûr. Je peux trouver une solution. Il le f-faut.

Il se tut, détourna les yeux pour échapper à son regard glacial, et s'efforça de considérer le problème comme un puzzle en trois dimensions. Les pièces avaient des formes nettes et singulières. Utilisant la technique qu'il avait maîtrisée dans les exercices du septième niveau, il les assembla de différentes manières, les regarda sous des angles subtilement décalés, comme s'il s'était agi d'images d'ordinateur évoluant devant lui sur un écran.

Il pouvait voir chacune des faces de chacune des pièces. Possibilités infinies. Permutations *ad nauseam*.

Enfin, lentement, la bonne combinaison apparut. Parfaite, inestimable ! *Ad astra per aspera !* Il vaincrait tous les obstacles et s'élèverait jusqu'aux cieux – jusqu'aux étoiles !

– Qu'est-ce qu'il y a, Malcolm ?

Il réprima un petit rire. Elle avait l'air intriguée. Chère petite nigaude. Charmante petite godiche. Redoutable petite plante vénéneuse…

Cobb se leva et l'entraîna dans une valse folle à travers la pièce. Abasourdie, elle bredouilla :

– Allons, Malcolm. Contrôle-toi, s'il te plaît.

Des vagues d'hilarité le secouaient comme un canot dans une tempête.

– Ça y est, j'ai trouvé. C'est si merveilleux. Tu vas être étonnée…

Elle se dégagea et, bras croisés, se campa devant lui d'un air irrité.

– Dis-moi alors. Ne te conduis pas comme un âne.

Blessé, Cobb eut un mouvement de recul.

– Ne m'appelle pas comme ça.

– Allons, gros bêta. Tu sais bien que ce n'est qu'une façon de parler.

– Tu ne dois *jamais* m'appeler comme ça.

– Tss, tss. Quelle susceptibilité ! Oublie ça, veux-tu, Malcolm ? Dis-moi, quel est ton plan ? Je meurs d'envie de le connaître.

Il se mordit la lèvre et garda les yeux baissés. Il refusait de supporter plus longtemps ses insultes.

Elle prit un air faussement soumis. Sourire enjôleur, battements de cils, voix pareille à une chaude coulée de miel.

– Allons, mon chéri. Je t'en prie, dis-moi. Je suis si impatiente de savoir… Tu es un tel génie, Malcolm. Un tel géant dans le domaine de l'intellect et de la créativité… Tu peux résoudre n'importe quel problème si tu t'y appliques, petit veinard. Il faut que tu me mettes dans la confidence. Immédiatement. Je vais littéralement exploser si tu ne le fais pas !

Il se laissa ainsi cajoler un moment. Il se délectait de sa déconfiture. Son placide refus de répondre engendrait chez elle une telle frustration qu'elle se mit à gémir. Bien fait pour elle. Combien de tourments et de frustrations n'avait-il pas subis lui-même à cause d'elle ?

– Ça suffit, Malcolm ! Je ne tolérerai pas ceci une minute de plus. Dis-moi tout de suite. Dis-moi, sinon…

Elle le foudroya du regard. Il ne pouvait laisser ceci dégénérer comme la dernière fois. Ce serait sa perte.

– Très bien. Si tu y attaches autant d'importance, dit-il.

– Oh ! oui, mon cher. Beaucoup d'importance.

Cobb expliqua son plan. Si simple et élégant... Et pourtant absolument infaillible, il en était certain. Tout ce qu'il avait à faire, c'était de se procurer le « véhicule ». Et il ne pouvait voir là qu'un inconvénient mineur.

Il vit son expression se modifier tandis qu'il parlait. La surprise fit place au respect, le respect à un contentement encore intimidé.

– Brillant, dit-elle enfin. Vraiment brillant. Et tu es sûr que l'enfant ne s'apercevra même pas du prélèvement ?

Cobb secoua la tête. C'était là le plus incroyable. Cela pourrait se faire ouvertement, et le spécimen ne se rendrait compte de rien.

– Tu as raison, mon cher. C'est parfait. Magnifique. Oh ! je suis si fière de toi, Malcolm. Si fière ! Dès que ce sera fait, il faudra fêter ça. Tu fixeras le jour et l'heure, et j'apporterai les rafraîchissements. Champagne et caviar de première qualité pour commencer, en l'honneur de ta triomphale guérison. Et puis un bon repas.

Elle papillonna dans la salle de séjour en faisant des plans pour leur festin.

– Des huîtres, je pense... Et puis un rôti de veau comme tu les aimes tant, à la purée de marrons. Une tarte à la rhubarbe et à la crème...

Cobb sourit ; leur commune satisfaction le réchauffait comme un soleil bienfaisant. Il n'y avait rien sur terre qu'il n'eût fait pour obtenir son approbation. O pure joie !

Tout à coup elle se tut. Son front se creusa de rides.

– Et la femme, mon cher ? Je suppose que tu as aussi une idée brillante pour régler ce problème ?

À ces mots, l'exultation de Cobb retomba comme un soufflé. L'élimination de la femme présentait un certain nombre de difficultés qu'il n'était pas encore parvenu à résoudre.

Mais enfin, si tout marchait comme prévu du côté du spécimen, cette question-là ne se poserait plus. Cette pensée le ragaillardit et lui insuffla un courage tout neuf.

– Certainement, dit-il. La femme ne sera pas un problème.

Elle le regarda en plissant les yeux d'un air inquisiteur.

– Tu ne la protèges pas, hein, Malcolm ? Quelquefois j'ai l'impression que tu as peur de t'occuper de cette horrible femme.

– Peur ? Ne sois pas absurde.

– J'espère bien que c'est absurde, très cher. Ce serait certainement absurde de la protéger comme tu l'as fait pour maman, n'est-ce pas ? Absurde et dangereux, Malcolm. Très dangereux, comme tu le sais.

Cobb se raidit. « Inutile de t'en faire. Je contrôle parfaitement la situation. »

– Je l'espère sincèrement, mon cher. Pour ton propre bien.

Cobb s'efforça de croire ses propres paroles rassurantes. Cette fois la femme n'entraverait pas ses projets. Mais si elle y parvenait quand même, d'une façon ou d'une autre, il était bien résolu à renverser tous les obstacles et à faire en sorte que ce soit sa dernière intrusion.

## 33

Après un arrêt à la maison pour déjeuner, ils passèrent le reste de la journée à rouler en voiture. À rôder et à renifler. C'était une des choses que le grand Matt avait coutume de faire quand il s'était cogné la tête contre un mur dans une affaire. Si vous regardiez assez longtemps autour de vous, vous aviez une chance de finir par voir quelque chose.

Le môme fut tranquille dans l'ensemble, tout à son plaisir d'écouter la radio et de faire l'école buissonnière. Pendant le dîner, qu'ils prirent dans un petit restaurant italien de Pound Ridge Road, Booker remercia Drum d'un sourire à faire fondre un glacier et d'un ou deux amicaux claquements de paume. C'était, à n'en pas douter, le meilleur bénéfice que Drum eût jamais obtenu sur un investissement – et il avait plus d'une fois mis la main à la poche.

Lorsque enfin Drum rangea la Mustang dans l'étroit garage, Booker dormait à poings fermés. Il le souleva et le porta dans son lit à l'étage. Le môme ne pesait presque rien. Étonnant, si on pensait à tout ce qu'il avait ingurgité rien que ce jour-là. Il avait dévoré un sandwich géant au déjeuner et englouti une bonne partie de la lasagne de Drum au dîner en plus de la sienne. Le moustique devait inhaler de l'hélium quand on ne le regardait pas. Peut-être feraient-ils bien d'attacher le petit bandit avec une ficelle avant qu'il ne s'envole pour de bon.

Drum s'aperçut qu'il souriait tout seul comme un idiot. Ce gosse avait le don de lui faire découvrir des facettes insoupçonnées de sa personnalité.

Il déposa Booker sur son lit, lui retira ses baskets, et remonta les couvertures jusqu'à son menton pointu. « Bonne nuit, champion. Dors bien. »

Il avait comme un creux dans l'estomac, alors il descendit dans la cuisine et ouvrit le frigo. Il y trouva un reste de rôti, un peu de purée, deux boîtes de bière et un morceau de tarte à la crème. Si ce n'était pas le parfait en-cas, ça y ressemblait fort.

En s'approchant de la table il aperçut, appuyé contre le téléphone, un bout de papier que Stella avait recouvert de sa ferme écriture. Un club de jazz, du côté du détroit, l'avait appelée pour lui demander de remplacer la chanteuse habituelle qui souffrait d'une laryngite. Elle ne rentrerait sans doute pas de bonne heure ; elle le verrait donc le lendemain matin.

La note disait aussi que Carmody avait appelé deux fois ; le chef voulait qu'il lui transmette un rapport par l'intermédiaire de son copain Louis Packham de Failsafe Security. Et Drum devait veiller à ce que Booker dîne correctement et prenne un bain chaud.

Drum froissa le bout de papier et le jeta dans la poubelle. Il estima qu'il avait fait ce qu'il fallait. La journée de Booker n'avait été qu'un long repas. Beaucoup plus que « correct ». Quant au bain chaud, il ne s'imposait guère après une journée aussi calme – trop calme à son goût.

Louis Packham le remercia pour le dernier lot de cassettes pirates et accepta de prendre un message pour le chef. Drum réfléchit à ce qu'il devait dire. S'il était trop négatif, Carmody, dégoûté, pourrait bien mettre fin à sa mission. D'un autre côté, si son rapport était trop optimiste, Carmody espérerait probablement un résultat prochain, et ferait tourner Drum en bourrique jusqu'à ce qu'il en obtienne un.

Drum décida de faire dire au chef que les choses « se passaient comme prévu ». Ça laisserait le vieux poussah dans le doute.

– D'accord. Je lui dirai.

– Ouais, et dis-lui aussi qu'il n'a aucune raison de se foutre en rogne. Entendu ?

– Oui, Jerry. Le chef n'a aucune raison de se foutre en rogne. Bien compris.

Drum avait eu l'intention de rester tranquillement à la maison, mais le message de Carmody le fit se sentir tout à coup plus ambitieux. Il appela les voisins et demanda à Mary Ellen de venir veiller sur Booker jusqu'à son retour.

Une averse glacée avait rendu les routes glissantes. Drum dérapa en tournant sur High Ridge Road ; la Mustang fit un tour complet sur elle-même, puis alla heurter le bord du trottoir. Une voiture freina à mort derrière lui, et il se crispa dans l'attente d'un choc qui ne vint pas. Quand il regarda par la lunette arrière, il vit un gros type dans une Lincoln qui bredouillait des jurons, une main sur le cœur. Drum agita ses doigts et lui envoya un baiser.

Après cela il roula vers le nord à une allure raisonnable. Tout le monde avançait lentement. Les autres voitures se traînaient comme des tortues somnolentes. Les feux de signalisation restaient au rouge. Comme il approchait du croisement de la route des Parcs, un grand chien maigre, à la langue pendante, traversa la route devant lui, et il dut s'arrêter. Le clébard prenait tout son temps. Drum le suivit des yeux en rongeant son frein. Heureusement qu'il aimait les animaux.

Il passa enfin sous le pont de la route des Parcs et engagea la Mustang sur l'étroite chaussée sinueuse, digne d'une patinoire, qui menait au Bois-Tyler. Il tourna entre les colonnes brisées et manœuvra la Mustang de façon qu'elle se trouve à l'endroit exact où Mme Holroyd, l'unique témoin, s'était tenue quand elle avait vu la voiture du chauffard, c'est-à-dire – les trois rapports de police étaient d'accord sur ce point – entre la première maison et la colonne de gauche.

Il descendit la vitre. L'air semblait aussi lourd et humide qu'un drap mouillé. Le silence était presque total. En tendant l'oreille, Drum perçut un faible craquement de fenêtres givrées, les lointaines vibrations musicales d'une chaîne stéréo fatiguée, les braillements d'un bébé.

Il tourna les yeux vers Mill Road et les colonnes de pierre. Presque cinq minutes s'écoulèrent avant qu'une voiture, venue de l'embranchement de High Ridge Road, négociât lentement le virage devant les colonnes et continuât en direction du village de New Canaan. Drum regarda sans ciller, mais ce qu'il vit fut très différent de ce à quoi il s'était attendu. Surpris, il attendit qu'une autre voiture passe dans le même sens.

Très intéressant.

Il attendit le passage d'une troisième voiture. Il voulait être absolument sûr de son fait.

Toujours la même chose. Les voitures qui arrivaient de ce côté restaient d'abord cachées par la colonne de gauche, puis prenaient leur virage et disparaissaient presque aussitôt derrière une rangée d'arbres.

De là où Mme Holroyd prétendait qu'elle s'était trouvée, elle n'avait pu avoir qu'une vision fugitive de tout véhicule passant sur cette route. Drum n'avait guère entrevu, au passage des trois voitures, qu'une sombre et confuse masse métallique et une lueur de pare-brise. Impossible de dire de quel modèle ou de quel type de carrosserie il s'agissait, et encore moins de lire la plaque minéralogique ou de distinguer la personne au volant. Or, le témoin avait raconté à la police que le conducteur était un homme jeune et blond, aux cheveux courts et aux yeux bleus.

Comment avait-elle pu être aussi précise, alors qu'avec le soleil qu'il y avait ce jour-là, elle n'aurait dû voir qu'une sorte de vague éclair ?

Drum était plus impatient que jamais d'entendre son histoire de sa propre bouche. Il fit demi-tour, longea la rue du Bois, et tourna dans le petit cul-de-sac où elle habitait.

Elle était là cette fois – mais pas pour Drum. Il essaya de persuader la sèche voix désincarnée qui lui répondit derrière la porte verrouillée de lui accorder un entretien, mais elle ne voulut rien savoir. Pas même quand il lui raconta qu'il était un reporter du *Times* en retard pour son article et glissa sa fausse carte de presse à travers la fente réservée au courrier. L'objet lui revint avec la brusquerie d'un tiroir de caisse enregistreuse déglinguée.

– Je regrette, mais il est tard et je suis occupée. Vous auriez dû téléphoner. Ça vous aurait évité de vous déplacer pour rien.

– Deux minutes suffiront. Je voudrais seulement vous poser quelques questions au sujet de la voiture que vous avez vue fuir après l'accident. Nous désirons publier un article sur cette affaire. Cela suscitera peut-être d'autres témoignages qui mèneront à l'arrestation du chauffard.

– J'ai déjà tout raconté aux policiers. Pourquoi ne les appelez-vous pas ? Je suis sûre qu'ils seront ravis de collaborer avec le *Times*.

– Sans doute, mais je suis convaincu que votre histoire serait plus intéressante, madame Holroyd. Après tout, c'est vous qui étiez là et avez tout vu.

– Je vous ai dit que j'avais à faire. Et maintenant bonne nuit.

Le ton de sa voix était sans appel. Drum comprit qu'il était inutile d'insister.

Il retourna à la Mustang. La femme éteignit les lampes de jardin alors qu'il était encore sur le sentier de pierre inégal, à mi-chemin de l'allée. Miss Hospitalité.

L'obscurité lui permit de regarder par-dessus son épaule. Deux silhouettes évoluaient derrière les fins rideaux des fenêtres de la salle de séjour. L'une d'elles, grande et mince, devait être celle de Mme Holroyd. Ses cheveux étaient tirés en arrière, son maintien rappelait celui d'un garde de palais.

Il y avait une autre silhouette, plus petite, au milieu de la pièce. Le fils, probablement. Il était également long et maigre, mais se tenait avec moins de raideur que la mère. Il alla se réfugier derrière le vieux pupitre d'écolier couvert de papiers et s'y agrippa comme à une bouée de sauvetage.

Il était clair que la femme lui criait dessus et que le petit bonhomme se recroquevillait sous la morsure de ses paroles. Sa tête était baissée, ses épaules voûtées. Drum avait l'impression de voir un gosse qu'on aurait mis par erreur dans une essoreuse.

La femme traversa la pièce et prit un objet sur la table basse qui se trouvait près du pupitre. Elle le tenait de telle sorte que Drum ne pouvait pas bien le distinguer, mais il se souvint de l'avoir vu la dernière fois qu'il était passé et qu'il avait jeté un coup d'œil dans la pièce déserte. Bizarre, l'importance qu'elle semblait accorder à un tel objet. Elle le brandissait en direction du gosse, tout en continuant à aboyer. Le garçon recula.

Drum regarda jusqu'à ce qu'il fût certain que l'enfant n'allait recevoir aucune correction. Au moindre geste suspect, il n'aurait pas hésité à intervenir et à faire diversion ; il aurait toujours pu dire que sa voiture était en panne ou que son bip sonnait et qu'il devait téléphoner. Ce pauvre gosse n'avait vraiment pas besoin de ça.

Mais cette ruse ne fut pas nécessaire. Au bout de deux ou trois minutes, la femme jeta l'objet sur le bureau et sortit en trombe de la pièce. L'enfant attendit quelques secondes, puis il la suivit. Il n'aurait pas fait ça s'il avait craint qu'une raclée l'attendait.

Drum ne savait que penser de cette femme. Il n'avait pas besoin d'entendre son histoire de chauffard en fuite pour savoir que celle-ci était bancale. Elle avait inventé beaucoup de détails, sinon tous. Mais pourquoi ?

Il envisagea diverses possibilités.

Peut-être avait-elle été si désireuse d'aider la police à pincer le chauffard qu'elle avait fini par se persuader qu'elle avait vraiment vu des choses qui pourraient leur être utiles. Ce n'était sans doute pas le type même de la citoyenne soucieuse du bien public, mais on ne savait jamais. Elle aussi avait un enfant, et Drum était en train d'apprendre, par expérience directe, combien le fait d'avoir un enfant pouvait changer un individu.

Il était aussi possible qu'elle eût tout inventé à seule fin de se rendre intéressante. Ce n'étaient pas les dingos avides de micros et de caméras qui manquaient. L'idée ne les effleurait même pas qu'ils pouvaient faire capoter une enquête et permettre à un criminel de passer entre les mailles du filet. Mais si cette femme aspirait tant à occuper le devant de la scène, pourquoi refusait-elle de parler à un reporter ?

Cela faisait beaucoup de questions, mais une seule réponse était sûre. Ses propres yeux l'avaient convaincu que Lydia Holroyd ne pouvait être catégorique au sujet du chauffard, des plaques minéralogiques, et même du véhicule. Autrement dit, quelle que fût la raison pour laquelle elle racontait cette histoire, celle-ci ne valait pas un kopeck.

Drum redémarra en direction de l'embranchement de High Ridge Road. Il plongea la main dans la boîte à gants de la Mustang et choisit une cassette de jazz. Le Duke et Stan Kenton. Il l'enfonça dans le lecteur de cassettes. Une chance que ce fût un coffret réunissant le contenu de trois albums. Selon toute apparence, il n'avait pas fini de courir.

## 34

La sonnerie de la porte d'entrée retentit alors que Cinnie s'apprêtait à s'immerger dans un bain fumant. Elle était démoralisée, mais la vue de Dal plantée sur le seuil, les bras chargés d'un paquet d'échantillons provenant de sa société de marketing, la requinqua.

Cinnie déboucha une bouteille, et elles s'assirent dans la salle de séjour pour siroter leur vin et rattraper leur retard en matière de commérages. Mais la conversation ne tarda pas à s'orienter vers James et à prendre un tour plus grave.

L'optimisme de Cinnie avait pris un sérieux coup. Elle avait besoin d'en parler à quelqu'un, et Dal avait toujours été la personne à qui elle pouvait dire les choses impossibles. « Je commence à penser qu'il ne s'en remettra peut-être jamais, Dal. »

Plus tôt dans la soirée, Dal avait amené Teejay dans la

chambre de James pour une courte visite, et le contraste entre les deux enfants avait été dévastateur. Dire que quelques semaines auparavant, c'était James qui avait été le garçon le plus grand, le plus fort, le plus avancé des deux... Teejay avait toujours admiré James. Cinnie se rappelait avec quels yeux attentifs et respectueux le petit bonhomme regardait son ami plus âgé. Dal et elle s'étaient fort diverties de le voir imiter chacun de ses gestes et de ses tics.

Mais l'accident avait renversé les rôles. C'était Teejay qui, au chevet de James, avait choisi les activités, expliqué patiemment les règles et la façon de s'y prendre. C'était lui qui avait parlé lentement et clairement, d'une voix un peu plus forte que la normale, qui avait instinctivement essayé d'aider James à comprendre. Et c'était James qui, tant bien que mal, s'était efforcé de l'imiter et de rester au diapason. En voyant cela, Cinnie avait senti son cœur se serrer.

Ça l'avait aussi forcée à regarder l'avenir sans complaisance. Et elle avait dû s'avouer qu'il y avait peut-être quelque vertu après tout dans cette tendance à envisager le pire pour mieux s'en défendre qui était celle de Paul.

– Avant, je croyais que James réussirait dans tout ce qu'il entreprendrait, Dal. Maintenant, j'ai l'impression que je ferais mieux de m'habituer à l'avance au bruit des portes qu'on lui claquera au nez...

– Une minute. Ceci ne ressemble pas du tout à la Cinnie que je connais et que j'aime. Qu'avez-vous fait de mon amie, madame ? Allons, je vois clair dans votre jeu, misérable imposteur !

Cinnie haussa les épaules et parvint à sourire faiblement.

– Je n'y peux rien, j'ai laissé ma candeur au vestiaire...

Ces phrases lui rappelèrent sa conversation avec Allston. Elle ressentit une bouffée de colère en repensant à la grossièreté dont il avait fait preuve à son égard.

Elle aurait dû dire à ce mufle ce qu'elle pensait de lui. Peut-être était-ce en partie pour cela qu'elle se sentait si abattue. Elle s'était laissé traiter comme un paillasson. Qui se conduit en victime finit par en devenir une. Pourquoi avait-elle oublié cette importante vérité ?

Les chances de guérison de James étaient peut-être

faibles, mais ce n'était pas en se plaignant à Dal qu'elle allait les renforcer.

– Tu ne m'en voudras pas si je te mets dehors ? lui demanda-t-elle.

– Naan, j'ai été chassée de bien meilleurs bouis-bouis que celui-ci. Tout va bien ?

– Pas vraiment, mais je viens de me rappeler qu'il y a quelque chose que je peux faire pour me rendre utile. Ça m'aidera peut-être à sortir de ce fichu marasme. Et il faudrait vraiment que je commence avant de m'écrouler pour la nuit.

« D'accord. » Brave Dal. Elle savait quand poser des questions et quand disparaître. Cinnie la raccompagna jusqu'à la porte, referma celle-ci et poussa le verrou.

Dans la salle de séjour, elle trouva un bloc de papier à lettres et un stylo. Pelotonnée sur le divan, elle se reporta par la pensée au matin du jour de l'accident et commença à écrire. Si cet agent d'assurances estimait qu'un compte rendu de cette horrible journée pouvait être utile, pourquoi ne pas lui en donner un ? Qu'avait conseillé M. London ? De tout dire. Ça ne pouvait pas faire de mal de toute façon. Au point où elle en était, elle aurait essayé presque n'importe quoi.

Le film de cette journée lui revint avec une grande netteté. Tout avait paru si ordinaire… James avait mangé son porridge au petit déjeuner, pendant que Paul et elle avalaient leurs toasts. Cinnie revoyait la table encombrée d'assiettes, de tasses à café et de journaux – et James accroupi sur sa chaise, expliquant entre chaque bouchée comment son équipe de foot allait gagner les prochains championnats du monde.

Elle avait remarqué ce sourire si particulier que seul James savait faire naître sur les lèvres de Paul. Un sourire de mille watts, plein de fierté et de pur amusement. Cinnie l'avait toujours trouvé contagieux et incroyablement sexy. Cette expression-là avait complètement disparu depuis l'accident de James. Elle se demandait si elle la reverrait jamais.

Allons, cesse de pleurnicher, se morigéna-t-elle. Concentre-toi plutôt sur ce que tu as à faire.

Ils avaient tous quitté la maison à huit heures et demie. Cinnie avait déposé James à l'arrêt du car avant de se rendre à l'hôpital. Elle avait vu une dernière fois dans le rétroviseur, alors qu'elle approchait du carrefour de Cascade Road, ses joues rouges et ses cheveux cuivrés auréolés de soleil.

Paul était allé dans son studio, où son programme de travail était aussi chargé que d'habitude. Il en avait donné un aperçu à Cinnie, et elle essayait maintenant de le reconstituer du mieux qu'elle pouvait : deux ou trois séances d'essais, une bande sonore pour une vidéo musicale, et l'après-midi avait été réservé pour un nouveau groupe sous contrat chez Polygram, dont Paul éditait le premier album.

Cinnie se sentit un peu bête de détailler sa matinée très ordinaire à l'hôpital, mais l'agent d'assurances lui avait bien recommandé de tout noter pour être certaine de ne rien oublier.

Elle écrivit d'une traite tout ce qu'elle put se rappeler de cette effroyable journée. Elle raconta, jusque dans ses pénibles détails, son trajet de l'hôpital au Bois-Tyler. Elle évoqua ce merveilleux sentiment de bien-être qu'elle avait éprouvé d'abord, puis l'horreur qui s'était emparée d'elle quand elle s'était approchée de tous ces véhicules à gyrophares qui barraient Mill Road et qu'elle avait appris qu'ils étaient là pour James.

Ce souvenir la fit frissonner mais elle se domina et continua à écrire. Elle parla des terribles moments passés dans l'ambulance, du délire de James, du sinistre ululement du moniteur cardiaque.

Et puis étaient venus d'autres moments affreux, ceux qu'elle avait passés, assise à la porte de la salle des urgences, à attendre que quelqu'un vienne lui dire que tout cela n'avait été qu'une terrible erreur. James n'avait rien. Il ne *pouvait* rien avoir.

Paul avait mis une éternité à venir. À cause de l'insonorisation du studio, il n'avait pas entendu les sirènes au coin de la rue. Il n'avait appris l'accident que lorsque quelqu'un dans le studio avait allumé la radio pendant une pause et écouté les infos d'une station locale. Et quand enfin il était arrivé, tout ce qu'ils avaient pu faire, une fois qu'il eut fini de bredouiller ses impossibles excuses, ç'avait été d'attendre ensemble, dans un état de terreur muette.

Le docteur Silver avait été appelé pour une consultation d'urgence et il avait été le premier à pousser les portes battantes qui séparaient la salle des urgences de la salle d'attente. Ce type avait la délicatesse d'un typhon. « C'est sérieux, leur avait-il dit. Je ne réponds de rien. Les premières vingt-quatre heures seront cruciales. »

« Que pouvons-nous faire ? » avait demandé Paul.

Silver avait haussé les épaules. « Vous connaissez des prières ? »

Dieu merci, le docteur Ferris était arrivé quelques instants plus tard. À sa manière froide et rationnelle, il avait pris les choses en main. Après avoir assuré Cinnie et Paul que la situation n'était pas aussi dramatique que Silver le leur avait fait croire, il avait rassemblé les résultats des premières analyses et les avis professionnels de tous ceux qui avaient examiné James jusque-là. Puis le pédiatre avait condensé ces renseignements et leur avait donné une idée claire et raisonnablement encourageante de ce à quoi ils pouvaient s'attendre dans les heures suivantes.

– Nous allons suivre de très près l'évolution de son état jusqu'à ce que nous puissions évaluer précisément la gravité de ses blessures.

– Est-ce que… est-ce qu'il va s'en tirer ? avait demandé Paul.

– Oui, avait répondu Ferris.

Cinnie avait trouvé, dans cette tranquille certitude, une raison d'espérer. Le docteur Ferris allait prendre soin de James. Il allait préserver son petit de tout danger. Pour un peu elle lui aurait sauté au cou, mais autant vouloir embrasser un porc-épic.

Elle revint en arrière pour mentionner la coupure de courant dans le studio, qui avait mis Paul en retard pour aller chercher James à l'arrêt du car. Elle attendit l'habituelle flambée de colère, mais celle-ci ne vint pas. Peut-être avait-elle dépassé ce stade finalement. À moins qu'elle ne fût trop engourdie pour ressentir quoi que ce soit.

Elle couvrit ainsi quinze pages de sa fine écriture. Elle se dit que l'agent d'assurances n'en espérait sans doute pas tant, et qu'il n'y trouverait probablement rien qui en valût la peine. Enfin elle agrafa les feuillets et les glissa dans une enveloppe. Elle composa le numéro que l'agent d'assurances lui avait donné, comme il le lui avait suggéré, et dit à l'homme qui répondit que le compte rendu était prêt. Puis elle raccrocha et alla, en peignoir et chaussons, déposer l'enveloppe dans la boîte aux lettres en bordure du trottoir.

La tiédeur de la maison, quand elle y revint, s'infiltra dans son corps et la transforma en chiffe molle. Elle bâilla. Maintenant rien ne s'opposait plus à une longue immersion dans la baignoire et à une nuit de sommeil, de préférence en bonne compagnie.

Ce qui lui donna l'idée d'appeler Paul au studio. Pas de réponse, ce qui signifiait qu'il était en pleine séance d'enregistrement. Et il ne fallait pas espérer le faire sortir de son studio avant qu'il eût complètement fini. Elle aurait peut-être su comment s'y prendre s'il s'était agi d'une autre femme, mais elle n'avait pas la moindre idée de la façon dont on pouvait rivaliser avec une console électronique.

L'eau du bain s'était trop refroidie. Cinnie vida la baignoire, ouvrit les robinets à fond, et versa un sachet de sels parfumés. En attendant que la baignoire se remplisse, elle se déshabilla et s'enveloppa d'un vieux peignoir bleu. Comme elle avait quelques minutes devant elle, elle prit plusieurs journaux et magazines parmi ceux qui s'empilaient sur le bureau et commença à les feuilleter.

Un chatouillement sous son pied la tira brusquement de sa torpeur. Elle baissa les yeux et s'aperçut que l'eau de la baignoire avait débordé et se répandait en un ruisseau mousseux sur le plancher de la chambre. Elle se précipita dans la salle de bains, avec force éclaboussements, et ferma les robinets.

Il lui fallut presque une heure pour écoper et éponger l'inondation. Le parquet était tout imbibé, et d'anciennes couches de cire remontaient pour former de laides taches blanchâtres. Le petit tapis oriental qui lui venait de sa mère était saturé d'eau. Elle l'essora et le mit à sécher au-dessus de la baignoire.

Lorsque ce fut fini, elle contempla le gâchis en songeant à son propre manque de réaction. Après tout ce qui était arrivé, elle ne pouvait trop s'énerver à cause de quelques planches mouillées et d'un vieux tapis détrempé. L'accident de James avait tout replacé dans une perspective nouvelle.

Ce qui lui rappela qu'elle devait appeler le service pédiatrique pour voir comment allait son trésor.

Elle reconnut la voix à l'autre bout du fil : s'était celle de la jeune infirmière qui avait lavé James ce matin-là. Elle est donc encore de service ce soir, pensa Cinnie. Pas étonnant qu'il y ait des erreurs de faites.

– Cinnie Merritt à l'appareil. Comment va James ?

Silence embarrassé.

– Qu'est-ce qu'il y a ? Qu'est-ce qui ne va pas ?

– Oh, je suis sûre que ce n'est rien, madame Merritt. C'est seulement que ce pauvre Jimmy me paraît… malheureux. Il a l'air… Je ne sais pas, perturbé. Différent de ce qu'il est d'habitude.

– Comment ça ? Qu'est-ce qu'il fait ?

– C'est difficile à expliquer. Écoutez, je ne devrais sans doute pas vous ennuyer avec ça. Il va sûrement s'endormir très vite et il sera en pleine forme demain matin.

– Bien sûr que vous devez m'ennuyer avec ça ! Vous avez parfaitement bien fait. Je peux vous demander un petit service ? Dites-lui que j'arrive tout de suite.

– Oh ! je suis sûre que c'est inutile.

– Un quart d'heure maximum. Dites-lui, s'il vous plaît.

– Je vous assure, madame Merritt, nous pouvons prendre soin de lui. Aucune raison de…

– J'arrive.

Cinnie enfila un survêtement. La Volvo refusa de démarrer, alors elle prit les clefs de la Porsche dans le bureau de Paul et se mit au volant.

C'était peut-être stupide, mais son instinct la poussait à aller là-bas. Et elle était bien résolue désormais à écouter ces voix intérieures, si déraisonnables qu'elles parussent.

Le trafic était fluide sur High Ridge Road, et des feux clignotants orange avaient remplacé les feux tricolores pour la nuit. Elle voulait se presser, mais la chaussée glissante la forçait à rouler à une allure d'escargot.

La radio l'enveloppait d'un réconfortant cocon sonore.

Elle concentra son attention sur la route verglacée. Elle ne désirait qu'une chose : arriver près de son petit garçon et le soulager de ce qui le troublait tant. Son esprit était tellement absorbé par ces pensées qu'elle ne vit pas l'accident venir.

## 35

Cobb jubilait. Il lui avait été beaucoup plus facile de se procurer le « véhicule » qu'il n'avait osé l'espérer. Un seul coup de téléphone et un minimum d'astuce avaient suffi. Comme prévu, il avait expliqué qu'il allait procéder à une expérience cruciale et avait besoin d'une livraison immédiate.

Il n'y avait eu aucune fastidieuse question, aucune hésitation de la part du fournisseur – quoiqu'il eût été prêt à affronter ces difficultés si cela s'était révélé nécessaire.

Mais tout avait marché comme sur des roulettes. Et l'objet qui allait si génialement résoudre son problème était venu à lui, en l'espace de quelques heures, livré directement à son chalet par un obséquieux messager. Ne restaient plus à effectuer que la pose et le retrait.

La sentinelle de bois qui gardait le parking de l'hôpital se leva respectueusement devant lui quand il s'en approcha. Au bout du parking désert, il gara doucement sa voiture dans la zone d'ombre formée par une rangée d'arbustes à feuillage persistant.

Il descendit de voiture sous la bénédiction des étoiles scintillantes. Aiguillonné par la morsure du vent, il traversa silencieusement la sombre mer d'asphalte et se dissimula derrière une haie de troènes, tout près de l'entrée de l'hôpital.

Il n'était plus qu'à deux ou trois mètres du garde. Il examina, yeux mi-clos, la vile créature : teint bilieux, peau squameuse, yeux jaunâtres évoquant un œuf trop cuit, bouche plissée et sèche comme un anus. Il observa les doigts courts et la pause œdémateuse de l'homme. Avec un dégoût croissant, il releva les signes évidents de sa fin prochaine.

Malgré sa santé défaillante, l'idiote larve s'adonnait encore à ses vices pestilentiels. Cobb perçut l'odeur de tabac refroidi qui émanait de son uniforme froissé. Il était visiblement agité. Sa tête se tournait d'un côté et de l'autre, ses membres se contractaient nerveusement sous l'effet du manque.

Parfait.

Comme prévu, le garde abandonna bientôt son poste et disparut au coin du bâtiment. Cobb exulta. Les munificentes Parques l'encourageaient à accomplir sa mission.

Il n'y avait personne dans le hall d'entrée, à l'exception de trois vieilles femmes. Il tressaillit en les voyant. Insidieuse pourriture. La poussière de leur putréfaction tremblait dans l'air étouffant et les entourait d'un impitoyable halo. Elles continuaient à jacasser comme si de rien n'était. Voix aiguës, mais sans force. Cobb se dirigea vers l'escalier et cacha sa répugnance en passant près d'elles.

Il gravit les marches d'un pas de félin, agile et souple. Le bonheur anticipé avait effacé sa faiblesse. Il était la lune ascendante – fontaine de splendeur céleste – dont les rayons éclairaient l'humide cage d'escalier.

Cinquième étage.

Il s'arrêta et souleva le couvercle de la boîte en plastique pour jeter un coup d'œil à l'intérieur. Le « véhicule » restait vigoureux et dodu.

Magnifique.

Tout ce qu'il avait lu sur le « véhicule » en question dans l'ouvrage de référence en trois volumes publié par les Presses de l'Université d'Oxford lui revint en mémoire avec une précision digne d'une image à haute résolution. Espèce : hirudo medicinalis. Une variété de la sangsue commune.

Les médecins avaient longtemps utilisé cette astucieuse créature pour débarrasser les malades de ce qu'ils croyaient être des humeurs viciées. Mais avec l'avènement de la prétendue médecine moderne, les saignements thérapeutiques étaient tombés en disgrâce. Pendant des dizaines d'années, hirudo avait été méprisée ou grossièrement sous-évaluée, au point que plusieurs sous-espèces étaient maintenant menacées d'extinction. Ce n'était que dans les dernières années que les vertus pharmacologiques de cet humble animal avaient été reconsidérées et reconnues.

Cobb savait qu'on avait découvert dans ce domaine plusieurs champs d'application aussi nouveaux que prometteurs. Après une opération de microchirurgie, un rattachement de membre par exemple, ces bestioles avaient fait la preuve d'une remarquable aptitude à résorber de petits caillots autour de la plaie sans endommager les délicats tissus environnants.

Mais hirudo avait bien d'autres qualités. On avait trouvé dans la salive de cette sangsue une protéine, l'hirudine, dont le potentiel, en tant qu'agent coagulant dans le traitement des maladies cardio-vasculaires, était énorme. L'hémentine, une substance produite par la sangsue amazonienne, s'était révélée efficace pour dissoudre les caillots de sang. Et l'orgelase, également un produit dérivé du métabolisme hirudien, était étudié pour sa valeur potentielle dans le traitement du glaucome et de certains troubles circulatoires.

Mais Cobb avait un autre projet, plus formidable encore, pour l'humble hirudo. Un projet fantastique. Triomphe de l'ingéniosité !

Il pressa son oreille contre la porte coupe-feu et écouta. Des talons claquaient comme des dents de glace contre le froid linoléum. Des voix caquetaient. Un enfant souffrant gémissait. Ses plaintes mirent à dure épreuve la fragile patience de Cobb. « Tais-toi ! Silence ! »

Il attendit anxieusement que le brouhaha s'apaise. Mais le bruit et l'activité ne cessaient pas. Un téléphone sonna. Il entendit le fort *tac-tac-tac* d'un chariot à linge et le sourd grondement d'un brancard qui ramenait un patient de la salle d'opération.

Soudain un courant d'air envahit la cage d'escalier. Des voix aiguës montèrent des entrailles du bâtiment. Cobb sentit la menace qui pesait sur lui avant même que son oreille eût perçu les sons qui la concrétisaient.

On commençait à gravir les marches au-dessous de lui.

Il retint son souffle ; les intrus montèrent jusqu'au troisième étage et poursuivirent leur ascension. Il leur ordonna mentalement de s'arrêter sur-le-champ. « Restez où vous êtes. Halte ! »

Mais les bruits de pas persistèrent. Sonores, résolus, ils s'approchaient. Ils atteignirent le quatrième étage – et continuèrent.

Il ne fallait pas qu'on le découvre ainsi, tapi dans l'escalier. Quelle excuse raisonnable pourrait-il leur donner ? Il serait exposé à la curiosité de tous, humilié. Les intrus étaient tout près maintenant.

Il n'avait plus le choix.

Il poussa la porte et se força à marcher hardiment le long du couloir animé, en gardant les yeux baissés pour se protéger de tout regard indiscret. Plus que quelques mètres avant son refuge. Là, il pourrait attendre l'occasion propice en toute sécurité.

Quand il fut certain que personne ne le regardait, il se glissa dans la pièce et referma vivement la porte derrière lui. Obscurité de crypte. Il fouilla dans ses poches, mais n'y trouva pas d'allumettes. Bras tendus, il avança à tâtons pour chercher le cordon de la lampe ; ses doigts frôlaient craintivement des objets qu'il était impuissant à identifier.

Au centre de la pièce, il trébucha et jura. Ses forces l'abandonnaient. Une terreur panique le submergea, l'entraîna dans un ténébreux et fatal maelström.

Stop !

Il serra les dents et s'efforça de se ressaisir. Il fit appel aux rudimentaires exercices du premier niveau. Cartographie mentale. Toute organisation spatiale – universelle, terrestre ou domestique – obéissait aux mêmes lois élémentaires.

Il ferma les yeux pour se défendre de la noire invasion et concentra son esprit sur un point focal dont il postula les coordonnées sur le mur invisible. Puis des calculs complexes lui permirent de déterminer l'emplacement de tout objet donné à l'intérieur de cet espace restreint. Alors il n'eut plus qu'à tendre la main pour trouver un objet. Il toucha un rectangle lisse et encadré : son miroir.

Avec un regain d'assurance, il se tourna et s'avança vers l'endroit où la lampe ne pouvait manquer de se trouver. Il sentit l'abat-jour sous ses doigts et saisit le cordon qui pendait dessous. Une petite secousse triomphale vers le bas, et la pièce fut inondée d'une douce lumière rose.

Cobb regarda attentivement autour de lui. Tout paraissait en ordre. Le fil serpentin avait été déplacé, mais c'était sûrement lui qui avait fait ça.

En attendant que le remue-ménage extérieur cesse, il ouvrit la boîte en plastique et contempla l'animal frétillant. Il était fasciné par les mouvements exubérants de la bestiole qui se tortillait et gigotait dans une heureuse inconscience.

Cher spécimen. Cobb imagina ce petit corps brillant gorgé du sang de l'enfant. Il pourrait ainsi extraire les précieuses humeurs directement, dans la forme non altérée dont il avait besoin. Il n'y aurait pas d'évaporation des humeurs essentielles, comme quand le sang du spécimen était conservé dans ces désastreux tubes de laboratoire. Il avait besoin d'un produit pur, et il l'aurait dès que…

C'est le silence qui le tira de sa rêverie. Toute activité avait cessé dans le couloir. Précieuse accalmie.

Cobb sortit furtivement de la pièce et, serrant contre lui la boîte qui contenait le « véhicule », se dirigea vers la chambre du spécimen.

## 36

La jeune infirmière était revenue. James ne pouvait toujours pas retenir les vrais noms, mais il s'était arrangé pour fixer une étiquette imaginaire sur chacune des personnes qu'il voyait régulièrement dans ce bruyant univers hospitalier. Il y avait la jeune infirmière, l'infirmière ridée, l'infirmière Eh-bien, le docteur Coucou, Mister Blabla, l'homme-ombre.

*L'homme-ombre…* À cette idée, un frisson lui parcourut l'échine. Il eut une horrible vision d'aiguilles acérées, de dents mauvaises luisant dans l'obscurité, d'yeux-tunnels.

Il chassa l'affreuse image de son esprit.

La jeune infirmière était en train de tapoter son oreiller et de le retourner. Sensation de fraîcheur. Jolie jeune fille. Sa main sur sa joue était chaude et douce comme un pudding. Elle avait un visage lumineux et des yeux clairs comme de l'eau de roche.

Double visage lumineux, doubles yeux clairs. Maintenant elle allait derrière lui pour tendre les draps. Il observa ses deux bouches jumelles, qu'il voyait à l'envers, et essaya de s'amuser de cette bizarrerie.

Elle dit quelques mots. Sa voix lui rappela les petites cloches mélodieuses que la maîtresse lui avait confiées en classe de musique parce qu'il était le seul à pouvoir déchiffrer une partition. C'étaient des sons aussi aériens et tintinnabulants qui sortaient de ses lèvres renversées.

Après tant d'essais, James avait conscience de la probable inutilité d'un nouvel effort. Mais il décida de faire une dernière tentative pour expliquer son inquiétude à la jeune infirmière.

– Homme-ombre. Vinton. Pop… Maman. Porte.

– Voilà, Jimmy. Tu es bien comme ça ?

– Tunnel vert. Mme Bateau.

– Calme-toi, mon ange. Tu sais quoi ? Je viens d'avoir ta maman au téléphone, et elle m'a chargée de te dire qu'elle allait venir te tenir compagnie un moment. Elle sera ici dans quelques minutes. Alors tu pourrais peut-être te détendre et te reposer un peu en attendant ?

James essaya de suivre son conseil. Il regarda sa double silhouette dynamique quitter la pièce et refermer la porte derrière elle. Il fut saisi d'une forte appréhension quand il entendit le déclic de la serrure.

Et si l'homme-ombre revenait ?

Il voulait fermer son esprit à cette sinistre éventualité, mais elle ne cessait de se glisser comme un serpent dans ses pensées. L'homme-ombre pouvait apparaître à tout moment.

Le moindre bruit dans le couloir le faisait sursauter. Il se crispait au moindre frôlement suspect.

Où était sa mère maintenant ? Il tendait l'oreille dans l'espoir d'entendre le joyeux *ting* ! de l'ascenseur, puis son pas rapide quand elle s'approcherait de sa chambre. Il sentait presque déjà le frais souffle d'air qui le caresserait quand elle ouvrirait vivement la porte, il la voyait déjà s'avancer vers lui en disant : « Ohé, Jimbo ! Comment va mon petit champion du monde ? »

Le souvenir de sa voix lui réchauffa le cœur et le fit sourire. Elle s'assoirait sur le lit près de lui et lui raconterait une histoire.

« Il y avait une fois un petit garçon à figure de ouistiti qui s'appelait James. Il vivait dans une chaumière au fond des bois, une maison avec un jardin plein de mauvaises herbes. Les deux herbes les plus robustes étaient un frère et une sœur qui avaient pour nom Élégant et Colombe... »

Non. Pas cette histoire. Il ne voulait pas penser à ça.

Il avait insisté pour qu'elle lise ce livre dans l'espoir de lui faire comprendre que c'était l'homme-ombre qui l'avait apporté. Il avait voulu attirer l'attention de sa mère sur les étranges visites de l'homme-ombre, sur toutes les choses bizarres et inquiétantes qui se passaient ici. Mais elle n'avait pas compris.

Elle avait cru qu'il voulait simplement entendre cette histoire, encore et encore. Il l'avait entendue si souvent qu'il aurait sûrement pu la réciter par cœur. « ...Et l'herbe vigoureuse, Colombe, prenait soin de fournir à son frère malade, Élégant, la sève dont il avait besoin pour guérir. Et quand Colombe tombait malade, c'était Élégant qui allait chercher la sève revivifiante... »

Stupide histoire.

Si stupide qu'il ne voulait décidément plus y penser. Il chassa de son esprit tout vestige du conte et tâcha de remplir le vide précaire en prononçant d'apaisantes paroles machinales : « Janvier, février, mars... Printemps, été, automne, hiver. Marie, Marie, qu'as-tu planté dans ton jardin ? – Des clochettes d'argent et de jolis lutins. »

James se figea en entendant le gloussement qui suivit. L'homme-ombre s'était glissé dans la pièce sans qu'il s'en aperçoive.

– Ça va de mieux en mieux, hein, mon garçon ?

James était muet de peur. Une grimace grotesque déformait la figure de l'homme-ombre.

– J'ai une surprise pour toi, James. Il existe un moyen

très simple de remplir tes obligations. Il n'y a même pas besoin d'une aiguille. N'est-ce pas formidable ?

James ne pouvait bouger. Il observait l'homme-ombre du coin de l'œil. Il y avait une lueur de malice dans son regard. L'homme tira sur le couvercle d'une boîte en plastique, qui se détacha avec un bruit de papier qu'on déchire. Puis vint un bruit de succion quand il plongea la main au fond du cylindre et dut faire un effort pour l'en retirer.

Quand il ouvrit la main, James vit un petit objet gras et noir qui se tortillait au creux de sa paume. L'homme-ombre porta l'objet à ses lèvres en roucoulant affectueusement : « Chère petite futée... Maligne créature salvatrice... »

Un petit rire nerveux contracta la gorge de James. Mais il se souvint de la fois où il avait ri et de la gifle qu'il avait reçue. Il se mordit très fort la lèvre inférieure.

La voix de l'homme changeait, se faisait plus dure. Il parlait encore à la chose frétillante. « Tu es le digne instrument d'une grandiose entreprise, la servante de la lune noire... Le moment est venu. Voici. »

L'homme-ombre se pencha de telle sorte que James put plonger son regard dans ses yeux vides.

– Reste bien tranquille maintenant.

James réprima un tremblement. L'homme-ombre rabattit ses couvertures. Il sentit une forte secousse sur le haut du plâtre qui emprisonnait sa jambe, et une pression presque douloureuse quand l'homme enfonça de force ses doigts entre sa peau et la paroi du plâtre bien ajusté.

– Ne bouge pas, mon enfant, c'est presque fini.

L'homme retira ses doigts et James sentit sur sa jambe une sorte de curieuse démangeaison moite. Il voulut se frotter la peau, mais ne parvint qu'à gratter le plâtre.

– Ça y est. Tu vois comme c'est simple, merveilleusement simple ? Dors maintenant, James. Repose-toi.

L'homme-ombre se glissa hors de la chambre. James sentait encore l'humide chatouillis sur sa peau. Il enfonça à son tour sa main aplatie sous le bord du plâtre, aussi loin qu'il le put, mais ses doigts étaient trop courts et il ne put atteindre l'endroit qu'il voulait gratter.

Puis il pensa à la petite chose noire. Est-ce que l'hommeombre l'avait laissée sur sa jambe ? James se crispa et se tortilla à cette idée. Il voulait qu'elle s'en aille. Quoi que ce fût, il ne voulait pas de ça *sur* lui.

Il poussa un gémissement de protestation, qui en engendra un autre, puis un autre encore. Sa plainte s'amplifia d'elle-même et acquit une force effrayante. Il entendait les cris stridents inspirés par sa propre terreur, mais ils semblaient venir de quelqu'un d'autre. Il ne pouvait rien sur eux, il était impuissant à faire cesser ces hurlements.

Où était sa mère ? Pourquoi n'était-elle pas encore là ?

## 37

– Votre nom ?

– Cinnie Merritt.

– Comment vous sentez-vous, madame Merritt ? Vous voulez que j'appelle une ambulance ?

Elle lui dit que non. Elle n'avait vraiment pas la moindre envie de remettre les pieds dans une ambulance. De toute façon, aucune de ses contusions n'était plus douloureuse qu'une meurtrissure superficielle. Beaucoup de bosses et de bleus, mais rien qui méritât des bouquets de fleurs ou des marques de sympathie exceptionnelles. Bras croisés sur sa poitrine, elle contempla les débris de la Porsche.

La route était jonchée d'éclats de verre. Ce qui restait de la chère voiture de Paul ressemblait à un accordéon rouge en piteux état. La carcasse formait avec le trottoir un angle singulier ; il en émanait une fumée âcre et un grésillement d'huile brûlante.

Cinnie savait qu'elle était elle-même bien sonnée. Sa voix tremblait, et elle reconnut, dans la torpeur qu'elle ressentait, le symptôme d'un léger état de choc. Sa bouche était crayeuse, son cœur battait la chamade.

Une dizaine de mètres plus loin, un autre policier parlait avec un chauffeur de camion, un géant blond dont elle remarqua les moustaches tombantes, le gilet de chasseur orange, la collection impressionnante de tatouages sur les bras, et l'expression furibonde. Il affirmait, de toute la force de ses énormes poumons, que tout était arrivé par la faute de Cinnie. Il y avait une entaille bien nette, une seule, sur le côté de son camion de produits alimentaires, une simple fossette entre les pommes et les bananes peintes.

– Cette femme a surgi de nulle part dans sa tire de luxe. Elle croit que la foutue route lui appartient !

Cinnie essaya de rester calme.

– Écoutez, monsieur l'agent. J'allais voir mon fils à l'hôpital. Cet individu a déboulé de la rampe d'accès de la route des Parcs sur High Ridge sans prendre la peine de regarder ou de ralentir. Mais je n'ai pas le temps de discuter de ça maintenant. Personne n'est blessé, c'est le principal. Alors, s'il vous plaît, ne pouvons-nous pas laisser nos compagnies d'assurances s'occuper du reste ? Il faut que j'aille voir mon fils.

– Merritt ? dit le policier. C'est votre petit garçon qui a été renversé par un chauffard ?

– Oui. S'il vous plaît, il faut que j'aille à l'hôpital. J'ai eu son infirmière au téléphone et elle m'a dit que James ne se sentait pas bien du tout…

Le policier se tourna vers le camionneur.

– Cette dame dit que vous veniez de la route des Parcs. C'est vrai ?

– Ouais, mais…

– Mais rien du tout, l'ami. Vous ne savez pas que cette route est interdite aux camions ? Et même si ce n'était pas le cas, auriez-vous oublié par hasard qui a priorité sur une voie d'accès ?

Le type se mit à bafouiller et les flics levèrent les yeux au ciel. L'un d'eux commença à dresser un procès-verbal pour infractions au code de la route, tandis que l'autre ouvrait la portière de la voiture de police et proposait à Cinnie de la conduire à Fairview. Le brave garçon se montra même disposé à appeler une dépanneuse pour qu'elle enlève la Porsche. C'était réconfortant de voir comme certains flics pouvaient être prévenants et efficaces.

Lorsque le policier la déposa à l'entrée de l'hôpital, Cinnie avait déjà relégué l'accident au dernier rang de ses préoccupations. Malgré tout l'amour que Paul portait à sa voiture, ce n'était rien de plus après tout qu'un stupide tas de ferraille. Elle pouvait être réparée, remplacée, oubliée si nécessaire. Si Paul choisissait de piquer une colère ou de se morfondre à cause de ça, c'était son problème. Rien d'autre que James n'avait d'importance à présent.

Les cris frappèrent ses tympans dès que la porte de l'ascenseur s'ouvrit au cinquième étage. Des hurlements désespérés. Cinnie sut aussitôt que c'était James qui les poussait.

Elle se précipita dans sa chambre. Deux infirmières et un interne essayaient de le calmer. Tout le monde avait l'air énervé et épuisé, surtout James. Son visage était marbré de rouge, enflé et barbouillé de larmes, sa bouche distendue par l'effort qu'il faisait pour crier, sa voix fatiguée et rauque.

– Ça va, Jimbo. Tout va bien, mon chou. Chut. Allons, ne pleure plus…

Elle le prit sur ses genoux, plâtre et tout. Elle pressa la joue de l'enfant contre son épaule. Il était tout en sueur, et son petit corps était secoué de sanglots hystériques.

– C'est fini, mon cœur. Sssh. Dis-moi ce qui ne va pas. Maman va arranger ça.

Il se calma progressivement. Elle le serra contre elle jusqu'à ce que ses sanglots s'apaisent tout à fait.

– Là, voilà qui est mieux. Tu veux un verre d'eau ?

Elle prit le gobelet que lui tendait une infirmière et James but une gorgée en reniflant. Elle passa une serviette humide et fraîche sur le visage et le cou de son fils, puis elle lui mit un pyjama propre et le recoucha dans son lit, où il eut l'air d'un ballon dégonflé.

– Ça va mieux maintenant, mon chéri ? Tu peux me dire ce qui s'est passé ?

Elle fit signe aux troupes de se retirer. Les infirmières et le jeune docteur acquiescèrent en silence et sortirent de la chambre. Ils semblaient tous mûrs pour une retraite anticipée.

Elle s'assit sur le bord du lit et caressa le front de James. Le pauvre lapin avait manifestement subi un gros choc émotionnel.

– Dis-moi, mon ange. Est-ce que tu as fait un cauchemar ?

Il secoua la tête pour dire non.

– Tu as mal quelque part alors ? C'est ça ? Tu peux me montrer où ?

Il toucha son plâtre, juste au-dessus du genou.

– C'est ta jambe qui te fait mal ? C'est pour ça que tu pleurais ?

Il fit oui de la tête.

– Oh ! mon pauvre chou. Je suis désolée. Je vais appeler le docteur. C'est sans doute le plâtre qui est trop serré ou quelque chose comme ça. Je m'en occupe tout de suite, trésor. Patiente une minute. D'accord ?

Il n'y avait pas de téléphone dans les chambres du service pédiatrique. Cinnie répugnait à quitter son fils, ne fût-ce qu'une minute, mais elle n'avait pas le choix. D'ailleurs il était beaucoup plus calme maintenant. Elle imagina comme cela avait dû être frustrant pour lui d'avoir mal et de ne pouvoir le dire à personne.

– Je reviens tout de suite.

Dans le couloir elle croisa un visage inquiet après l'autre. Elle aurait voulu hurler des injures à chacun d'eux, peut-être tordre quelques cous. Pourquoi avait-on laissé James souffrir ainsi ? Quelqu'un aurait pu prendre le temps de chercher à savoir ce qui le tourmentait.

Elle appela le docteur Rosenquist, l'orthopédiste qui avait réduit la fracture de James. Elle expliqua le problème à sa secrétaire, mais celle-ci lui répondit que Rosenquist était déjà parti. C'était le docteur Terry qui le remplaçait cette nuit-là.

Cinnie ne connaissait que trop bien ce Terry ; elle ne lui aurait même pas confié ses cheveux. L'avantage de travailler dans un hôpital, c'est que vous ne tardez guère à apprendre quels nobles médicastres il vaut mieux éviter.

Elle essaya deux ou trois autres orthopédistes, mais aucun d'eux n'était très chaud pour s'occuper d'un patient soigné par un autre médecin de l'hôpital. Elle ne savait plus vers qui se tourner, quand elle pensa au docteur Ferris.

La secrétaire de Ferris décrocha à la deuxième sonnerie. Cinnie lui expliqua l'urgence du problème.

– Il a très mal. Il faut que quelqu'un vienne le voir ce soir, et son orthopédiste n'est pas là.

La secrétaire répondit que Ferris était en visite, mais qu'elle pouvait le contacter grâce à son bip.

– Je vais le biper et lui demander de vous rappeler aussitôt, madame Merritt. S'il y a une chose que le docteur Ferris ne supporte pas, c'est bien de voir un enfant souffrir inutilement.

– Merci. J'attends ici.

Elle donna à la secrétaire le numéro du téléphone qu'elle utilisait et raccrocha, soulagée. Ferris était consciencieux et compétent. Il viendrait dès qu'il le pourrait et prendrait les choses en main. Cinnie savait qu'il n'était pas nécessaire d'être un chirurgien orthopédique pour découper un morceau de plâtre afin de voir ce qui n'allait pas dessous.

– Oh ! bonsoir. Comment va Jimmy ? Est-ce qu'il s'est calmé ?

C'était la jeune infirmière qui avait répondu à Cinnie au téléphone. Elle sortait de l'ascenseur. Elle revenait probablement d'une pause-café et n'avait pas assisté au tohubohu.

– Sa jambe lui fait mal. Je n'ai pas pu joindre Rosenquist, mais j'attends que le docteur Ferris me rappelle.

– Ah ! bien. Ferris connaît son affaire. Quand j'ai un problème avec un enfant, je suis toujours contente de le voir arriver.

– Oui. Moi aussi.

Le téléphone sonna quelques instants plus tard. Ferris n'avait pas encore répondu à l'appel de son bip, mais la secrétaire était certaine de pouvoir le contacter dans les minutes qui suivraient.

– Il est toujours disponible quand il dit qu'il le sera, madame Merritt. Il est sans doute en train de prendre une douche ou quelque chose comme ça.

– Vous êtes sûre ?

– Absolument. Retournez près de James, et je vous enverrai le docteur dès que je pourrai le joindre. Ne vous en faites pas. Il sera là très bientôt.

Cinnie était encore toute bouleversée. En retournant dans la chambre de James, elle s'arrêta un instant dans les toilettes pour s'asperger le visage d'eau froide et retrouver son calme. Elle ne serait certainement d'aucun secours à son petit garçon si elle craquait elle-même à toutes les coutures.

Tout allait bien se passer. Ferris n'allait pas tarder à arriver, et il ferait le nécessaire pour que James cesse d'avoir mal.

Très bientôt, il ne sentirait plus ce qui le gênait.

... Plus tôt, en fait, qu'elle n'aurait pu l'imaginer. Alors même qu'elle se tenait devant le miroir des toilettes et prenait la résolution de faire bonne figure devant James, Malcolm Cobb était revenu dans la chambre de l'enfant. Il avait entendu Cinnie parler au téléphone et essayer d'obtenir de l'aide pour son fils. Il lui fallait récupérer le « véhicule » avant que celui-ci ne fût découvert.

## 38

La Mustang traversait des paquets de brouillard collés à la route. Drum était parti avant l'aube. Sa respiration était difficile, son cœur cognait comme un carburateur encrassé. Cette foutue affaire l'épuisait. Quand tout ceci serait fini, il faudrait qu'il trouve le moyen de prendre des vacances en famille dans les Caraïbes. Il avait vraiment besoin de passer une semaine sur une de ces îles si tranquilles que même les poissons y crèvent d'ennui. Il faudrait qu'il se débrouille pour faire lâcher du lest à Carmody. Il ne pouvait imaginer un meilleur usage pour la caisse noire du département.

Il suivit le dédale de petites routes menant au Bois-Tyler et tourna entre les colonnes de pierre brisées. Le quartier était encore endormi. Toutes les maisons étaient sombres et silencieuses, les volets clos. Le seul signe de vie était un chat tigré dont la silhouette furtive se découpait sur le sol gelé.

Drum s'arrêta devant la maison des Merritt. Il savait par son ami Louis Packham qu'une enveloppe l'attendait dans la boîte aux lettres. L'enveloppe était épaisse. Apparemment, la mère de l'enfant avait trouvé beaucoup de choses à dire. Il espérait que certaines d'entre elles seraient intéressantes.

High Ridge Road coupait la frontière de l'État de New York huit kilomètres au nord du Bois-Tyler avant de traverser la petite ville résidentielle de Pound Ridge. Drum passa devant un parc impeccable et une rangée de vieilles demeures en bois désormais affectées à un usage municipal : bibliothèque, poste, société d'histoire, petit musée. L'endroit était typiquement « Nouvelle-Angleterre ». Drum avait l'impression bizarre d'être tombé hors du monde réel et d'avoir atterri dans un tableau de Norman Rockwell.

Il suivit un moment la rue principale, en repérant les rares stations-service, garages et ateliers de carrosserie qui figuraient sur sa liste. L'activité de ce patelin semblait plutôt réduite. Il faut dire que les bipèdes qui vivaient là avaient déjà accompli le plus gros de leur travail en naissant de parents riches.

Finalement la route tourna à gauche, vers le village de Bedford, et Drum en fit autant. Les terrains et les maisons devinrent de plus en plus grands et espacés, et finirent par disparaître, comme des géants timides, derrière de hautes clôtures grillagées et des haies taillées au cordeau. Les seuls signes de présence humaine désormais étaient les noms de propriétés soigneusement gravés et les écriteaux mettant en garde contre les chiens méchants, les systèmes d'alarme perfectionnés et tout ce que vous risquiez si vous passiez outre. Il s'arrêta à la sortie de la ville et fit demi-tour.

En revenant vers le centre, il parcourut les quelques rues latérales mentionnées sur sa liste. Il y avait deux garages pris en sandwich entre des rangées de magasins fermés, un autre à côté d'une petite école privée, et un autre encore, à moitié caché derrière les spécimens d'arbustes et les petits sapins de Noël d'un pépiniériste.

À chaque arrêt, il engageait lentement la Mustang sur le parking et descendait jeter un coup d'œil derrière la devanture. Se souvenant des paroles de Driscoll, il cherchait des traces de collision sur le côté droit d'un pare-chocs avant appartenant à une berline ou un break de taille moyenne, de marque étrangère et d'un modèle récent.

Rien de ce qu'il vit ne correspondait à la description de Barbac, mais la voiture qu'il cherchait avait pu être récupérée ou revendue depuis longtemps.

Pensant que Driscoll pourrait peut-être l'aider à la retrouver, il prit la direction de Scotts Corners.

La station-service de Driscoll était plongée dans l'obscurité. Drum frappa, mais personne ne répondit. Alors il gravit l'escalier extérieur tout branlant qui menait à l'appartement que Barbac se réservait au-dessus du garage et martela la porte du poing. Toujours pas de réponse, mais les coups avaient délogé un bout de papier coincé entre la porte et le montant. C'était un mot priant le laitier de suspendre toute livraison jusqu'à nouvel ordre.

Les singulières habitudes alimentaires de Barbac avaient favorisé la formation d'un ulcère gros comme une citrouille, qu'il traitait en buvant du lait frais à même le carton (souvent arrosé de bourbon pour combattre le cholestérol). Driscoll ne pouvait plus se passer de lait frais, par conséquent la note signifiait qu'il s'était absenté pour un moment. Peut-être visitait-il un de ses lieux de villégiature favoris : Attica ou Sing Sing...

Encore une heure environ avant que les premiers commerces n'ouvrent. Drum alla se rasseoir dans la Mustang, prit la bouteille thermos à l'effigie de Hulk Hogan qu'il avait chipée dans le cartable de Booker, se versa un peu de café, et ouvrit l'enveloppe.

Le compte rendu de Mme Merritt était très clair et détaillé. On avait raison de dire que c'étaient les pires moments de votre vie qui se gravaient le plus profondément dans votre mémoire. Sillons brûlants, cicatrices aussi indélébiles que celles qui zébraient son propre visage...

Le temps d'un claquement de doigt, et tout revenait, et il pouvait revivre chaque odieuse minute, revoir chaque détail d'un passé ignoble.

Cet infect ruban de celluloïd l'avait réduit à l'impuissance. Il avait eu très peur de fâcher son oncle, peur que le vieil homme ne le punisse en faisant projeter le film au Majestic. L'atmosphère dans la maison de Liam était irrespirable, mais Jerry ne pouvait pas partir, ne pouvait aller nulle part tant que cette bobine de film était dans ce bureau.

Il passait tout son temps à chercher un moyen de s'en sortir. Ses nuits étaient peuplées de rêves empoisonnés et de pensées meurtrières. Il aurait tant voulu voir Liam tomber raide mort... Mais même la mort du vieux dégueulasse ne l'aurait pas délivré. Il savait qu'il ne serait pas libre tant qu'il n'aurait pas détruit ce maudit film.

Son plan prit forme dans son esprit des semaines avant qu'il ne trouve le courage de le mettre à exécution. Un moyen tout simple de couper les liens qui le retenaient prisonnier. Cela marcherait. C'était certes risqué, mais les risques qu'il courait en ne faisant rien étaient bien plus grands encore – si grands qu'il ne voyait qu'eux. Cette menace était pareille à une énorme chaîne de montagnes noires qui bouchait tout son horizon et faisait de son existence quelque chose de froid et de vide. Quelles qu'en fussent les éventuelles conséquences, il lui fallait détruire ce film.

Il attendit le moment propice. Un soir enfin il fut certain que Liam s'était absenté pour la nuit. Kurt, son domestique, interrogé, lui avait assuré que son oncle passerait cette nuit-là à Manhattan.

Kurt partit à son tour après le dîner. Jerry resta assis un moment, écouta le silence, laissa sa haine s'attiser et le consumer. Il pensa au film jusqu'à ce qu'il fût trop plein de rage pour ressentir de la peur ou quoi que ce soit d'autre.

Plus tôt dans la soirée, il avait subtilisé une bouteille d'essence dans le garage et une boîte d'allumettes dans la cuisine.

Il ne restait personne à la maison, et pourtant c'est à pas de loup qu'il se dirigea dans la pénombre vers le bureau de Liam. Son sang était glacé, son cœur se contractait dans sa poitrine comme un ver sur un hameçon.

Il arrosa d'essence plusieurs feuilles de papier et les glissa sous la porte du bureau. Si la flamme était assez forte, la moquette prendrait feu. C'était là-dessus qu'il comptait. D'abord la moquette, puis le feu gagnerait peu à peu les tentures et les lambris.

Personne n'était attendu avant le retour de Kurt le lendemain matin. À ce moment-là il ne resterait plus rien dans le maudit bureau, et Jerry serait parti depuis longtemps.

Il frotta une allumette et l'approcha de ce qui dépassait d'une des feuilles de papier. La chose s'embrasa avec un petit bruit rassurant. Jerry entendit les flammes bondir de l'autre côté de la porte et perçut une odeur de laine brûlée.

Il attendit deux minutes pour être sûr que le feu avait pris, puis s'apprêta à déguerpir. Il n'avait aucune idée de l'endroit où il irait. Il s'en fichait, du moment que ce serait assez loin de là – assez loin pour qu'il n'ait plus jamais à poser les yeux sur ce monstre gras et laid.

Il sentit une odeur de fumée et décida d'attendre une minute de plus pour être absolument certain que le feu ne s'était pas éteint. Quelques secondes de plus.

Satisfait, il s'éloigna en direction de la porte d'entrée. Sa main était déjà sur la poignée quand un coup de feu le figea sur place. Il se retourna et vit Liam au milieu du vestibule, le visage convulsé de rage et de haine.

– La prochaine fois, je ne tirerai pas à côté, Jérémie. Je te ferai mourir à petit feu, vipère. Je commencerai par ta chère petite saucisse. On verra de quoi elle a l'air une fois grillée.

Il braqua son pistolet sur l'entrejambe de Jerry.

– Tu ne voudrais pas que je fasse ça, hein ? Tu ne voudrais pas que je fasse de toi une fille, Jérémie. Ç'a été ton gros souci pendant tout ce temps, pas vrai ? (Il secoua la tête et renifla.) Je t'ai recueilli chez moi, je t'ai donné tout ce que tu voulais. Et voilà comment tu me remercies…

Liam garda son pistolet pointé sur le bas-ventre de Jerry et le fit reculer vers le téléphone de la cuisine. Puis il décrocha le combiné en lui souriant d'un air mauvais.

– Il semble que tu ne m'aies pas laissé le choix, mon gars. D'abord j'appelle les pompiers. Et ensuite il faudra que je signale tout ceci aux flics. C'est mon devoir civique de leur faire comprendre quelle sorte de garçon tu es, quels goûts pervers tu as. Comme c'est triste, messieurs, de voir ce qu'est devenu le fils de mon cher frère… Ce pauvre Matt se retournerait dans sa tombe s'il savait, hein, Jérémie ? Ton père n'a jamais eu d'indulgence pour certains goûts. Il ne se privait pas de raconter ces petites histoires de pédés…

Jerry sentit sa colère se transformer en une fureur irrépressible. Un son inhumain jaillit de sa gorge. Il se jeta dans les jambes de Liam, le plaqua au sol et se mit à bourrer de coups sa chair flasque. Ses poings s'acharnèrent sur le corps étendu. Une rage monstrueuse leur donnait une force de marteau-pilon.

Liam se dégonfla comme un ballon percé et devint inerte. Haletant, Jerry regarda avec horreur le corps cadavéreux de son oncle. Un peu de sang coulait de ses narines distendues, et il y avait des marques livides sur ses membres bouffis. En dehors de ça, le vieux ressemblait à une grande outre vide.

Paralysé par l'effroi, Jerry recula en titubant. Il était tellement sûr que Liam était mort qu'il ne comprit pas tout de suite d'où sortait la main qui se détendit brusquement et agrippa sa cheville. Il tomba, et sa tête heurta le parquet ciré. Il vit trente-six chandelles, et l'air lui manqua.

Il fit un gros effort pour rester conscient et roula sur le dos. Il entrevit un éclair métallique quand Liam abattit la crosse de son pistolet sur son visage. Il sentit un craquement dans son nez et un goût de sang dans sa bouche. Puis vint une douleur fulgurante quand Liam écrasa son poignet avec le pistolet. Un autre coup sauvage sur son genou, et il perdit connaissance.

Il revint à lui dans un véritable enfer.

A travers une forêt de flammes lui parvint une odeur de roussi. Mais c'étaient ses propres cheveux, sa propre peau qui brûlaient. De noirs panaches de fumée âcre emplissaient le vestibule, en chassaient l'air. La maison était un cauchemar d'incandescence et de chaleur torride ; des meubles s'embrasaient comme du papier sec, des poutres s'écrasaient dans des nuages d'étincelles.

Ses jambes semblaient réduites à l'état de moignons engourdis. Il trébucha quand il voulut se relever. Il se dirigea, en rampant à moitié, vers la porte d'entrée. La fumée lui brûlait les poumons. Sa terreur prit la forme d'un serpent qui s'enroulait autour de son cou et commençait à serrer.

Il parvint enfin à atteindre la porte. Mais quand sa main toucha le métal de la poignée, elle se rétracta vivement sous l'effet de la douleur. Désespéré, il se dirigea tant bien que mal, à travers un rideau de flammes, vers la fenêtre.

Plus près, là, une lueur…

Il s'élança vers le panneau de verre déchiqueté et le traversa comme si c'eût été un jet d'eau fraîche. Il ne ressentit rien d'autre qu'un exquis soulagement.

L'air nocturne était d'une douceur incroyable. Il s'en emplit les poumons et en fut tout étourdi. Le ciel était rouge, des bruits de sirènes s'amplifiaient. Jerry eut tellement l'impression de retrouver le monde réel que des larmes de gratitude se mêlèrent au sang de ses joues.

Mais il savait que tout était changé, déchiré en fragments méconnaissables. Personne ne pourrait le sauver maintenant.

Liam était sûrement mort dans l'incendie. Et c'était lui, Jerry, qui l'avait tué. Il fallait qu'il s'éloigne avant l'arrivée des flics, il fallait qu'il s'enfuie…

Drum s'arracha à sa noire rêverie. Pas maintenant. Ça suffit, mon vieux. Remets tout ça dans la boîte et referme le foutu couvercle.

Sa gorge était sèche. Il emplit à nouveau de café sucré le petit gobelet rouge et le vida. Dehors, l'aube était brumeuse. La sensation d'étouffement s'estompa. Il reprit les feuillets d'une main tremblante et se força à continuer sa lecture.

Un quart d'heure plus tard, il en était venu à bout. Deux ou trois détails avaient retenu son attention, et il les ajouta à sa liste grandissante d'indices vagues et incohérents.

Mais d'abord la voiture. Il avait décidé de commencer ses recherches vers le nord, car il y avait beaucoup moins de garages dans cette direction. Et la bibliothécaire solitaire avait vu une auto foncer vers l'embranchement de High Ridge, où la route rejoignait la voie menant vers le nord.

Si cela ne donnait rien, il lui faudrait redescendre vers Stamford, Greenwich, la dense agglomération de Westchester, voire d'autres bourgades de l'État de New York. Les possibilités y seraient infinies. Perspective peu réjouissante.

Mais quelque chose lui disait que ce ne serait pas nécessaire. Il était peu probable qu'un type désireux de disparaître en plein jour avec un pare-chocs ensanglanté et cabossé eût choisi de se diriger vers le centre congestionné de Stamford. Pas quand le bout du monde n'était qu'à quelques kilomètres dans la direction opposée…

Il commença par le garage le plus proche du lieu de l'accident. Il se fit passer pour un enquêteur de l'Automobile Club. Les garagistes tenaient beaucoup à rester dans les bonnes grâces de cette puissante association. Des tas de tuyaux leur parvenaient par ce canal. Cela pouvait même être plus efficace que de traquer les ambulances ou d'écouter les fréquences radio de la police.

Drum raconta qu'il relevait les taux d'accidents récents par marque et par modèle pour les besoins d'une enquête sur la sécurité routière. L'échantillon couvrait les trois dernières semaines.

Il savait exactement ce qu'il cherchait, mais ses quatre premières visites furent infructueuses. Le dernier garage sur sa liste pour ce secteur était Bud's Auto, près de Bedford Center.

Drum commençait à perdre courage. Il ne pouvait exclure la possibilité que la voiture fût en train de languir dans une grange ou un garage privé, ou de rouiller au fond d'un étang ou d'une rivière. Mais il comptait sur le désir qu'avait dû éprouver le chauffard d'effacer toute trace de l'accident. Solution permanente. Tout bien propre et net.

Bud's Auto ressemblait plus à un décor de cinéma qu'à un vrai garage. Drum arrêta la Mustang devant les grandes vitres immaculées du bâtiment. Il y avait surtout d'exotiques voitures d'importation sur le parking. Bud devait s'être spécialisé dans les éraflures de portières et les garnitures tachées.

Trois mécaniciens buvaient du café dans le bureau quand il y entra : un type grand et fort qui ne pouvait être que le patron, le même en plus jeune, manifestement le fils du grand sachem, et un autre jeunot qui, lui, avait du vrai cambouis sous les ongles. Le grand type darda un regard sévère sur le visiteur. Drum devina qu'il n'avait pas le chic de sa clientèle habituelle.

Il refit son numéro d'enquêteur de l'Automobile Club, et le patron mordit à l'hameçon. Il dit qu'il aurait été heureux de coopérer, mais qu'il n'avait pas beaucoup d'accidents à signaler. Il expliqua que le plus gros de leur travail était consacré à l'entretien des voitures. Pour deux cents dollars, ils les nettoyaient de fond en comble, à la main, au grattoir et à la brosse à dents. Drum ne fit aucun commentaire, mais il se dit que pour ce prix-là il n'aurait sûrement pas apprécié qu'ils se contentent de vider ses cendriers et frotter ses enjoliveurs.

Le patron sortit un registre et se mit à énumérer leurs travaux les plus récents. De nombreux nettoyages de routine, mais seulement trois véhicules accidentés dans les trois dernières semaines : une Corvette noire dont la portière droite était légèrement cabossée, une Land Rover beige égratignée, et une Rolls bleu clair au pare-choc arrière à peine entamé.

Tout en écoutant, Drum regarda attentivement autour de lui et remarqua quelque chose de très intéressant. Pensant que ce pourrait bien être son jour de chance après tout, il laissa le patron parler jusqu'à ce que la sonnerie du téléphone retentisse dans le bureau immaculé. Quand le type s'éloigna tranquillement pour aller répondre, Drum agita la main pour dire au revoir et se dirigea vers la sortie.

Parfait. Le fils du patron était occupé à astiquer les chromes d'une Jaguar. Drum fit signe au jeune Monsieur Doigts-Crasseux de le suivre dehors et tint la porte ouverte pour lui. « Je voudrais vous montrer quelques taches de rouille sur ma carrosserie, l'ami », dit-il, assez fort pour que toute personne intéressée puisse l'entendre. Puis il prit le jeune gars par le coude et l'entraîna vers la Mustang.

Le garçon remarqua le rictus féroce qui se dessinait sur les lèvres de Drum et commença à avoir l'air un peu nerveux. Quand ils furent près de la voiture, Drum tapota le capot et cligna de l'œil.

– Quelque chose me dit que tu travailles un peu pour ton propre compte. Je ne me trompe pas ?

– De quoi vous voulez parler ?

– De boulot, l'ami. Une petite réparation, juste entre toi et moi. Tu t'occupes de ma petite chérie, je te paye directement et je bénéficie d'un tarif raisonnable. On s'y retrouve tous les deux, alors où est le mal, pas vrai ?

Le gars haussa les épaules et prit un petit air innocent.

– Ça serait pas bien d'ma part de m'arranger avec les clients, m'sieur. J'travaille pour Bud.

– Ouais, c'est vrai, tu travailles pour lui. Du moins, tant que je ne lui dis pas que tu fais des bénefs sur son dos. Je parie qu'après ça tu seras un travailleur indépendant à plein temps, gros malin.

– Hé, charriez pas. Vous en savez rien du tout.

– Ah, tu crois ça ? (Drum empoigna une des pattes sales du gars et la leva à la lumière du soleil.) Voyons voir... Nous avons ici un beau gris métallisé, une trace de rouge Ferrari, un souvenir de Lincoln bleu saphir, année 89. Tu veux que je continue ? Ou tu penses que Bud n'aura pas besoin d'entendre la triste histoire dans son entier pour te botter le cul ?

Le garçon se mit à pleurnicher.

– S'il vous plaît, m'sieur. J'peux pas m'en tirer avec c'qu'y m'donne. Personne le pourrait. Alors de temps en temps j'fais des petits boulots après les heures de travail. Vous l'avez dit vous-même, où est le mal ?

– Absolument.

Le gars reprit courage.

– Alors c'est entendu. Ch'rai heureux d'vous dépanner. Une chouette bagnole qu'vous avez là. Quel soir voulez-vous l'amener ? C'est quand vous voulez. J'vous l'fais à l'œil.

Drum posa un bras paternel sur les épaules du garçon.

– Tout ce que je veux, c'est un petit renseignement, fiston. Si tu me dis quelque chose de vraiment intéressant, j'oublierai sûrement de raconter ce que je sais au grand Bud.

## 39

Complètement écœuré, Drum recula d'un pas et lança violemment le combiné vers le sol. L'objet alla s'écraser sur la paroi en plexiglas de la cabine téléphonique, où il laissa un satisfaisant réseau de craquelures.

Ça allait déjà mieux.

Il recommença plusieurs fois, jusqu'à ce que la paroi eût l'air toute givrée et que les entrailles du combiné pendissent au bout du cordon métallique. Cet exercice eut pour effet de calmer sa fureur. Dommage que ce crétin de psy ne fût pas là. Il aurait assisté à un transfert d'agressivité comme il n'en avait jamais imaginé.

Pourquoi rien n'était-il jamais simple ?

La piste toute chaude était en train de se transformer en un foutu sac de nœuds.

Le jeune mécano de Bud s'était révélé être le bon ticket finalement. Le gars avait réparé au noir cinq voitures au cours des trois dernières semaines. Deux d'entre elles correspondaient à ce que Drum recherchait : une Audi 5 000 marron et un break Peugeot vert. Il n'avait eu aucun mal à découvrir quelle était la bonne.

L'Audi appartenait à un type entre deux âges qui avait déclaré qu'il était entré dans un poteau téléphonique après avoir dérapé. D'après le mécano, les dégâts avaient confirmé ses dires. Large échancrure régulière dans le pare-chocs avant droit.

Mais pour la Peugeot, c'était une autre histoire. Un inconnu était arrivé en fin d'après-midi, trois semaines auparavant, et avait dit au mécano qu'il avait un travail urgent à lui confier. Le garçon avait accepté et lui avait donné rendez-vous au garage une heure après la fermeture.

Quand l'individu était revenu, il avait eu l'air très nerveux. Il y avait une trace d'impact sur le pare-chocs avant droit de la Peugeot, des taches de sang séché sur le pare-chocs et le capot et d'autres sur le pare-brise. Le type avait prétendu qu'il avait heurté un chevreuil.

Les dégâts avaient été faciles à réparer. Pour cela il avait suffi de quelques coups de maillet sur le pare-chocs, d'un peu de ponçage et d'une rapide pulvérisation de peinture en bombe. L'homme était revenu chercher sa voiture deux heures plus tard comme convenu. Il s'était comporté comme quelqu'un de très pressé, avait payé cash et était reparti sans prononcer plus de mots qu'il n'était nécessaire.

Le gars avait dit à Drum qu'il s'était tout de suite douté que l'histoire du chevreuil était bidon. Il avait vu des tas de bagnoles embouties à la suite de collisions de ce type. Le plus souvent on aurait dit qu'elles avaient percuté un mur de brique ; rien à voir avec un pare-chocs un peu cabossé et quelques traces de sang. Mais il n'avait pas jugé bon d'engager une controverse sur ce sujet. Il était d'avis que les gens pouvaient avoir des tas d'excellentes raisons pour rester discrets sur leurs petites affaires.

Drum avait insisté pour avoir une description utile du conducteur, mais ce type avait été trop fichtrement ordinaire. Tout en lui était banal ou moyen : les cheveux, la taille, les yeux, la corpulence. À en croire le mécano, il n'avait aucun trait distinctif – à part les billets de cent dollars qu'il avait sortis de son portefeuille pour régler son dû.

Le garçon n'avait pas relevé le numéro d'immatriculation et n'avait rien remarqué de particulier du côté de la Peugeot. Drum avait été sur le point de s'en aller quand il avait pensé à lui demander s'il n'avait rien remarqué à l'intérieur de la voiture, sur les sièges ou le plancher.

Il avait vu une lueur s'allumer dans les yeux du mécano. Oui, il y avait un petit livre assez bizarre sur le siège du passager. Le gars s'en souvenait à cause du drôle de dessin qui figurait sur la couverture. Il représentait une tête dont le crâne découpé au-dessus des oreilles laissait à nu le cerveau. Dessous était imprimé un seul mot : BRAINTRUST.

Drum avait donné quelques coups de téléphone et appris que c'était le nom d'une association basée à Los Angeles, dont la condition d'admission était un QI stratosphérique – si élevé qu'il faisait paraître les génies ordinaires, comme ceux qui adhéraient à la plus célèbre MENSA, quasiment demeurés. Naturellement, c'était un très petit groupe, un club très fermé.

Le jour se levait à peine à Los Angeles, mais Drum avait quand même appelé, dans l'espoir que le groupe fût administré à partir d'une maison particulière. Il n'avait eu aucun scrupule à réveiller le particulier en question. Quiconque possédait un cerveau aussi développé pouvait se permettre d'avoir l'esprit un peu embrumé.

Banco. Il avait prévu le cas où il aurait affaire à un répondeur automatique, mais ce fut une fluette voix d'homme qui lui parvint. Il ne prit pas la peine de s'excuser pour l'heure matinale. Il ne s'en jugeait pas responsable. De toute façon, le type n'avait pas l'air si endormi que ça.

– Braintrust. *Mirabile visu.*

– Ouais, c'est ça, vous de même…

La voix fluette émit un gloussement.

– *Mirabile visu* signifie « chose admirable à voir ». C'est la devise de notre association, monsieur… monsieur ?

Drum se présenta sous l'identité de Fred Conga, un documentaliste travaillant pour Donahue. Ils préparaient une émission sur les surdoués et désiraient entrer en contact avec quelques membres de l'association vivant dans la région de New York pour pouvoir les inviter éventuellement.

Le type réagit en poussant un odieux petit rire, qui se prolongea assez longtemps pour lui agacer les gencives.

– Donahue, rien de moins !

– Quoi ? Vous avez un problème avec Phil ? Je vous assure qu'il est adorable.

– Vous ne m'avez pas compris. C'est simplement que nos membres fuient par principe toute forme de publicité. Aucun de nous ne serait prêt à exhiber ou exploiter ses dons d'une façon aussi vulgaire.

La moutarde commençait à monter au nez de Drum, mais il parvint à se dominer.

– Rien de vulgaire en l'occurrence, je vous le garantis. Phil prépare une émission de grande qualité. Très éducative.

– Oh mon Dieu, je suis en retard. Je vais au gymnase maintenant. Je dois vous quitter.

– Mais attendez, il faut que je…

– *Tempus fugit.* Tchao !

Drum avait essayé de retenir le connard en posant des questions sur l'association, mais il n'avait récolté qu'un soupir excédé et une sèche précision : la séance de gymnastique ne durerait pas plus d'une trentaine de minutes.

Il malmena une dernière fois le combiné, quitta la cabine, et entra dans un snack proche pour boire une tasse de café. La fille derrière le comptoir n'arrêtait pas de le dévisager. Il se demanda si c'était de l'intérêt ou du dégoût. Finalement, il s'enfonça un doigt dans une narine et y entreprit quelques fouilles. La fille alla s'affairer à l'autre bout du comptoir. Un mystère vite résolu.

Mais il y avait tous les autres. Le témoignage de cette Lydia Holroyd lui restait en travers de la gorge. Il ne savait toujours pas que penser du père de l'enfant. Qu'avait-il dans la tête ? Des rouages normaux ou tordus ? Et que diable faisait Charlie Allston pour se tenir occupé ? Le shérif adjoint avait passé les trois semaines d'enquête à faire du surplace. Mais peut-être le bousillage, si vous l'éleviez à une forme d'art, était-il un travail à plein temps.

Drum pensa qu'il lui aurait fallu moins de questions, ou plus de cervelle, ou les deux à la fois. Plus de cervelle... Cela lui rappela le type du club des grosses têtes.

Il continua à réfléchir en roulant vers le sud. Quand il dépassa à vive allure la cabine téléphonique de la station-service Gulf au nord de la route des Parcs, il avait la tête ailleurs ; mais il repéra la cabine du coin de l'œil, fit demi-tour sur les chapeaux de roue, s'arrêta sur le parking, et alla composer à nouveau le numéro de Los Angeles.

Le type à voix fluette était revenu du gymnase, mais il resta intraitable.

– Comme je vous l'ai dit, nos membres respectent leurs aptitudes intellectuelles exceptionnelles et ne songeraient même pas à se donner en spectacle. Ce serait de la pure exploitation.

– Mais n'est-il pas possible que certains pensent différemment, l'ami ? S'ils ne veulent pas le faire, ils pourront toujours me le dire, pas vrai ? Alors pourquoi ne pas me donner leurs noms ? Je ne dirai même pas où je les ai eus. Parole de scout.

– *Abyssus abyssum invocat*, cher monsieur. L'abîme appelle l'abîme, un faux pas en entraîne un autre. Je ne peux pas trahir la confiance de mes frères. Ce serait inconcevable. Bonne journée.

Drum entendit un déclic ; le type avait raccroché. Il refit le numéro, parvint à ne pas élever la voix, et essaya de faire entendre raison à l'abruti. Il joua toutes ses cartes, flatterie, corruption, menaces, mais rien n'y fit. Tout en raccrochant, il voua le téléphone à une mort horrible, mais il remarqua que le gérant de la station-service l'observait.

Ce n'est qu'un sursis, grommela-t-il en retournant à la Mustang. Ce machin ne perdait rien pour attendre. Il s'en occuperait dès son retour de Los Angeles.

## 40

À peine Cinnie eut-elle fini d'écouter la cassette sur laquelle Karen Sands avait enregistré la réunion du personnel soignant qu'elle sortit en trombe du service de rééducation, prit l'escalier pour descendre au deuxième étage, passa très vite devant une réceptionniste étonnée, et entra dans le bureau privé du docteur Silver.

Ce dernier lisait un magazine, confortablement installé dans son fauteuil. Troublé par cette intrusion, et visiblement pas très fier d'être surpris avec ce magazine dans les mains, il fourra l'objet dans un tiroir et lança à Cinnie un regard peu amène.

– Bon. Quelle est la cause de l'hystérie cette fois ?

– Au cas où cela serait sorti de votre petite tête, docteur Silver, James se trouve être mon fils. Vous n'avez pas le droit de décider de son transfert sans notre consentement, à mon mari et à moi.

Il poussa un profond soupir.

– Réjouissez-vous plutôt, ma chère. Blythedale est le meilleur endroit possible pour une rééducation de longue durée. Une place était vacante, alors j'ai sauté sur l'occasion. J'allais vous en parler.

– Vous n'êtes pas censé m'en *parler*. Vous êtes censé me *demander*. Et si vous l'aviez fait, je vous aurais donné notre réponse : pas question.

Il fit claquer sa langue et soupira encore.

– Allons, Cinnie. Soyez raisonnable. Nous n'avons aucune raison de garder James à Fairview plus longtemps. Sa blessure à la tête guérit très bien. Après toute son agitation d'hier soir, la région de la fracture a été radiographiée et examinée visuellement. Tout va pour le mieux. Alors il est temps qu'il quitte l'hôpital.

– Très bien, je ne discute pas. Je vais l'emmener à la maison dès demain matin.

Silver souffla d'un air dégoûté.

– James a besoin d'une rééducation intensive, Cinnie. Des séances quotidiennes, pendant des mois. Ne soyez pas têtue. Blythedale offre toutes les garanties nécessaires.

– Je suis d'accord sur ce point.

Elle était allée plusieurs fois à l'hôpital de Valhalla pour visiter des patients qui y avaient été transférés pour des traitements de longue durée. Blythedale était l'annexe réservée aux enfants nécessitant des soins prolongés : locaux clairs et gais, bonne réputation, personnel compétent.

– Parfait, dit Silver. Je vais appeler le secrétariat et tout arranger pour que James soit transféré demain.

Cinnie secoua la tête.

– Vous ne m'avez pas comprise, docteur Silver. Je conviens que la rééducation de James devrait se faire à Blythedale, mais ce sera sur une base de consultation externe. En dehors des séances il restera à la maison.

Silver tenta de l'en dissuader avec sa rudesse accoutumée, mais elle n'était pas disposée à se laisser faire. Elle savait que les séances de rééducation avaient toujours lieu pendant les heures de travail habituelles. Elle pourrait conduire James à Blythedale avant de se rendre à son travail et le reprendre en fin de journée. Elle était absolument convaincue qu'il serait mieux à la maison le reste du temps.

Finalement Silver s'écarta de son bureau en poussant sur ses bras et leva les mains au ciel.

– D'accord. Vous gagnez. Je vais signer un ordre de sortie pour demain matin.

Le triomphe de Cinnie fut tempéré par une soudaine vague d'inquiétude. Et si un problème se présentait ? Serait-elle capable de faire face à la situation ?

Elle se morigéna. Ils n'auraient jamais envisagé de faire sortir James s'il avait encore eu besoin d'une surveillance médicale. Et elle pouvait certainement s'occuper de lui mieux que quiconque.

– Bien. Je vais annuler mes rendez-vous du matin. À quelle heure pourrai-je l'emmener ?

– Cela dépendra du docteur Ferris. Il voudra sûrement examiner James une dernière fois et vous donner une prescription pour les soins à la maison. Vous voulez que je l'appelle ?

– Non. Je vais lui parler.

Elle prit l'ascenseur pour monter à l'étage du service pédiatrique. Lorsque Ferris en eut terminé avec le patient qu'il examinait, on la fit entrer dans son cabinet. Celui-ci était aussi scrupuleusement net, aseptisé et rigoureux d'aspect que son occupant. Ferris était en train d'ôter sa blouse souillée et d'en prendre une autre parmi les dix ou douze suspendues dans son placard. Il se lava les mains dans le lavabo situé sous la fenêtre et s'assit derrière son bureau verni, doigts croisés, une expression neutre sur le visage.

Cinnie lui fit part de son intention de garder James à la maison pendant sa rééducation.

– Ça ne rimerait à rien qu'il reste à Blythedale, docteur Ferris. Ils ne peuvent rien faire pour lui que je ne puisse faire moi-même. Je suis sûre que James se sentira beaucoup mieux dans son propre lit, près de ses parents.

– Je suis certain que vous vous en tirerez très bien.

Du Ferris tout craché – aussi lisse et plat qu'une route nouvellement goudronnée.

– Alors vous ne pensez pas que c'est une erreur ?

– Vous devez choisir ce que vous jugez être la meilleure solution. Je ne peux pas vous dire quel arrangement conviendrait le mieux à votre famille, madame Merritt.

Cinnie chercha dans ces paroles la moindre trace d'encouragement ou de désapprobation, mais manifestement, s'il avait une opinion plus tranchée, il n'était pas disposé à la faire connaître. Elle insista, soucieuse qu'elle était d'obtenir son feu vert.

– Mais vous pensez que tout ira bien pour James ?

– Oui, madame Merritt. Je pense que James continuera à progresser sur la voie de la guérison. Comme je vous l'ai dit, c'est un enfant robuste. Très intelligent et plein de vie. Ne doutez pas de vous-même. L'amour maternel n'est-il pas le meilleur remède ?

Elle prit congé de Ferris, encore vaguement inquiète,

mais plus confiante de minute en minute. Il avait fallu lui forcer quelque peu la main, mais il avait fini par approuver son choix. Rien ne s'opposait à ce qu'elle ramenât James à la maison. Elle essaya d'appeler Paul et Dal pour leur apprendre la nouvelle, mais elle ne put les joindre ni l'un ni l'autre.

Ce fut Madeleine qui décrocha dans l'appartement de son père. Cinnie informa sa belle-mère de l'imminente sortie de James. Madeleine n'aurait pas pu se montrer plus charmante et serviable.

– Je serai heureuse de venir lui tenir compagnie chaque fois que vous le désirerez, ma chérie. Et si vous avez besoin d'aide pour l'emmener en rééducation ou le ramener, n'hésitez pas. Attendez que je raconte ça à votre père. Il va être si content !

Cinnie se sentit toute désarmée, et elle éprouva un certain remords. Elle n'avait jamais remercié Madeleine pour toutes ses visites et pour les cadeaux qu'elle avait apportés à James depuis le jour de l'accident, presque quatre semaines plus tôt. Penaude, elle s'excusa pour cet oubli et essaya de paraître enthousiaste en évoquant le pyjama, les chocolats et le livre.

– Je n'ai pas apporté de livre, ma chérie. Ça doit être quelqu'un d'autre.

Cinnie raccrocha, perplexe et honteuse. Elle était toujours si prompte à critiquer sa belle-mère... En réalité, Madeleine s'était toujours montrée patiente et aimable envers elle, bien que cela ne lui eût jamais rapporté que des paroles et des regards glacés. Et elle avait tout de suite considéré James comme son propre petit-fils, malgré tous les efforts que Cinnie avait faits pour gêner leur rapprochement.

Il était temps de mettre fin à ces absurdités.

Elle refit le numéro. Madeleine répondit.

– Pardon, dit Cinnie.

– Pour quoi ?

– Pour tout.

Il y eut un silence à l'autre bout du fil.

– Ne dites pas de sottises, ma chérie. Vous n'avez rien fait...

Sous le coup d'une impulsion soudaine, Cinnie invita Madeleine et son père à venir à Fairview dans la soirée pour fêter la sortie de James avec des amis. Elle donna quelques autres coups de téléphone pour tout arranger et retourna près de James pour lui apprendre la bonne nouvelle avant qu'on ne l'emmène en rééducation.

– Imagine un peu, Jimbo. Fini la nourriture de l'hôpital, fini les infirmières qui te réveillent au milieu de la nuit pour voir si tu dors bien. Tu vas passer ta dernière nuit dans cette cage, mon lapin. Demain tu prends la clef des champs !

– Ombre, maman. Ombre !

– Allons, mon ange. Oublie toutes ces sornettes. Encore une nuit, et nous serons tous à la maison. Cela devrait suffire à te changer les idées, non ?

Il secoua la tête de droite à gauche et parut sur le point de piquer une autre grosse colère. Il devint cramoisi et ses poings se serrèrent.

– Livre, maman. *Livre !*

– D'accord, tout ce que tu veux. Même cet affreux bouquin si cela peut te calmer.

Elle trouva le mince volume et tira la chaise près du lit de James. Dégoûtant petit livre. Elle se demanda qui pouvait bien l'avoir apporté. Elle pensa à ce type bizarre, Hanky Moller, le bénévole. Cela lui aurait bien ressemblé, à ce sinistre individu, de refiler une aussi vilaine histoire à James pendant qu'elle avait le dos tourné.

Elle ouvrit le livre et son attention fut attirée par un nom écrit au crayon au dos de la couverture. *Malcolm.* Cela lui rappela vaguement quelque chose – mais quoi au juste, elle n'aurait su le dire.

Elle tourna la page de garde et remarqua que le livre avait été publié à Londres plus de dix ans auparavant. Sans doute quelqu'un avait-il fait don de cet horrible petit volume à l'hôpital. Combien de fois avait-elle dit à ce Hanky que James ne voulait ni n'avait besoin de rien de ce qu'il transportait dans son maudit chariot ? Mais ce type exaspérant ne voulait rien savoir. Si encore – puisqu'il semblait déterminé à ne tenir aucun compte de ce qu'elle disait – il avait donné à James quelque chose de plus agréable que cet odieux bouquin. N'importe quel autre objet ou presque aurait mieux convenu.

– D'accord, Jimbo. Je te lis ce petit bout de rien du tout.

Elle connaissait l'histoire par cœur maintenant et aurait bien voulu pouvoir s'en tirer avec une version abrégée. Ce conte débile ne méritait pas plus de quelques phrases. Une vieille femme laisse pousser dans son jardin des mauvaises herbes qui commencent à envahir les autres jardins du voisinage. Les voisins protestent. La vieille fait la sourde oreille, alors ils prennent les mesures qui s'imposent : ils forment un commando anti-mauvaises herbes et passent à l'action.

Seules deux herbes en réchappent, un frère et une sœur nommés Élégant et Colombe. Des noms plutôt stupides pour des herbes, pensa Cinnie. Au moins le livre était-il cohérent dans sa lugubre inanité.

Les deux herbes s'aident mutuellement à surmonter une série de maladies en allant curieusement prélever la sève qui leur fait défaut sur des herbes en bonne santé. Elles survivent ainsi aux rigueurs de l'hiver. Et tout est pour le mieux dans le plus étrange des mondes possibles. Fin.

Cinnie referma le livre et embrassa James sur les paupières, les joues, le nez, et le menton.

– Et maintenant, s'il te plaît, ô le meilleur petit garçon dans toute l'histoire des petits garçons, ne me demande pas de lire encore cette stupide histoire. D'accord ?

Les yeux de James étaient suppliants. Il se mordit la lèvre inférieure, geignit, et tourna la tête vers le mur.

– Pardon, Jimbo. Je ne parlais pas sérieusement. Je la lirai autant de fois que tu voudras. Ça ne me dérange pas.

Il secoua la tête et geignit à nouveau.

– D'accord, mon trésor. Oublions tout ce qui n'est pas ton retour à la maison. Plus qu'une nuit, mon chéri. N'est-ce pas merveilleux ?

Des larmes brillaient dans les yeux de l'enfant. L'une d'elles déborda, et Cinnie l'essuya.

– Je sais, mon ange. J'arrive à peine à y croire moi-même. Écoute, voilà ce que je vais faire. Je vais rentrer à la maison un peu plus tôt ce soir pour m'assurer que tout est bien prêt là-bas, comme ça je pourrai venir te chercher à la première heure demain matin. D'accord ?

Une autre larme coula sur la joue de James. Cinnie sentit un picotement dans ses propres yeux et se pencha pour le serrer dans ses bras. Tout allait bien se passer maintenant. Plus qu'une nuit, et James serait en sécurité à la maison.

## 41

Drum avait eu l'intention de prendre l'avion pour Los Angeles dans l'après-midi, de se donner une journée pour s'occuper de son affaire, et de revenir à la maison le surlendemain. Mais quand il passa un coup de fil à Stella pour la mettre au courant, elle lui rappela qu'il avait promis d'assister au grand concours d'orthographe auquel Booker devait participer le lendemain soir.

Drum avait toujours tenu ses promesses, sauf une – et ce chapitre-là était loin d'être clos.

Il appela les renseignements. Un avion d'American Airlines quittait l'aéroport Kennedy à dix heures et demie. Il pourrait donc être sur la côte californienne vers treize heures, heure locale. Il s'occuperait du type récalcitrant dans l'après-midi et passerait la nuit à l'hôtel. Il lui faudrait prendre le premier avion pour New York le lendemain matin s'il voulait arriver à temps pour voir Booker concourir.

Il était neuf heures et demie quand il s'engagea sur la rampe d'accès de la route des Parcs. Normalement il fallait une bonne heure pour atteindre l'aéroport ; tout dépendait du trafic. Drum attendit d'avoir dépassé Greenwich pour sortir le gyrophare qu'il gardait toujours dans sa boîte à gants. L'objet adhérait au toit de la voiture au moyen de quatre ventouses ; il était relié à la batterie de neuf volts située sous le siège du conducteur par un mince fil électrique passé dans le joint d'étanchéité de la vitre.

Une fois prêt, il alluma le gyrophare et fit hurler la sirène de police qu'il avait installée sur la Mustang. Le flot de véhicules s'ouvrit devant lui. Moïse au volant.

Il atteignit l'aéroport avec dix minutes d'avance et

graissa la patte du gardien de parking pour qu'il soit particulièrement vigilant. Il glissa un billet de vingt dollars dans la poche de son blazer et lui promit un autre billet à son retour – ou un dentier complet si quelqu'un touchait à sa voiture pendant son absence.

L'aérogare était bondée. Drum traversa en jouant des coudes une longue file de gens qui parlaient espagnol, qui avaient des tonnes de bagages et attendaient on ne savait trop quoi. Au comptoir il s'adressa au seul employé inoccupé, qui ne vendait que des billets de première classe, et demanda une place sur le vol de Los Angeles.

L'employé lui répondit que l'avion de dix heures et demie était complet. Surréservé, en fait. Drum n'avait pas le temps de discuter. Il demanda ce qui était disponible. L'employé pianota quelques minutes sur son clavier et finit par lui proposer une dernière place libre en première classe sur le prochain vol à destination de Phoenix. Drum la prit et repartit en courant.

Il vérifia d'un coup d'œil le numéro de la porte d'embarquement pour le vol de Los Angeles et se précipita vers le contrôle de sécurité. Le maudit détecteur de métal se déclencha à trois reprises et il dut se défaire de sa montre, de sa chaîne, de sa ceinture à boucle métallique et de ses clefs. Alors seulement ils s'aperçurent que c'étaient ses lunettes de soleil qui contrariaient l'appareil.

Encore trois minutes d'envolées.

La porte d'embarquement pour Los Angeles était la dernière d'une interminable série. Il parcourut la distance au pas de course. Lorsque enfin il arriva à la salle d'embarquement qu'il cherchait, ses poumons étaient en feu, et les muscles de ses mollets douloureusement contractés.

Les derniers passagers franchissaient la porte et une employée s'apprêtait à la refermer. Drum lui cria d'une voix essoufflée d'attendre un instant – il fallait absolument qu'il prenne cet avion. Quand elle répondit que l'avion était complet et qu'il n'avait pas de carte d'embarquement de toute façon, il jeta un regard furtif autour de lui et déclara à la fille qu'il était un inspecteur de l'Aviation civile.

Heureusement, il avait toujours dans son portefeuille une

collection impressionnante de cartes et de papiers fédéraux. Directeur Général des Services Foireux. Il montra les papiers à la fille. Elle hésita une demi-seconde, puis elle décrocha le téléphone mural.

– Ne vendez pas la mèche, chuchota Drum. C'est censé être une inspection surprise.

– Oh ! bien sûr. Je tiendrai ma langue.

Il sourit, certain qu'elle appellerait les membres de l'équipage dès qu'il aurait franchi la porte pour les avertir de « faire gaffe ». Il n'ignorait pas qu'il allait attraper une indigestion de courbettes et d'obséquiosité. Si seulement Carmody savait tous les sacrifices qu'il devait consentir pour la bonne cause…

Elle parla d'une voix étouffée dans le combiné, écouta, raccrocha et sourit.

– Ils offrent un aller-retour gratuit à quiconque se portera volontaire pour prendre un autre avion, monsieur. Je suis sûre que nous aurons une place pour vous dans une minute.

– J'en suis persuadé, dit Drum.

Cinq heures et demie plus tard, le DC 10 atterrissait à Los Angeles. Pas un mauvais vol, en fin de compte. On l'avait installé en première classe et traité comme quelqu'un d'important. Avant l'atterrissage, l'hôtesse de l'air lui avait remis un sac contenant deux bouteilles de champagne et une énorme provision de minuscules bouteilles de scotch. Au moment de quitter l'appareil, elle l'avait embrassé si affectueusement qu'il s'était demandé s'ils n'avaient pas été proches parents dans une vie antérieure.

Il avait utilisé le téléphone de bord pour réserver la longue Lincoln qui l'attendait au bord du trottoir. Une superbe nana était au volant. Drum eut un mouvement de surprise, puis il se rappela où il était. Chacun ici tuait le temps en attendant cette fameuse grosse secousse. Il sourit en pensant au jobard qui ne se doutait sûrement pas qu'il était sur le point d'éprouver la secousse de sa vie.

Il donna l'adresse à la fille et s'installa confortablement pour profiter du trajet et du spectacle. De là où il était assis, il avait une vue avantageuse sur le profil de la donzelle : un contour agréable, du moins jusqu'à la poitrine. Là les protubérances étaient trop grosses, trop rondes, et beaucoup trop fermes. À nouveau il se rappela où il était. Silicone Valley.

Ses pensées se tournèrent vers l'enfoiré du club des grosses têtes. Il allait bien falloir qu'il se sépare de sa précieuse liste, de gré ou de force, en douceur ou plus brutalement ; cela ne dépendait que de lui.

La fille prit l'autoroute de San Diego et sortit à Sunset Boulevard. Elle suivit Sunset jusqu'à la Pacific Coast Highway et tourna vers le nord.

Drum regarda la falaise et les grandes villas sur sa droite. Beaucoup de ces dernières étaient perchées comme des oiseaux géants au-dessus du précipice rocheux ; d'autres s'accrochaient comme des berniques aux versants de collines escarpées. Sur sa gauche s'étendaient de longues et belles plages où l'on apercevait parfois un restaurant de bord de mer. Il contempla l'écume des brisants ; cela faisait tout drôle de voir l'océan de ce côté de la voiture. Des mouettes tournoyaient dans le ciel brumeux, et une piquante odeur de sel fit larmoyer ses yeux.

Plus loin, de petits groupes d'habitations apparurent entre la route et la mer. Vues sous cet angle, elles ne payaient pas de mine, on aurait pu les prendre pour des entrepôts ou des ateliers. Mais Drum savait que c'étaient les villas incroyablement coûteuses de richards tels que Johnny Carson.

La fille longea la dernière rangée de maisons du fameux village de Malibu, s'arrêta et descendit pour ouvrir la portière à Drum.

– C'est ici. Est-ce que je vous attends ?

– Ce serait aussi bien. Je ne devrais pas en avoir pour plus de quelques minutes.

Il y avait une double boîte aux lettres près de la porte d'entrée. C'était bien le type qu'il cherchait. Sous son nom, une petite plaque portait l'inscription : Braintrust, *mirabile visu*.

– Je vais t'en donner, moi, des choses admirables à voir, grommela Drum en tenant enfoncé le bouton de la sonnette.

Un type barbu, aux cheveux gris, aux dents trop

blanches, au physique californien de sportif hâlé, vint lui ouvrir. Il battit des paupières comme s'il s'était attendu à voir quelqu'un d'autre. Drum entra en force avant que le corniaud ait eu le temps de réagir.

– S'il vous plaît ! Vous ne pouvez pas faire irruption ainsi chez moi. Qui êtes-vous d'abord ?

Drum jeta un coup d'œil autour de lui. C'était un intérieur cossu : grande baie vitrée donnant sur l'océan, plafond en voûte où tournait paresseusement un ventilateur au milieu d'une rangée de paniers suspendus débordants de fougères, fauteuils et divans dont la blancheur était accentuée par les couleurs de grands tableaux abstraits dans le style de Motherwell ou de Hockney, sols de marbre blanc. Il y avait, sur le mur opposé, une collection plutôt cucul de tasses à thé en porcelaine, à bords dorés, posées sur les étagères d'une vitrine ouverte. Voilà qui conviendrait à merveille.

– Je suis le type que vous n'avez pas voulu renseigner au téléphone ce matin. J'ai donc dû venir exprès de New York pour vous expliquer à quel point il est important que vous me donniez ces noms, l'ami. Phil en a absolument besoin.

Les yeux du bonhomme s'agrandirent d'un cran.

– Je vous ai déjà dit que les règles de notre association s'opposaient formellement à ce que les noms de nos membres fussent révélés. Il m'est impossible de vous donner ce renseignement. *Volo, non valeo*. Je le voudrais bien, mais je ne le peux pas. Je suis sûr que vous pouvez comprendre cela.

– Entendons-nous bien, l'ami. Vous me dites non, c'est ça ? Vous dites non à quelqu'un comme Phil ? Franchement, je suis très déçu...

– Si je pouvais vous aider, je le ferais. Je ne suis que le serviteur de mes frères dans l'organisation. Nous nous soutenons mutuellement, nous concevons de nouveaux problèmes, nous partageons nos expériences. Nous ne nous produisons jamais en public.

– Ouais, bien sûr. Je comprends. Vous m'aideriez bien, mais vous avez les mains liées.

Les épaules du type s'affaissèrent.

– Absolument.

– Chacun doit agir selon sa conscience, pas vrai ?
– Oui.
– Absolument.
Drum prit une des tasses à thé par son anse délicate et la fit osciller au bout de son pouce.
– S'il vous plaît. C'est une pièce ancienne et inestimable. Reposez-la.
L'objet ne pesait rien. Drum le trouvait beaucoup trop prétentieux, avec son bord doré et tout. Il le lança en l'air et le rattrapa. Ce n'était même pas amusant de jouer avec. Alors à quoi bon le garder ?
– Reposez-la, j'ai dit ! Reposez-la !
– Ouais, d'accord.
Drum obéit – à sa façon. L'objet se fracassa sur le sol de marbre avec un joli bruit cristallin et y laissa une multitude de petits éclats brillants. Drum estima qu'il était beaucoup plus intéressant ainsi.
Le type se mit à bredouiller. Son teint devint écarlate.
– Ces tasses sont irremplaçables ! Elles datent du règne de Louis XIV. Je vous en prie, ne…
Drum prit une tasse dans chaque main. L'une d'elles lui glissa entre les doigts.
– Tss, tss ! Comme je suis maladroit…
Le type s'élança vers lui. Drum laissa tomber l'autre tasse et le détourna d'un coup de tête. L'enflure recula en titubant vers la baie vitrée.
Il heurta celle-ci avec fracas et poussa un petit cri effrayé. Ses jambes se dérobèrent sous lui et il glissa contre le verre comme le contenu visqueux d'un œuf fêlé.
Drum fit le geste de saisir deux autres tasses.
Le type leva une main et parla d'une voix entrecoupée.
– Arrêtez, s'il vous plaît. Arrêtez. Vous avez gagné. Je vais vous donner cette maudite liste.
Il se releva et s'efforça de retrouver sa dignité perdue. Sa lèvre inférieure tremblait. Il s'approcha du bureau laqué de blanc en passant à distance respectueuse de Drum et alluma son ordinateur Compaq.
Ses doigts dansèrent sur les touches, et une série d'informations apparurent sur l'écran. Puis l'imprimante laser vomit une page avec un bruit feutré.

– Ce sont les seuls membres de Braintrust dans un rayon de quatre-vingts kilomètres autour de New York. Maintenant veuillez me laisser en paix.

Drum regarda la liste et fronça les sourcils.

– Bon Dieu, qu'est-ce que c'est que ça ? Machiavel ? Sir Arthur Conan Doyle ? Raspoutine ?

– Tous nos membres choisissent un pseudonyme qui reflète un intérêt personnel particulier. C'est une longue tradition de notre association. Ces pseudonymes et les adresses postales correspondantes sont les seuls renseignements que je possède.

Drum exprima sa consternation en cassant une autre tasse. Le type tressaillit, mais ne recommença pas à glapir. Ce qui tendait à prouver que l'histoire des faux noms était vraie.

Bref, du travail et des ennuis supplémentaires.

Drum remonta dans la limousine, se cala sur son siège et posa les pieds sur la banquette recouverte de velours qui lui faisait face. Il demanda à la fille d'appeler l'hôtel des Quatre Saisons pour prévenir la réception de son arrivée. Il avait eu l'intention de passer la nuit dans un des asiles de nuit de l'aéroport, mais il estimait qu'après tous ces énervements il avait droit à quelque chose de vraiment confortable. Une suite pour PDG avec jacuzzi ferait parfaitement l'affaire. Il se ferait servir un bon dîner dans sa chambre, avec une bouteille de champagne bien frappé pour noyer ses soucis.

Quand Carmody verrait la note de frais, il sortirait de ses gonds. Le chef était si mignon quand il se mettait en colère.

## 42

Les amis de James partirent les uns après les autres, et chacun d'eux fut remplacé par un espace vide et froid, aussi effrayant que la tombe béante à l'enterrement de grand-maman.

Il y avait longtemps de cela, mais il s'en souvenait aussi

clairement que si cela s'était passé la veille. Il voyait encore, réfléchis par la surface vernie du cercueil, ses propres yeux apeurés. Il entendait encore le grincement de la poulie et le bruit terrible des pelletées de terre que jetaient les gens sur la boîte où était enfermée grand-maman.

Craignant de glisser et de tomber dans le trou, il s'était posté derrière son père et cramponné à ses jambes robustes pour échapper à un sort aussi funeste. Mais même quand le service avait pris fin et qu'ils s'étaient retrouvés dans le confort et la sécurité de la voiture, en route vers la maison, il avait continué à aspirer goulûment des bouffées d'air en pensant au trou bouché.

Il frissonna et combattit son envie de dormir. Sa mère n'était pas encore partie pour la nuit, et il espérait bien la convaincre de rester. Il lui faudrait impérativement être aussi éveillé et persuasif que possible quand elle reviendrait dans la chambre ; elle était allée jeter les papiers gras et les gobelets en carton dans la grande poubelle au bout du couloir.

Il décida qu'il serait plus prudent d'aborder le sujet en douceur. D'abord, il la remercierait pour la fête. Tous les gens qu'il préférait étaient venus : Teejay et ses parents, grand-père et Madeleine, Laure et sa maman, Jérémie Heckerling et Mike Marchand et Bobby Moon, ses copains de classe, et même Mme Tella, sa maîtresse d'école.

Il y avait eu des cadeaux, des rires, des commentaires flatteurs : comme il avait bonne mine, et comme c'était merveilleux de rentrer à la maison !

James était raisonnablement optimiste. L'événement avait mis sa mère d'excellente humeur, et elle exaucerait sans doute son désir. Cependant il avait l'intention de ne pas brusquer les choses.

Ses paupières étaient si lourdes – d'une lourdeur de plomb. Il décida de se reposer un peu jusqu'au moment où il l'entendrait revenir. Alors il serait pleinement éveillé, et prêt à débiter son boniment.

Il expliquerait que, bien qu'il fût conscient de ce que cela pouvait avoir d'inconvenant de la part de quelqu'un de son âge, il désirait plus que tout avoir le plaisir de sa compagnie pour cette nuit. Il en appellerait à cette partie d'elle-même qu'il avait toujours su attendrir avec ses regards implorants les mieux calculés. Il ne dirait rien de ses tourments, de sa peur que l'homme-ombre ne revînt pendant son absence. Il savait qu'il n'arriverait à rien par ce biais.

Pour des raisons qui lui restaient mystérieuses, il n'avait pas pu faire comprendre à sa mère le danger que représentait l'homme-ombre. Combien de fois n'avait-il pas essayé patiemment de lui expliquer son problème, pour ne voir que la même expression tendue et perplexe se peindre sur son visage ?

Il éviterait donc ce sujet. Dès qu'elle reviendrait, il lui dirait simplement qu'il avait besoin de sa présence. C'était un besoin viscéral, irrécusable, un pur besoin enfantin. Quelle mère resterait insensible à une telle prière ?

Mais où était-elle donc ?

Il entrouvrit ses paupières. La lumière l'aveugla. Les objets oscillèrent sur un rythme irritant : le montant du lit, les ours en peluche, les ballons, les jouets. James sentit un tiraillement dans son estomac. Difficile de savoir s'il s'agissait d'un gargouillement de faim ou d'une protestation contre un abus de bonnes choses.

Il décida que c'était la faim et sentit l'odeur appétissante de croquettes de chocolat qui flottait dans la pièce. Il tourna la tête vers la table de nuit et vit l'assiette où s'entassait sur un papier ce qui restait des doubles croquettes géantes offertes par Dal, Ricky et Teejay.

L'eau lui en vint à la bouche, et cédant à une envie soudaine, il en mangea plusieurs. Il les mâcha les yeux fermés pour mieux savourer leur croquante succulence et se souvint : le chocolat, les noix, le sucre brun, la goutte de vanille, la farine la plus pure tombant en neige de la vieille saupoudreuse rouge, les petits morceaux de beurre fondant pareils à des gouttelettes de soleil, et lui-même appuyant sur la poignée d'argent, ajoutant le bicarbonate de soude, la levure, une pincée de sel. Dix minutes au four…

Les arômes délicieux, la tiédeur, le confort – tout cela l'enveloppa comme un nuage, chassa doucement sa peur et l'entraîna insensiblement dans des rêves très doux et un sommeil si profond que rien ne put le troubler, ni les premières lueurs de l'aube, ni même le grincement de la porte quand elle s'ouvrit ou les pas assourdis de l'homme qui s'approchait de lui.

Dans son rêve, il est assis sur le tabouret de son père près de la console électronique et, un crayon à la main, dirige les musiciens derrière la cloison vitrée. La voix du chanteur s'infléchit au rythme des mouvements de sa gomme. Le batteur répond avec un rapide roulement de tambour qui s'amplifie jusqu'à devenir une sauvage et lancinante pulsation. James sent les puissantes vibrations dans son sang et ses os. Il danse, il vole... Il a l'impression que des bras le soulèvent vers le ciel ou qu'il rebondit joyeusement sur un trampoline.

Il est tellement pris par son rêve qu'il sent à peine l'infime douleur – une minuscule piqûre d'insecte dans un univers carnavalesque. Son attention se tourne un bref instant vers elle, puis revient avec insouciance vers son rêve.

La douleur ne l'inquiète pas. Il n'a jamais imaginé, même dans ses rêveries les plus fantasques, que la mort puisse venir d'une aussi insignifiante et innocente façon.

## 43

Cinnie avait réglé son réveille-matin sur sept heures et fut prête à partir pour l'hôpital une demi-heure plus tard.

Tout en s'éloignant du Bois-Tyler, elle repensa avec attendrissement à la petite fête de la veille à Fairview. James avait manifestement pris plaisir à ce remue-ménage dont il était la vedette. À peine les derniers invités avaient-ils quitté la chambre qu'il s'était profondément endormi, un sourire aux lèvres.

Cinnie avait ramassé le plus gros de ce qui traînait et s'était glissée sans bruit dans le couloir pour ne pas le réveiller. Elle avait été surprise de voir que Paul l'attendait dans le hall. Elle avait cru qu'il était impatient de rentrer. Elle l'avait vu partir avec Dal, Ricky et Teejay, et elle avait supposé qu'il avait pris place dans leur voiture pour retourner vers son cher studio. Pour une fois, c'était agréable de s'être trompé.

Il l'avait ramenée à la maison dans le vieux clou. Il n'y avait eu qu'une petite explosion sans conséquence pendant le trajet. Arrêté à un feu rouge, Paul avait frappé le volant avec colère et grommelé des paroles indistinctes.

– Je sais, ce n'est pas une Porsche, Paul. Mais elle te conduit quand même où tu veux aller.

– Ma voiture m'y conduit encore mieux.

– Pas maintenant, en tout cas.

Elle avait perçu le ressentiment qui couvait en lui.

– Écoute, je suis désolée. C'était un accident, et je n'étais pas dans mon tort, mais je sais combien tu tenais à cette voiture. S'ils ne peuvent pas la réparer, tu pourras en acheter une autre avec l'argent de l'assurance. Ce n'est pas une catastrophe.

– Ce n'est pas une catastrophe parce que c'était *ma* voiture. C'est ça que tu veux dire, hein ?

Cinnie avait dégluti avec effort.

– Non, Paul. Parce que ce n'était qu'une chose, un stupide tas de ferraille machiste. Ce n'était pas notre enfant.

Ils s'étaient tus. Cinnie était restée ainsi, le cœur glacé, jusqu'au moment où il avait posé doucement sa main sur la sienne et murmuré :

– Tu as raison. Pardon. Comment ai-je pu être aussi bête ?

– Des années d'entraînement.

Il avait ri. « Ça, je l'ai bien mérité. Je t'aime, Cin. »

– Ah ouais ? Quand je casserai ma pipe, est-ce que tu me regretteras autant que tu regrettes cette stupide bagnole ?

– Bah ! peut-être. Mais tu auras beaucoup plus de kilomètres au compteur.

Bercés par les airs langoureux de la radio, ils étaient tombés dans une agréable torpeur. Lorsque enfin ils étaient arrivés au Bois-Tyler, ils avaient été tous les deux de fort tendre humeur.

Ils avaient franchi main dans la main la courte distance qui séparait le garage de la maison. Paul avait allumé un feu dans la cheminée, et ils avaient passé là un moment de douillette quiétude, en contemplant les flammes et en sirotant un verre de porto. Puis ils avaient fait l'amour, de cette façon lente et paresseuse qui, du temps où James et les autres aspects de la réalité n'existaient pas encore, transformait leurs dimanches après-midi en lundis matin.

Après, Paul n'avait même pas éprouvé le besoin de sauter hors du lit et de retourner dans le studio. Ils avaient dormi blottis l'un contre l'autre, comme ils le faisaient au début.

Doux souvenir. Cinnie bâilla et s'étira mollement comme un chat. Elle n'osait espérer qu'ils puissent bientôt former à nouveau une vraie famille, et pourtant... James revenait à la maison, Paul sortait enfin de sa maudite coquille. Elle s'aperçut qu'elle n'avait pas repensé aux accidents ou au chauffard depuis la soirée ou la matinée de la veille ; peut-être son obsession était-elle aussi guérissable finalement. Pas de doute, l'horizon s'éclaircissait.

Paul avait même proposé d'annuler sa première séance d'enregistrement et de l'accompagner à l'hôpital pour aller chercher James, mais elle lui avait assuré que ce n'était pas nécessaire.

Elle était si impatiente... Dans une heure, James serait à la maison, dans son propre lit. Entouré de jouets idiots, il regarderait quelque chose de bien débile à la télé, bref, il réapprendrait à être un petit garçon comme les autres.

Il y avait un bouchon du côté du pont de la route des Parcs et les voitures avançaient avec une lenteur exaspérante. Cinnie regardait nerveusement l'aiguille du compteur, qui frémissait à peine en bas du cadran.

Il était huit heures passées quand elle s'engagea enfin sur le parking réservé au personnel de l'hôpital. Elle tourna et retourna entre les rangées compactes de véhicules en stationnement, à la recherche d'un emplacement libre. Rien. Excédée, elle se gara finalement sur le bord d'un terre-plein herbeux. Tout ce qu'elle risquait, c'était une amende. Et elle ne pouvait supporter l'idée de faire attendre James une minute de plus. Ni de se faire attendre elle-même, d'ailleurs.

Elle se sentait merveilleusement bien, quoique sur un mode d'hyperactivité et de légère appréhension. Cela lui rappelait le jour où Paul et elle avaient emmené James à la maison après sa naissance. Elle le revoyait encore, emmailloté dans des couvertures bleues. Seuls étaient visibles ses grands yeux bleu marine et l'expression vaguement soucieuse sur son minuscule visage. Cette gravité n'avait pas échappé à Cinnie, et elle s'était dit que cet enfant était assez intelligent pour s'inquiéter de ses aptitudes maternelles. Elle lui avait alors souri d'une manière qu'elle avait voulu rassurante, mais cela n'avait pas trompé James une seconde.

Paul avait amené la voiture devant l'entrée de l'hôpital, et elle s'était assise à l'arrière avec le nouveau-né, à peu près aussi détendue que si elle avait tenu dans ses bras un bâton de dynamite allumé. Paul avait roulé vers la maison à une vitesse d'environ cinq kilomètres/heure, en s'arrêtant carrément chaque fois qu'il repérait une bosse ou un nid-de poule.

James avait semblé si fragile alors, sa vulnérabilité avait paru si terrifiante… Et pourtant ni l'un ni l'autre n'avait vraiment compris combien tout était fragile – jusqu'à ceci. Le monde apparemment solide pouvait s'écrouler comme un château de cartes que le vent éparpille.

Mais la fin du cauchemar était proche. Dans quelques minutes à peine, ils retrouveraient la vie des gens normaux…

– Bonjour, Cin.

Elle adressait des petits signes de la main et des sourires aux collègues qu'elle croisait sur le chemin des ascenseurs. Elle fit l'observation hautement scientifique que tout paraît infiniment plus propre, plus clair et plus attrayant quand vous êtes sur le point d'emmener votre enfant loin de son lit d'hôpital.

L'ascenseur n'en finissait pas d'arriver. Cinnie envisageait déjà de grimper quatre à quatre les cinq étages quand une des trois portes s'ouvrit. Mais dans la cabine, un des hommes de l'équipe d'entretien était en train de tripoter le plafonnier.

– Vaut mieux en prendre un autre. Faut qu'je répare ça.

Un autre ascenseur s'arrêta, mais il était encombré d'un chariot à linge et d'un patient sur un brancard, qu'on descendait au service de radiologie. Cinnie était déjà à mi-chemin de l'escalier, quand la troisième porte s'ouvrit. Elle piqua un sprint et parvint à se glisser dans la cabine avant qu'elle ne se referme.

Le service pédiatrique était plongé dans son chaos matinal habituel. Des bébés vagissaient, des télés braillaient. Un garnement aux joues rouges galopait tout nu dans les couloirs pour essayer d'échapper à son bain matinal. Le sourire de Cinnie s'accentua encore tandis qu'elle se dirigeait vers la chambre 514. C'était la dernière fois qu'elle venait là pour James, qu'elle longeait ce maudit couloir. Tout cela était bien fini.

Elle se demanda ce que James pourrait vouloir manger au déjeuner. Peut-être dirait-elle à Paul d'aller chercher une pizza. Depuis combien de temps ce gosse n'avait-il pas ingurgité de cette bonne vieille nourriture de snack américaine ? Il devait commencer à être sérieusement en manque.

Comme elle s'approchait de la chambre de James, elle vit l'énorme croupe de l'infirmière Evelyn Larwin qui dépassait de la porte. Elle disait sans doute au revoir.

S'approchant encore, elle remarqua un autre postérieur, également recouvert d'une blouse, mais plus petit, coincé dans l'embrasure de la porte. Puis elle s'aperçut que la chambre était pleine de monde.

Elle ne comprit pas tout de suite. La seule idée qui lui vint à l'esprit, c'est qu'ils étaient tous venus dire au revoir. Mais tant de docteurs et d'infirmières à la fois ? Ils n'avaient donc rien d'autre à faire ? Elle espéra que James ne se sentait pas trop oppressé par une telle foule.

Elle éleva la voix pour être entendue malgré le brouhaha des autres voix.

– Hé ! vous autres, puis-je avoir une entrevue avec la vedette, s'il vous plaît ? J'ai rendez-vous.

Personne ne fit attention à elle.

– C'est mon enfant qui est là, les amis. Que diriez-vous de me laisser entrer ? Okay ?

Que diable cela signifiait-il ?

En se tenant sur la pointe des pieds, elle parvint à entrevoir les quelques personnes qui se trouvaient le plus près du lit de James. Elle ne pouvait distinguer leurs paroles, mais leurs voix paraissaient tendues. Et ça, qu'est-ce que c'était, au pied du lit ?

– Hé, qu'est-ce qui se passe ? Qu'est-ce qu'il y a ?

Evelyn Larwin se retourna et porta une main à sa bouche.

– Oh ! Cinnie. C'est tellement fou. Il allait très bien. Je suis passée le voir il y a vingt minutes. Mais quand Ferris est entré pour sa visite, James était cyanosé : sa peau était bleue et il ne respirait plus.

Mort ?

Le mot resta fiché comme un dard dans la gorge de Cinnie, elle ne put le prononcer. Ne put supporter cette idée. Elle essaya de la chasser de son esprit, mais elle s'y infiltra de force et y explosa comme un obus. Sa vue se brouilla et s'obscurcit. Elle s'enfonçait, glissait dans un trou noir...

Des mains se tendirent pour la retenir et l'étendre dans le couloir. Une odeur piquante de sel d'ammoniaque chatouilla ses narines. Elle ouvrit les yeux. Une grappe de visages anxieux était penchée sur elle.

Le docteur Ferris apparut soudain. Il écarta les autres.

– Allons, donnez-lui de l'air. Reculez tous.

Elle se sentait comme engourdie par le choc.

– Qu'est-il arrivé ? Où est mon enfant ? James ? James !

– Allons, calmez-vous. C'est fini. Tout ira bien...

Cinnie ne se fiait plus à ce qu'elle entendait.

– Il n'est pas...

– Nous avons frôlé le pire pendant une minute, mais il va mieux. Son état s'est stabilisé.

Il aida Cinnie à se relever. Elle frissonnait et ses pas étaient mal assurés. Ferris la conduisit dans la chambre et elle s'assit sur la chaise près du lit.

Elle regarda James respirer, épia les légers mouvements de sa poitrine. Son visage était d'une pâleur mortelle. Cinnie essuya la sueur froide qui luisait sur le front de son fils. Sa main était agitée d'un tremblement qui devint plus violent encore quand elle essaya de le contenir.

Elle sentait la présence du docteur Ferris derrière elle.

– Qu'est-ce qui s'est passé ?

– Franchement, je n'en sais rien, madame Merritt. Nous procédons à quelques analyses. Nous devrions avoir une réponse dans la journée.

– Je ne comprends pas. Il allait si bien...

– L'accident l'a sérieusement ébranlé. C'est rare, mais il peut se produire des réactions tardives. Des rechutes.

Cinnie se rappela que Ferris avait émis quelques objections au sujet de la sortie de James au cours de la réunion enregistrée par Karen. Mais il avait cédé si facilement...

– Alors pourquoi n'avez-vous pas insisté pour qu'il reste ici ? Ceci aurait pu arriver à la maison. James aurait pu...

– Mais ce n'est pas arrivé chez vous, et il est vivant.

Comme toujours, Ferris était la voix de la raison. Une voix rassurante, pleine de bon sens.

– Vous savez bien que je n'aurais jamais donné mon accord si j'avais pensé que la sortie de James présentait un risque sérieux. C'est un incident extrêmement rare. Personne n'aurait pu le prévoir. Je croyais faire preuve d'un excès de prudence en ayant quelques doutes, alors que les autres étaient tous en faveur de la sortie. D'ailleurs, vu les éléments dont je disposais, j'étais réellement trop prudent. Aucun de nous n'a une boule de cristal, madame Merritt. Vous le savez bien.

La colère de Cinnie retombait. Nul, en effet, n'était plus prudent que Ferris, et rien n'aurait pu lui faire accepter de laisser sortir James s'il n'avait pas été d'accord, ni des règlements hospitaliers calamiteux, ni les manières de matamore du docteur Silver. Son seul crime était de ne jamais écouter son instinct, de mettre la raison, les connaissances et les statistiques au-dessus d'un sentiment intime beaucoup plus sûr. Fatal travers.

Mais le pire ne s'était pas produit. Pour le moment elle devait se raccrocher à cette idée.

– Et maintenant, qu'est-ce qui va se passer ?

Les lèvres de Ferris parurent se souder l'une à l'autre.

– Je crains que cela ne nous oblige à revenir plusieurs cases en arrière. Je vais prescrire une série complète d'examens. Nous devons nous assurer que rien ne nous échappe. Je pense que nous devrions aussi arrêter la rééducation pendant quelque temps. Cela lui permettra de se reposer et de mieux se remettre de ce nouveau choc.

– Vous me montrerez les résultats des examens ?

– Bien sûr, dès que je les aurai.

– Je serai ici.

Il hocha la tête.

– Vous feriez beaucoup mieux de rentrer vous reposer chez vous, madame Merritt. Vous avez été bien secouée aussi.

– Je veux rester avec James.

– Je comprends. Mais je vais lui donner un sédatif, et il ne va rien faire d'autre que dormir pendant un long moment. De toute façon, je serai moi-même dans les parages, et les infirmières suivront de très près l'évolution de son état.

– Je vais rester ici jusqu'à ce que je sache exactement ce qui est arrivé et que je sois sûre que cela ne se reproduira pas.

Ferris fit claquer sa langue.

– S'il vous plaît, madame Merritt. Vous ne serez d'aucun secours à James si vous vous comportez comme une de ces mères poules hystériques…

Ainsi elle recueillait une autre voix pour le titre de « Mère hystérique de l'année ». Bon, et après ? Elle ne prit pas la peine de discuter. Ils pouvaient tous dire ce qu'ils voulaient – elle resterait où elle était jusqu'à ce qu'elle soit absolument certaine que son fils était hors de danger.

Elle prit la main inerte de James et la garda dans la sienne. Ferris pivota sur ses talons et sortit de la pièce avec humeur. Cinnie éprouva un léger regret. Ses relations avec Ferris avaient toujours été cordiales et positives ; elle avait toujours eu le sentiment qu'il y avait entre eux un solide respect mutuel.

Mais rien de tout cela n'avait plus d'importance. Il s'agissait de bien autre chose que de petites susceptibilités froissées. C'était une question de vie ou de mort.

# 44

Le refuge était sombre et il y régnait un froid pénétrant. Cobb frissonnait, couché en chien de fusil sur le matelas nu. Ses genoux étaient pressés contre sa poitrine, sa tête était baissée comme dans l'attente d'un coup. Seul l'implacable tic-tac de la pendule parvenait jusqu'à son esprit affolé.

Plus que dix heures.

Il essayait de résister à la vertigineuse dissolution du temps en microsecondes – ce temps qui s'écoulait comme de l'acide, sapait son énergie, rongeait sa chair. Il s'irritait de sa propre odeur putride, de ce relent de capitulation sans espoir qui, mêlé aux âcres effluves de vapeur bleue, lui soulevait le cœur. Il s'efforça de combattre sa nausée en inspirant et expirant de façon lente et mesurée.

Moins de dix heures maintenant.

Oui, le temps s'écoulait avec l'affreuse inéluctabilité de la mort. Noire dissolution. Douleur sans rémission.

Dans son esprit elle arrivait déjà au chalet, traversait la terrasse empierrée, frappait légèrement à la porte. Il voyait ses bras délicats chargés de sacs pleins de délicieuses friandises, son visage rouge de plaisir anticipé.

Elle entrerait d'un air enjoué et poserait sur la table les paquets et les plats enveloppés, puis elle s'affairerait dans la pièce, rassemblerait les ustensiles nécessaires à leur festin, tout en bavardant de choses insignifiantes. Mais à aucun moment cet air d'attente faussement réservé ne quitterait son visage, ne cesserait de l'aiguillonner pour qu'il parle de son succès – c'est-à-dire d'une chose dépourvue de toute réalité.

Il aurait bien voulu pouvoir lui mentir en cette occasion. Mais il savait que, si héroïque que fût sa tentative de duplicité, elle devinerait qu'il avait échoué. Elle sentirait son humiliation, elle la *flairerait*. Et elle en profiterait pour l'accuser encore d'être un bon à rien, elle l'accablerait de sarcasmes et de reproches, elle le laisserait verser des larmes de honte et d'impuissance, jusqu'à ce qu'il ne reste rien de lui qu'une écorce desséchée et un cœur pourrissant.

Il enragea à l'idée d'une telle injustice. Son plan avait été génial. Il n'était pour rien dans cet échec. C'était la femme qui était responsable de tout.

Cette vile femelle se considérait comme la gardienne de *son* enfant à lui. Méprisable mégère. Cette usurpatrice lui volait son salut, cette sale fouinarde avait contrecarré ses plans. À cause d'elle il était dans une abominable impasse. Si seulement il s'était débarrassé d'elle plus tôt. Fatale indécision.

Il fit un gros effort pour se redresser sur son lit. Les murs du refuge vacillèrent. Un fort sifflement éclata dans une oreille. Il tenta de l'arrêter en bouchant le conduit auditif, mais le bruit ne fit que s'amplifier en un cruel crescendo.

Cette douloureuse sensation éveilla en écho une série d'élancements dans les profondeurs de son corps : nerfs cochléaire et glosso-pharyngien, ramifications dendritiques de l'hypoglosse, système spinothalamique…

Son corps devint rigide, son dos se cambra, ses membres se tordirent vers l'extérieur, sa tête se renversa si violemment en arrière que sa gorge se resserra et que, à demi étranglé, il sentit les premiers effets de l'asphyxie.

Tension croissante. Cris d'enfer dans son crâne. Poumons gonflés à éclater. Cobb retint son souffle et tenta de résister à la douleur atroce qui montait en lui.

Enfin le spasme s'apaisa. Par un réflexe de survie, il se laissa tomber sur le plancher et rampa vers un endroit dégagé avant qu'une seconde vague de rigidité ne le submerge. Elle fut plus faible cette fois, et plus courte.

Il voulut s'arracher à cette horreur. Tout plutôt que ceci. Cherchant désespérément un moyen d'y échapper, il se tourna vers les exercices du deuxième niveau. Concentration.

Concentration !

Il se colleta avec un problème élémentaire d'arithmétique dans lequel des permutations virtuellement infinies permettaient d'obtenir une pyramide de chiffres. Ce n'était rien de plus qu'une activité cérébrale mécanique, et pourtant il ne put atteindre la perfection. Mais l'exercice eut l'effet recherché. Lorsqu'il eut terminé la série de calculs requise, la seconde crise était passée.

Il ouvrit les yeux et fit un effort d'accommodation. Une sorte de douce lueur auréolait les confins de sa conscience. Ses sensations étaient comme émoussées par une épaisseur d'ouate. L'engourdissement de ses membres n'était pas entièrement désagréable. Et les hurlements de sirènes dans sa tête avaient fait place à un grave bourdonnement.

Le calme après la tempête.

Il exploita ce fallacieux sentiment de bien-être. Il se hissa sur le bord du lit de camp, s'y assit et évalua sa situation avec un détachement clinique.

Il savait que la crise signifiait que ses réserves d'énergie étaient à un niveau dangereusement bas. Il était beaucoup trop faible pour pouvoir les renouveler par une offensive directe sur le spécimen. Mais il lui restait sa réserve de secours, une dernière réserve d'humeur régénératrice, là-bas dans la cachette du chalet.

Sa dernière chance.

Une fois qu'il aurait retrouvé un peu d'énergie, il éliminerait la femme. Après cela, rien n'entraverait plus sa mission. Il pourrait utiliser l'enfant à volonté. Le spécimen ne quitterait pas l'hôpital. Il avait réglé ce problème en lui injectant l'insuline.

Rassemblant ses dernières forces, il revêtit un de ses déguisements et se dirigea vers les ascenseurs. Il ne pouvait se permettre de gaspiller le peu de vigueur qui lui restait en prenant l'escalier.

Chaque pas représentait un effort conscient. Contraction et relâchement de chaque muscle de la cuisse, du jarret et du pied ; sourd grésillement électrique des nerfs à vif…

Il n'éveilla aucun soupçon. Ceux qu'il croisait lui adressaient un signe de tête distrait ou le saluaient machinalement. Comment pouvaient-ils ne pas voir l'horrible halo de mortelle déliquescence qui émanait de lui ? Ces crétins étaient aveugles et sourds. Il pouvait leur crier son mépris au visage, et les idiots ne s'en apercevaient même pas.

Même maintenant, il pouvait berner les imbéciles. Même dans la mort, il était la lune noire…

Mort provisoire.

Il lui fallait seulement arriver jusqu'au chalet. Sa réserve de secours lui permettrait de surmonter cette odieuse adversité. Lorsque sa colombe arriverait à son tour pour leur festin, il serait prêt à la recevoir.

Il eut un mal de chien à conduire. Son champ de vision était réduit à un point aveuglant dans une sphère de distorsion miroitante. Il contrôlait mal la voiture, qui semblait se débattre sous ses doigts affaiblis comme un enfant en colère.

Plus loin, la route se rétrécit et commença à tourner dans des directions imprévues. Ses yeux aux paupières trop fixes devinrent secs, ses doigts s'agrippèrent convulsivement au volant.

Lorsque enfin il tourna pour remonter le long chemin sinueux qui menait au chalet, il était en nage. Il traversa la terrasse en trébuchant, entra dans la sombre pièce principale, et poussa les verrous derrière lui.

Puis il alluma une seule lampe et s'assit dans le fauteuil à bascule pour attendre que son pouls retrouve un rythme plus normal. Il y avait beaucoup à faire avant qu'elle n'arrive : ses propres ablutions, un ultime rangement du chalet.

Peut-être verserait-il un sachet de lavande dans son bain, et se parfumerait-il ensuite avec cette eau de toilette à l'arôme citronné qu'elle aimait tant. Comme vêtements il choisirait une chemise blanche unie, une cravate de soie à motif cachemire, la veste de vigogne ocre avec des pièces en daim aux coudes, un pantalon de tweed clair ou de cachemire marron, des mocassins en cuir suédé par-dessus les chaussettes tricotées à la main qu'elle lui avait données pour son dernier anniversaire.

Tant de choses à faire... Cette perspective l'épuisa encore plus. Pourtant le temps continuait à égrener cruellement ses minutes et ses secondes.

Il reporta son attention sur le morceau de tissu – le dernier qui restait du tee-shirt ensanglanté du spécimen. Il lui fallait déplacer le lit pour recueillir le précieux lambeau caché sous le plancher. Pas un mince exploit, vu l'état de faiblesse où il se trouvait.

Il appuya son épaule contre le châlit et poussa en utilisant surtout le poids de son propre corps. Le parquet gémit, et le lit recula de quelques misérables centimètres.

Après plusieurs autres tentatives exténuantes, le lit occultait toujours le compartiment secret. Cobb s'adossa au mur pour reprendre haleine.

Et réfléchir.

Le lit bougerait beaucoup plus facilement s'il trouvait le moyen de réduire la friction des pieds sur le plancher. Il eut l'idée de glisser un drap sous le lit, mais il ne put le soulever suffisamment pour effectuer l'opération. Alors il saupoudra de talc le parquet, mais quand il voulut pousser sur le châlit, ce furent ses pieds à lui qui glissèrent sur la fine poudre, et il ne put trouver un point d'appui assez solide.

Bouillant d'impatience et de frustration, il tenta d'essuyer le parquet avec le drap, mais ne réussit qu'à étaler le talc et étendre la zone glissante. Il alla mouiller un torchon dans la cuisine pour nettoyer le plancher, mais l'eau transforma la poudre en une sorte de bouillie pleine de grumeaux pâteux qu'il ne parvint pas à enlever.

Exaspéré, il lança le chiffon crasseux hors de la chambre. L'objet alla s'écraser mollement sur sa précieuse rangée de livres, qu'il marqua de la trace indélébile de sa médiocrité.

Cobb s'écroula sur le plancher et pleura. Lorsque son chagrin se fut épuisé de lui-même, il resta vautré là pendant un temps indéterminé ; il se sentait aussi usé que le torchon détrempé et aussi inutile que la gluante couche de talc.

Lamentable.

Il aurait pu rester indéfiniment dans cette pitoyable position, mais il perçut les signes annonciateurs d'un désastre imminent : le crissement familier de *ses* pneus sur le gravier du chemin, le faisceau vacillant de *ses* phares dans la nuit.

Il ne fallait pas qu'elle le voie dans cet état. Il poussa à nouveau sur le châlit, avec un effort décuplé par la peur, et parvint à le faire reculer suffisamment. Il souleva la latte de parquet amovible et trouva dessous le précieux bout d'étoffe souillée.

Haletant, il se dirigea d'un pas incertain vers la porte du chalet et tira les verrous.

Trop tard.

Ses phares balayaient maintenant la façade du chalet. Il serait pris au piège de l'aveuglant faisceau lumineux et elle le verrait.

Il arracha une page de son cahier et griffonna quelques mots : il y avait eu une urgence à son travail et un collègue était venu le chercher. Ses doigts tremblaient, ses pensées se bousculaient dans sa tête. Il fallait qu'elle le croie, qu'elle ne se doute de rien.

Il entendit un grondement de moteur près de la terrasse. Elle se gara et éteignit ses phares. La portière de sa voiture s'ouvrit et se referma avec un bruit métallique.

Il rentra en hâte dans la chambre, se glissa dehors par la fenêtre latérale, et courut se mettre à couvert sous les arbres. Là il s'accroupit, frissonnant de froid et de frayeur. Il entendit le claquement sec de ses talons sur les pierres de la terrasse, les coups légers sur la porte du chalet. Sa voix mélodieuse.

– Malcolm ? Malcolm, tu es là ? Il y a quelqu'un ?

Un silence. Elle devait chercher ses clefs dans son sac à main, ouvrir la porte.

– Où es-tu, gros bêta ? Allons, montre-toi, Malcolm. Je ne suis pas d'humeur à jouer.

Une lumière s'alluma dans le chalet. Puis une autre.

– Regardez-moi cette pagaille ! Qu'est-ce que c'est que toute cette poudre ? Mon Dieu ! Et moi qui ai apporté un si bon dîner ! Viens ici, Malcolm. Viens me nettoyer ça tout de suite !

Cobb frémit. Le vent glacé le transperçait. Il pressa le bout de tissu contre ses lèvres et lécha la tache durcie qui en maculait le centre.

Vague de chaleur soudaine. Jaillissement d'énergie.

– Malcolm Cobb ! Ça suffit maintenant. Tu te conduis comme un âne bâté. C'est stupide. Absurde !

Ses insultes ne l'atteignirent pas. Il se sentait fort à présent. Rien ne pouvait le blesser. Il était invincible. Stimulé par l'air nocturne. Prince des ténèbres.

Il se faufila adroitement à travers les fourrés jusqu'à la route lointaine. Bientôt il reviendrait – triomphalement.

Il ne pouvait penser à rien d'autre. Il n'y avait rien pour lui au-delà du craquement des broussailles sous ses pieds et du riche parfum d'une victoire imminente. La voix railleuse s'était perdue dans le vent. Il lui montrerait ce dont il était capable.

## 45

La journée de Drum avait mal commencé. Le caissier de l'hôtel des Quatre Saisons avait relevé le numéro de ses cartes American Express à son arrivée, mais quand il était descendu régler ce qu'il devait, le type n'avait pas pu extraire assez de jus d'oseille de sa Gertie Gold Card pour couvrir sa note assez considérable. Même problème avec sa Vicky Visa et sa Marjorie MasterCard. Apparemment, toutes ses meilleures petites copines avaient fait beaucoup trop d'heures supplémentaires et avaient grand besoin de vacances.

Il avait été plus contrarié qu'embarrassé. Après tout, il était un bon client. D'accord, peut-être *trop* bon. Mais de son point de vue, tout l'intérêt de ces rectangles plastifiés, c'était justement de pouvoir dépenser sans trop compter.

Le caissier avait commencé à perdre patience, quand Drum s'était souvenu de la carte verte American Express qu'il avait négligé de rendre à ses supérieurs quand il avait été mis à pied. En fait, Carmody lui avait seulement ordonné de rendre son pétard et sa plaque de flic. Pas un mot au sujet de la carte, alors Drum s'était dit, autant la garder. American Express avait toujours été son arme de prédilection.

Quand il avait donné cette carte de service au caissier, il avait su qu'il prenait un gros risque. Si on s'apercevait qu'il l'avait utilisée avant que l'affaire ne trouve un dénouement, Carmody ne le louperait pas. Mais s'il était encore retardé, il raterait son avion. Le plus léger contretemps au cours de son voyage de retour et il risquait d'arriver en retard pour le grand concours de Booker. Il avait donc joué sa carte verte comme un dernier atout, en espérant que la chance serait de son côté.

Il avait quand même dû se presser pour attraper l'avion qui quittait Los Angeles à huit heures. Lorsque, essoufflé, il était arrivé à la porte d'embarquement, l'appareil était déjà presque plein. Il ne restait plus rien en première classe ou même en classe affaires, alors il avait dû se contenter d'une place centrale dans une rangée de cinq, là où on se sent comme une sardine en boîte.

Sur sa droite il y avait une bonne femme qui aurait dû payer double place – pour elle et son grand clapet. Elle noyait le type chauve assis à côté d'elle sous un flot de paroles, si bien qu'à la fin Drum eut envie de lui fourrer le premier objet venu dans la bouche. Quant au type sur sa gauche, il devait avoir plusieurs mois de retard sur son bain annuel. Drum avait déjà vu le film, un navet particulièrement insipide. Le petit déjeuner était à la hauteur des circonstances : épinards et œufs froids.

Ce n'étaient pas là des conditions de travail très favorables, mais il ne voulait pas perdre de temps. La veille, il avait fait un saut à l'Université de Los Angeles en fin d'après-midi et il s'était arrangé pour avoir accès à l'ordinateur de la bibliothèque principale. Si les membres du club des grosses têtes choisissaient leurs pseudonymes historiques en fonction d'un intérêt personnel, cela ne pouvait pas faire de mal de chercher à en savoir plus sur les trois personnages figurant sur la liste : Machiavel, Raspoutine et Sir Arthur Conan Doyle.

La machine avait craché beaucoup plus de renseignements qu'il ne s'y était attendu. Il commença à parcourir l'épaisse liasse de feuillets.

Niccolo Machiavelli était un homme politique et un écrivain de la Renaissance. Dans son ouvrage le plus connu, *Le Prince*, ce brave Mac soutenait qu'un chef d'État pouvait faire tout ce qu'il jugeait nécessaire pour prendre et conserver le pouvoir.

Cela rappela à Drum quelques jeunes voyous italiens de son ancien quartier, en particulier cette petite gouape qui, par une étrange coïncidence, se prénommait aussi Nick, et qui avait pour habitude de se pavaner dans cette partie de la ville comme si elle lui avait appartenu. Ce gars-là voulait toujours avoir raison. Si vous le contredisiez, il s'en prenait à la voiture de votre père ou battait votre chien à mort ou lançait un petit cocktail Molotov par la fenêtre de votre salle de séjour. Autant de façons très convaincantes de faire prévaloir ses idées.

Il passa aux pages consacrées à Raspoutine. Apparemment, ce type-là n'avait pas grand-chose en commun avec le précédent. Il débute dans la vie comme un simple paysan, vers la fin du XIXe siècle. Un jour qu'il donne à manger aux cochons ou quelque chose comme ça, il se met dans la tête qu'il possède de surprenants pouvoirs surnaturels.

Drum en conclut qu'il fallait sans doute y voir la conséquence d'une vilaine allergie au foin ou de l'inhalation répétée de vapeurs de purin. Mais ce Raspoutine est absolument convaincu qu'il est devenu un super crack. Il va étudier chez les moines et commence à croire qu'il est en communication directe avec le grand patron d'en haut. Il a même le culot de se présenter au palais du tsar Nicolas à Saint-Pétersbourg, alléché par l'odeur du pouvoir.

Il se trouve que le tsar et la tsarine ont un enfant souffrant d'hémophilie, cette anomalie du sang qui, Drum s'en souvenait, affectait fréquemment les membres des familles royales, parce qu'ils s'obstinaient à se marier entre cousins.

C'était là une chose qu'il avait toujours eu du mal à comprendre. Sa cousine Lucy, du côté de sa famille maternelle, avait eu le béguin pour lui quand ils étaient mômes. Et cette Lucy n'était pas mal du tout : gironde, sexy, peu farouche, et ne manquant pas d'idées fort intéressantes.

Il avait été tenté, c'est vrai. Surtout ce jour de fête où, après dîner, ils s'étaient retrouvés tous les deux dans le débarras de Tante Jeanne. Mais il avait pensé au risque qu'ils courraient d'avoir des gosses à deux têtes qui saigneraient dans tous les coins, et cela lui avait coupé toute envie.

Quoi qu'il en soit, Raspoutine se livre à quelque tour de passe-passe sur l'enfant du tsar et prétend que sa maladie de sang est guérie. Le tsar Nicolas et sa femme lui en sont si reconnaissants qu'ils lui abandonnent quasiment le gouvernement du pays – qu'il se charge de mener quasiment à la ruine.

Cet olibrius se monte tellement le bourrichon qu'il se

croit tout permis. Il se met à congédier les ministres du tsar les plus en vue. Comme c'était à prévoir, il va un peu trop loin, offense quelques individus particulièrement impétueux, qui l'orientent vers une nouvelle carrière en l'envoyant manger les pissenlits par la racine.

Drum avait gardé exprès Sir Arthur Conan Doyle pour la fin. Le grand Matt avait été un fervent admirateur de Sherlock Holmes. Drum avait encore le vieux volume bien fatigué des Œuvres Complètes de Conan Doyle que son père avait coutume de lire à voix haute. Il se souvenait encore de certaines de ses histoires favorites : « Les trois fils cassés », « L'énigme du pont de Thor », « L'aventure du cercle rouge ».

Maintenant il apprenait que Sir Arthur avait fait ses études à Stoneyhurst et Edimbourg. Il était devenu médecin, mais son esprit n'avait jamais quitté le monde de l'imaginaire. Outre les aventures de Sherlock Holmes, il avait écrit un grand nombre de contes fantastiques, de récits historiques et de pièces de théâtre.

Quatre pages, pas moins, étaient consacrées aux rapports entre Holmes et Watson. Les auteurs prétendaient qu'il y avait beaucoup plus que de simples indices quant à la nature de leur amitié.

Drum, écœuré, laissa retomber les papiers sur ses genoux. Watson peut-être. Mais son cher Sherlock n'était sûrement pas pédé. Et même s'il l'était, il ne voulait pas le savoir.

Il renversa la tête en arrière, ferma les yeux, et réfléchit à ce qu'il venait de lire au sujet de ces trois personnages. Rien ne retint son attention. Rien qui permît de mettre un des trois as du QI en tête de la liste des quidams les plus susceptibles de s'enfuir, pris de panique, après avoir renversé un gosse. Il passa quelques minutes à mettre au point une tactique d'approche, puis il fit un petit somme.

L'avion atterrit à l'aéroport Kennedy avec dix minutes d'avance. Drum sortit de l'appareil en jouant des coudes. Pas de bagages, donc pas d'attente. À cinq heures moins dix il était dans la Mustang et sur la route.

Le concours de Booker ne commencerait pas avant sept heures. Le trafic était dense, mais ça avançait. Drum décida d'aller voir ce qu'il pourrait apprendre des trois petits génies sans passer par chez lui ; il irait directement à l'école de Booker le moment venu.

Machiavel habitait à Scarsdale, à un kilomètre de la sortie de l'autoroute de Hutchinson River. Cette bourgade puait le fric. Des maisons géantes se dressaient côte à côte comme des malabars dans une ligne de trois-quarts. Les pelouses étaient si impeccables qu'elles avaient l'air artificielles. C'était le genre d'endroit où même les mauvaises herbes ne se sentent pas à leur place.

Il engagea la Mustang dans une allée circulaire recouverte de chevrons de brique et s'arrêta devant la lourde porte à deux battants. En attendant que quelqu'un réponde à son coup de sonnette, il regarda à travers un des panneaux vitrés Tiffany qui flanquaient l'entrée et remarqua le grand lustre de cristal dans le hall, l'imposant escalier de marbre, l'immense tapis d'Aubusson, les objets d'art orientaux posés ici et là. Un petit chien tibétain trottait sur les talons d'une domestique en uniforme et gants blancs. Drum savait que ces bestioles coûtaient au minimum cinq mille dollars pièce. Celle-ci ressemblait à quelque chose qu'on aurait oublié au fond d'un panier de linge sale. Son collier était incrusté d'authentiques faux rubis et faux diamants.

La simplicité même.

Drum raconta à la domestique qu'il était un enquêteur indépendant travaillant pour le comité MacArthur. Il lui dit que quelqu'un dans la famille figurait sur la liste des personnes susceptibles de recevoir le prix destiné aux cerveaux particulièrement brillants. Il s'agissait de grosses sommes d'argent versées pendant cinq ans, sans aucune obligation de la part du lauréat. Le comité devait évaluer les mérites réels des candidats. Son boulot à lui consistait à s'assurer qu'ils avaient les qualifications requises.

La domestique hésita, puis le fit entrer dans la bibliothèque. C'était une pièce où dominaient le cuir bordeaux et l'acajou. Le foyer de la grande cheminée était en granit sculpté. Drum passa lentement devant des rayons chargés de volumes originaux luxueusement reliés. Il perçut une riche odeur d'encaustique et de tabac à pipe. Des notes de musique douce lui parvenaient à travers les murs lambrissés.

Deux minutes plus tard, une femme blonde et très mince, vêtue d'un caftan de soie pourpre, entra dans la pièce. On aurait dit à la voir avancer qu'elle était montée sur roulettes. Une fois arrêtée, elle prit une pose de mannequin : hanche saillante, épaules rondes, une main en suspension dans l'air. Elle se présenta et se mit à babiller au sujet du prix.

Drum n'eut pas besoin d'entendre plus de deux ou trois phrases pour deviner qu'il n'avait pas affaire à une lumière. Il demanda à rencontrer le candidat potentiel, et elle s'éloigna à sa manière aérienne pour aller chercher le génie de la famille.

Drum espérait voir arriver un homme quelconque, de taille moyenne, de poids moyen, etc. Si Machiavel correspondait physiquement au type qui avait amené la Peugeot aux taches de sang au garage de Bud, il pourrait le retenir et appeler Carmody pour qu'il se charge de l'emballage et de la livraison.

Mais la blonde maigre revint en tirant par la main une petite fille boulotte d'une dizaine d'années, tout en nattes, taches de rousseur et appareils dentaires. Elle se libéra d'une secousse et posa ses courtes mains potelées sur ses hanches. Son menton était relevé, sa bouche pincée ne laissait voir qu'une ligne dure.

– Je vous l'ai dit, les prix ne m'intéressent pas, mère. J'appartiens à cette catégorie d'esprits qui, comme l'a dit le Maître, « appréhendent le monde par leurs propres moyens ». Alors au revoir, M. Qui-que-vous-soyez. Et bonne chance dans la vie.

Sur ce, la môme détala et remonta en trombe l'escalier de marbre. La femme suivit Drum jusqu'à la porte sans cesser de jacasser : Melissa Ann était si nerveuse et impulsive... Il ne fallait pas lui en vouloir... Son QI était estimé à 250. C'était si difficile pour un jeune enfant de surmonter les problèmes que pose un intellect d'une telle magnitude... Des malentendus sans fin... Chacun attendait trop d'elle...

– Les gens ne se rendent pas compte de la tension nerveuse que cela représente, conclut-elle. Alors ils insistent pour qu'elle se comporte d'une certaine façon, et naturellement elle réagit mal. S'il vous plaît, ne la jugez pas d'après cette seule petite rencontre. Que diriez-vous de venir dîner avec nous demain ? Ou déjeuner ?

Drum hochait la tête pour toute réponse. La voix de la femme le poursuivit jusqu'à la voiture. Il fit rugir le moteur et alluma la radio pour ne plus l'entendre.

Tout en roulant vers l'adresse suivante, il pensa avec plaisir à Booker, qui était, chacun en eût convenu, loin d'être stupide, mais qui n'aspirait pas au titre de gamin le plus odieux de l'univers comme cette petite pouffiasse couverte de taches de son.

Une journée loin de la maison, et le moustique lui manquait déjà. Il se demanda s'il y avait quelque chose de nouveau du côté de cette fichue assistante sociale et de ce couple de New Haven. Il voyait rouge rien que d'y penser. Pas question qu'on leur enlève le môme.

L'adresse de Sir Arthur Conan Doyle était celle d'une maison de rapport délabrée, dont le rez-de-chaussée était occupé par un snack, dans le centre de White Plains. Drum vérifia deux fois le numéro pour être sûr qu'il n'y avait pas erreur. Drôle d'endroit où crécher pour un Einstein.

L'immeuble tout entier empestait le vinaigre et le pain rassis. Drum monta au premier étage et commença à frapper aux portes. Personne dans les trois premières piaules. La quatrième porte finit par s'ouvrir sur un individu qui ressemblait en tous points – y compris l'odeur – à Howard Hughes. Mais le type était complètement dans les vapes et parlait d'une façon incompréhensible.

Drum s'apprêtait à monter au deuxième, quand il évita de peu une collision avec un vieux bonhomme qui portait un sac à provisions. Il lui raconta la même histoire de prix, et le vieux mordit tout de suite à l'appât.

Il sut immédiatement de qui Drum voulait parler. Il le conduisit vers la première porte du palier et frappa.

Drum avait déjà essayé là. Pas de réponse. Mais le vieux n'abandonna pas si facilement.

– Ouvre, Artie. Y'a quelqu'un ici qu'aura p't'êt'du pognon à t'filer.

Un grognement leur parvint.

– Un tas d'fric, Artie. Fais pas l'con.

Il fallut encore plusieurs minutes au vieux pour convaincre Artie de les laisser entrer. Drum, pendant ce temps, faisait des vœux pour que ce type eût l'air aussi *moyen* que possible. Il était plus qu'impatient d'en avoir fini avec cette maudite affaire.

Mais quand Artie se laissa enfin fléchir et ouvrit la porte, Drum comprit que c'était encore un coup d'épée dans l'eau. Artie était attifé comme Sherlock Holmes lui-même : casquette à double visière, costume de tweed à l'ancienne. Il aurait vraiment ressemblé à son héros, sans le fauteuil roulant motorisé dans lequel il était assis. Il dirigeait l'engin au moyen d'une tige qu'il tenait entre ses dents. Il avait un singe dressé pour aller chercher et lui rapporter des objets. Le singe s'appelait Watson. Très original.

Le vieux raccompagna Drum en bas. En chemin il lui expliqua qu'Artie (le type avait pris officiellement le nom d'Arthur Conan Doyle) avait eu un accident de football américain au lycée, qui l'avait laissé paralysé du cou jusqu'aux pieds. Il y avait donc fort à parier que Sherlock Junior ne s'était pas pointé chez Bud ou dans un autre garage depuis vingt bonnes années, et n'avait pas commis le moindre délit de fuite.

Brillante déduction, Drum.

Il ne restait donc que Raspoutine et le problème de sa localisation, car en fait d'adresse, seul un numéro de boîte postale figurait en face de son nom.

Déjà six heures et demie passées, par conséquent la poste serait fermée. De toute façon, il raterait la prestation du môme s'il continuait son enquête maintenant. De sorte que le dernier grand espoir allait devoir attendre.

Drum ne voulait pas y penser, mais il y avait toujours la possibilité que Raspoutine ne fût pas le bon cheval non plus. Le petit livre marqué *Braintrust* avait pu être laissé dans la voiture par quelqu'un d'autre : un parent ou un ami en visite, ou même un inconnu pris en auto-stop. N'importe qui.

Pis encore, la Peugeot n'était peut-être même pas la voiture qu'il cherchait. Son propriétaire avait peut-être vraiment heurté un chevreuil comme il l'avait prétendu. Et comment savoir si le mécano qui travaillait au noir chez

Bud n'avait pas inventé cette histoire de toutes pièces ? Pas de Peugeot, ni de pare-chocs cabossé, ni de livre – rien du tout.

Plutôt déprimant comme idée.

S'il tardait à pincer un suspect, Carmody mettrait fin à sa mission. Non seulement il aurait l'air ridicule, mais il ne recevrait, pour prix de ses efforts, que quelques malheureux dollars qui ne suffiraient même pas à combler une partie de son déficit budgétaire...

Il ne lui resterait plus qu'à ruminer sa médiocrité à longueur de journée en attendant la fin de sa mise à pied. Il passerait sans doute le reste de sa carrière de flic à faire traverser les piétons aux carrefours.

En arrivant sur le parking de l'école, il essaya d'écarter ce sentiment d'abattement. Trop de choses étaient en jeu dans cette histoire, il y avait trop de gens qu'il ne pouvait pas décevoir – à commencer par lui-même.

Mais cette affaire lui faisait de plus en plus penser à un malade en phase terminale.

Il fallait barrer la route à la morosité et retrouver une humeur plus appropriée aux circonstances. Ce soir, seul le gamin comptait. Il avait travaillé dur, et bien mérité d'occuper le devant de la scène le temps d'une soirée.

Des gens franchissaient en foule les portes de l'auditorium. Drum verrouilla la portière de la Mustang et se joignit à eux.

## 46

Des chaises pliantes métalliques étaient alignées d'un bout à l'autre de la scène de l'auditorium. Drum aperçut Booker parmi tous les gosses rassemblés devant les sièges vides et lui adressa un signe de la main. Le moustique ne le vit pas.

La salle était presque pleine. Il chercha Stella des yeux et mit quelque temps à la repérer dans les premiers rangs. Debout au milieu d'une rangée de fauteuils, elle bavardait avec quelques personnes que Drum ne distinguait pas bien d'où il était. Il ne comprit qui ils étaient que lorsqu'il eut franchi la moitié de la distance qui le séparait d'eux. Cela lui donna la chair de poule.

Les joues de Stella étaient rouges, sa bouche humide.

– Bonsoir, Jerry. Vous voyez, je vous avais dit qu'il arriverait à temps. Il ne laisserait tomber Booker pour rien au monde. Ces deux-là sont comme ça. (Elle croisa si fort deux doigts qu'ils en devinrent tout blancs.) Tu te souviens bien sûr de Mlle Bergmuller, l'assistante sociale ? Et voici M. et Mme Duncan, de New Haven.

La fille Bergmuller tendit sa petite patte, qu'il prit comme si ç'avait été un tison brûlant.

– Bonsoir, monsieur Drum. M. et Mme Duncan voulaient rencontrer Booker pour faire sa connaissance. Alors j'ai pensé que c'était l'occasion idéale pour cela.

Drum les trouva tout de suite antipathiques. Le type était beaucoup trop grand. Le sourire de la femme était tout en dents ; rien derrière. Une grande perche et une cage vide. Ça, des parents pour Booker ? Jamais.

Le regard d'avertissement que lui lança Stella ne lui échappa pas, et il fit un gros effort pour rester poli. « Comment se fait-il que vous vouliez faire connaissance avec *notre* enfant ? » demanda-t-il. Stella lui fit encore les gros yeux, mais il ne voyait pas où était le problème. Il souriait, non ? Alors ?

La fille Bergmuller eut un petit rire nerveux et montra la scène du doigt. « Oh, regardez. Ça va commencer. »

Drum bouillait intérieurement, mais il essaya de ne pas trop le montrer. Il s'assit à côté de Stella tandis que les lumières baissaient et regarda Booker s'attribuer d'office un siège au beau milieu de la rangée de chaises. Finalement leurs regards se croisèrent et Drum fit un grand signe de la main. Book répondit en souriant et en levant un pouce.

Le moustique avait l'air parfaitement à l'aise. Drum, au contraire, se sentait nerveux pour deux. Le môme avait travaillé si dur pour ce grand jour... Il avait tellement étudié cette sacrée liste de mots qu'il aurait presque pu la réciter par cœur. Il méritait vraiment de gagner.

Les épreuves éliminatoires commencèrent et le tour de Book arriva. Drum retint son souffle tandis que le môme s'approchait du micro et attendait son mot. Il cribla de flèches invisibles le prof qui tenait la liste. « Donne-lui quelque chose de facile, enfoiré, ordonna-t-il mentalement. Ne lui complique pas la tâche. »

Le type dit : « éléphant », et Drum se détendit aussitôt. Un vrai cadeau pour Book.

Celui-ci jetait des coups d'œil à la ronde et paraissait soudain très nerveux. Son regard se tourna un instant vers Drum, qui l'encouragea d'un signe de tête.

Le gamin connaissait ce mot. Cela ne faisait aucun doute. Alors pourquoi n'avait-il encore rien dit ? Drum essaya de l'aider en formant les lettres avec sa bouche, mais Booker ne regardait plus de son côté.

« Éléphant », répéta enfin Book. Sa poitrine se gonfla. « E… L… E… F… »

Une sonnerie moqueuse retentit. La gorge de Drum se serra. Ça ne fait rien, petit. Ce n'est pas grave.

Le môme eut l'air désorienté pendant quelques secondes. Il cligna des yeux et ouvrit la bouche comme pour dire quelque chose, mais aucun son ne sortit.

Ça ira, Book. Ne prends pas ça trop à cœur.

Drum espérait que l'enfant recevrait ce message qu'il tentait de lui transmettre par la pensée. Mais Booker était comme paralysé derrière son micro. Le prof se pencha et lui dit quelque chose, mais Book ne bougea toujours pas. Alors le type posa une main sur le dos du gamin et le poussa doucement.

Ce simple geste fit exploser le môme comme une ogive nucléaire. Il se retourna vivement et son bras tendu frappa le prof à l'estomac. Puis il se mit à taper du pied et à hurler.

– Vous pouvez pas m'faire ça ! Vous m'avez pas donné ma foutue chance ! Vous pensez que j'suis un abruti d'nègre, hein ? Vous pensez que j'mérite pas qu'on m'donne ma chance !

Les yeux du type semblaient sur le point de jaillir de leur orbite. Le directeur et deux autres profs sautèrent sur la scène et entraînèrent Booker dans les coulisses en le portant presque. Le môme criait comme un putois.

– Ne m'touchez pas, nom de Dieu ! J'suis pas vot'nègre. Z'avez pas l'droit !

Drum était bien embêté. Une partie de lui-même voulait voler au secours du gamin, mais l'autre ne tenait pas à transformer l'esclandre en scandale. Il décida qu'il valait mieux attendre que quelques autres gosses eussent répondu avant de s'éclipser discrètement pour aller retrouver Booker.

Il attendit donc que les choses se calment et perçut un murmure de voix furieuses qui venait de la même rangée. Les Duncan passaient leur mauvaise humeur sur la fille Bergmuller. Pourquoi leur avait-elle fait croire que Booker n'avait aucun problème émotionnel ? Est-ce qu'elle essayait de les rouler ? Un gosse aussi mal élevé et aussi peu capable de contrôler ses impulsions ne les intéressait vraiment pas du tout.

Ils partirent en maugréant par l'autre bout de la rangée et remontèrent précipitamment l'allée latérale en direction de la sortie. La fille Bergmuller courut derrière eux.

Stella se leva pour aller rejoindre Booker. Drum la fit se rasseoir près de lui en disant : « Attends une minute. »

– Il faut que j'aille près de lui, Jerry, dit-elle d'une voix enrouée. Le pauvre garçon a vraiment de la peine. Je ne l'ai jamais vu si bouleversé.

Drum rit tout bas et hocha la tête.

– Ce môme est vraiment incroyable.

– De quoi parles-tu ?

Il se retourna et vit les portes de l'auditorium se refermer sur les Duncan et la fille Bergmuller. Alors il se leva et fit signe à Stella de le suivre.

– Tu vas voir. Viens.

Book attendait sur une des chaises que le directeur avait placées près de la porte de son bureau pour que les esprits échauffés s'y calment. Quand Drum et Stella arrivèrent, il souriait en se balançant au rythme d'un air qu'il fredonnait dans sa tête.

– Hello, madame Drum, m'sieur Drum.

– Hello, fit Drum.

– Mon pauvre chou ! Comment te sens-tu ? dit Stella en le serrant dans ses bras, puis en le tenant à bout de bras pour mieux l'examiner. Tu n'aurais pas dû te mettre dans des états pareils. Ce n'était pas si important que ça.

– Ouais, je sais. J'me suis un peu énervé. Mais c'est fini.

Elle lissa de la main les cheveux de l'enfant.

– Oui, ça a l'air d'aller beaucoup mieux. Bien. Tu ne devrais pas prendre ce genre de choses trop au sérieux. Ce n'est qu'un jeu après tout.

Le directeur était ressorti de son bureau. Il joignit les mains et hocha la tête.

– Exactement ce que nous disions, hein, Booker ? La compétition est difficile pour beaucoup de jeunes de son âge, mes amis. Je suis sûr que ça s'arrangera avec le temps, n'est-ce pas, fiston ?

– Oh ! ouais. Ça ira beaucoup mieux, vous verrez, répondit Booker en souriant d'une oreille à l'autre.

– Et plus de grosses colères, d'accord ?

– J'fais une croix dessus. Promis juré.

Le directeur donna à Booker une petite tape dans le dos.

– Bravo ! Alors on oublie tout ça. Sauvez-vous maintenant, les amis. À lundi, fiston.

– Ouais, d'accord.

Booker ne cessa de plastronner et de fanfaronner sur le chemin de la sortie. La perplexité de Stella fit place à une lueur de compréhension.

– Tu ne veux pas dire que…

Le regard de Booker se fit tout innocent. Il jeta un coup d'œil inquiet en direction de Drum.

– Vas-y, espèce de petit tricheur. Dis la vérité à Stella.

– La vérité, c'est que j'suis pas un poulet mort pendu à un crochet derrière une vitrine.

– Qu'est-ce que ça veut dire ?

– Ça veut dire que j'suis pas à vendre comme un foutu poulet chez l'marchand d'volailles. J'vais pas où j'veux pas aller, et personne m'y obligera.

Stella hocha la tête.

– Je te l'ai dit, ce n'était qu'une entrevue préliminaire, Booker.

– J'suis pas à vendre, madame Drum. Préliminaire ou pas c'est du pareil au même.

Drum haussa les épaules et réprima le sourire qui lui

venait aux lèvres. Ils étaient maintenant sur le parking.

– Je prends Book avec moi, Stella. D'accord ?

– C'est ça. Ne vous gênez surtout pas pour moi.

Elle essayait d'avoir l'air fâchée, mais échouait lamentablement. « C'est un sacré numéro que tu nous as fait là », ajouta-t-elle.

Dans la Mustang, Booker s'installa confortablement sur son siège, doigts croisés derrière la tête.

– Vous avez vu comment j'ai réglé ça, m'sieur Drum ? Comme j'avais dit qu'je l'ferais.

– Est-ce que je ne t'avais pas dit de faire gaffe, Book ? Est-ce que je ne t'avais pas dit de ne rien manigancer qui pourrait t'attirer des ennuis ?

– Ouais, c'est vrai. Mais j'ai réussi, m'sieur Drum. J'vous avais dit d'pas vous en faire.

Drum resta silencieux. Pour une fois, il n'avait pas de conseils prédigérés à donner au gamin. C'était Booker au contraire qui lui administrait une bonne dose de ce qu'il n'aurait jamais dû oublier lui-même. Si tu veux vraiment quelque chose, remue-toi et va le chercher. Ne lésine pas sur les moyens. Continue jusqu'à ce que tu sois parvenu à tes fins. Élémentaire.

Mais pendant un moment, il avait perdu de vue ces vérités premières. Il avait été prêt à renoncer, à jeter l'éponge, rien que parce que les alouettes ne lui tombaient pas toutes rôties dans le bec.

– Ouais, champion. Tu as réussi.

– Si la Bergmuller amène d'autres gens comme ces Duncan, j'm'occuperai d'eux aussi, m'sieur Drum. Vous verrez.

– Je n'en doute pas, Book. Mais j'ai comme une idée que tu n'auras pas à le faire.

La tristesse assombrit le visage de l'enfant.

– J'suppose que vous avez raison. Personne voudra jamais m'adopter, c'est sûr. J'suis plus un mignon p'tit bébé. J'suis pas facile non plus. C'est aussi bien comme ça.

Drum ne répondit pas. Il le ferait quand il aurait la réponse qu'il voulait lui donner.

# 47

Pendant que Stella bordait Booker dans son lit, Drum appela Louis Packham, de Failsafe Security, pour voir s'il y avait des messages pour lui. Il y avait eu deux appels impatients du shérif Carmody et un de Lindy Tang, le chimiste génial de Philadelphie que lui avait recommandé Driscoll.

Drum composa le numéro que Tang avait laissé, et qui se trouva être son numéro privé.

– J'ai analysé l'échantillon, monsieur Drum.

Tang lui dit qu'il avait isolé un poison organique dans le sang de l'enfant. C'était un glucoside provenant des graines d'une plante tropicale de la famille des digitales pourprées, originaire d'Afrique. Ce poison avait, comme la digoxine, tendance à provoquer des anomalies du rythme cardiaque.

– Un poison, vous avez dit ?

– Exact, monsieur Drum.

– Est-ce que c'est un de ces poisons qui ont une valeur thérapeutique ?

– Comme je vous l'ai dit, c'est un stimulant cardiaque, par conséquent on peut concevoir qu'il soit employé médicinalement. Mais il a surtout été utilisé dans le passé par les chasseurs qui en enduisaient la pointe de leurs flèches ou de leurs sagaies.

Drum posa au chimiste les questions qui s'imposaient, et il obtint exactement les réponses qu'il ne voulait pas. On pouvait facilement se procurer cette plante dans tout le pays, ce n'étaient pas les serres tropicales ou les fournisseurs qui manquaient. Aucun savoir-faire particulier, aucun équipement sophistiqué n'étaient nécessaires pour extraire le poison des graines.

Rien pour rétrécir le champ des recherches.

Il raccrocha avec le sentiment qu'il avait perdu une autre manche. Barbac avait envisagé la possibilité que la substance dans le sang de l'enfant fût un médicament expérimental. S'il fallait visiter tous les fournisseurs de serres tropicales et tous les laboratoires de produits pharmaceutiques qui mettaient au point des remèdes pour le cœur, l'hiver allait être vraiment long.

Il appela Carmody pour l'assurer du bon déroulement des opérations. Il parla en code pour ménager la paranoïa téléphonique du chef. Il raconta qu'il avait eu très mal au ventre, mais que c'était presque fini.

Drum savait pertinemment que ses chances de pincer le saligaud étaient toujours aussi faibles, mais il ne voyait aucune raison de mettre Carmody dans la confidence. Il devait essayer de tenir le chef en haleine jusqu'à ce que la chance se décide enfin à lui sourire.

Stella passa la tête dans l'embrasure de la porte pour lui dire qu'il y avait un message de London sur le répondeur. Drum l'écouta trois fois. « Gaaarçon... mieux », avait éructé le vieux. Le pauvre bougre avait manifestement fait un gros effort pour prononcer ces mots. Pourquoi s'était-il donné cette peine ? Bon, le petit Merritt allait mieux. Ce n'était pas là une nouvelle extraordinaire.

Dégoûté, Drum décida d'aller se coucher. Il monta en se disant qu'il commencerait par l'oreille gauche de Stella et descendrait lentement le long de son corps. Il n'aimait rien tant qu'une de ces agréables et nonchalantes promenades dans la nature, tout en parfums et en paysages.

Il musardait au pied d'une de ses collines les plus intéressantes, quand le téléphone sonna. Stella l'obligea à aller répondre. Cette femme était un peu sadique sur les bords.

C'était encore Dan Carmody. La banque American Express venait de l'appeler pour lui demander son feu vert au sujet de la note d'hôtel de Los Angeles.

Carmody était fou furieux. Drum écarta le combiné de son oreille pour ménager ses tympans. Il saisit quelques bribes de phrases par-ci par-là. Assez pour comprendre que le chef ne nageait décidément pas dans le bonheur.

Drum espérait que la colère de Carmody s'épuiserait d'elle-même. Mais le bonhomme n'avait pas l'air de vouloir se calmer. Pour finir il lança un ultimatum à Drum. Celui-ci avait quarante-huit heures pour retrouver le chauffard. S'il échouait, il pourrait retourner à ses pantoufles.

Drum raccrocha et fit ce qu'il y avait de plus logique à faire en la circonstance : il envoya une lampe s'écraser contre le mur et brisa en mille morceaux quatre des beaux verres en cristal qu'une tante de Stella leur avait offerts en cadeau de mariage. Puis il recula de quelques pas et contempla le carnage. Il ne se sentit pas soulagé le moins du monde. Pourtant, naguère, cela lui faisait un bien énorme de piquer ce genre de crise. Mais même les plaisirs les plus simples semblaient se retourner contre lui.

Foutaises, Drum. Il savait que tout cela était de sa faute. Qu'il l'avait bien cherché.

Stella avait entendu le vacarme. Elle apporta à Drum un balai et une pelle à poussière et repartit sans un mot. Elle avait raison, comme d'habitude. Il avait fait un beau gâchis, alors il n'avait plus qu'à tout nettoyer.

Dix minutes plus tard, il était au volant de la Mustang et roulait en direction de la poste de Pound Ridge. Deux jours, ce n'était pas beaucoup, mais il était bien décidé à en tirer le maximum.

## 48

Quand Ferris entra dans la chambre pour la visite du soir, James dormait. Le docteur se pencha quelques secondes sur l'enfant et se retourna pour partir.

– Attendez, dit Cinnie. J'aimerais voir les résultats des analyses.

Il parut surpris. « Quelles analyses ? »

– Celles que vous avez fait faire après la grosse alerte de ce matin. Vous avez dit que vous auriez les résultats cet après-midi.

– Ah ! oui, c'est vrai. Mais apparemment le labo est en retard. Un des laborantins est malade, je crois. Nous les aurons probablement demain.

– Mais c'était une urgence !

– Allons, madame Merritt, répliqua-t-il sèchement. Ne dramatisons pas la situation.

Cinnie eut l'impression d'avoir reçu une gifle.

– Comment pouvez-vous dire ça ? James ne respirait plus. Il aurait pu…

Ferris marmonna quelque chose pour lui-même. Il avait l'air étrangement distrait.

– Excusez-moi. Vous avez raison. Pardonnez-moi. Je n'ai pas beaucoup dormi ces derniers temps.

C'était là une chose qu'elle pouvait comprendre aisément.

– Vous aurez les résultats demain matin ?

– Dès que possible. Voulez-vous m'excuser maintenant ? J'ai à faire.

Plus tard, en revenant des lavabos où elle était allée faire un brin de toilette, Cinnie faillit trébucher sur le fauteuil roulant d'Oliver London, qui s'était arrêté près de la porte de la chambre de James.

– Gaaarçon ?

– Vous avez appris ce qui est arrivé à James ? Ç'a été affreux, mais il va mieux maintenant, monsieur London. C'est très gentil à vous de venir aux nouvelles.

Il leva le menton et essaya de dire quelque chose. Elle posa une main sur son épaule.

– Il va bien, je vous assure. Il dort comme un loir en serrant dans ses bras cet adorable ours en peluche que vous lui avez donné. À demain, d'accord ?

Il secoua la tête, inspira à fond, et déversa sur elle un flot de gargouillements inintelligibles.

– Demain, monsieur London. Puisque je n'emmènerai pas James à la maison, nous pourrons avoir notre séance habituelle à neuf heures et demie. Allez donc prendre un peu de repos maintenant. D'accord ?

Elle entra dans la chambre et rangea ses affaires. Elle avait cru que London partirait, mais en entendant les grincements du fauteuil et le cliquetis du frein, elle comprit qu'il se postait juste devant la porte fermée. Elle décida de ne pas s'occuper de lui. Tôt ou tard il se fatiguerait et s'en irait.

James était toujours profondément endormi. Cinnie caressa son front et arrangea ses couvertures. Quand elle posa un baiser sur sa joue, il remua un peu et bredouilla quelques mots incompréhensibles.

– Bonne nuit, mon ange. Ça ira mieux demain. Je te le promets.

Elle se coucha en chien de fusil sur le lit de camp. Promesse facile à tenir, pensa-t-elle. La journée qui s'achevait avait été particulièrement sinistre.

Pourquoi Ferris n'avait-il pas encore de réponse ? Il fallait qu'elle sache ce qui avait provoqué cette rechute.

Ferris s'était comporté si bizarrement... D'ordinaire, il faisait preuve d'un calme imperturbable, mais ce soir il avait paru nerveux, distrait, impatient de s'en aller.

Après son départ, Cinnie avait appelé le laboratoire pour leur secouer un peu les puces. Mais les deux toubibs qu'elle connaissait dans le service de pathologie étaient déjà partis.

La secrétaire était nouvelle dans ce service. Quand Cinnie lui avait demandé de voir où en était l'analyse de sang de James, elle avait eu du mal à trouver la fiche correspondante. Quand elle avait enfin mis la main dessus, au bout de cinq minutes, elle n'y avait rien compris. Elle avait dit que la fiche semblait avoir été déjà remplie. Sur le moment, Cinnie avait supposé que la fille se trompait.

Maintenant, elle commençait à se demander si Ferris n'avait pas été évasif à dessein. Se pouvait-il qu'il eût trouvé quelque chose de terrible dans le sang prélevé sur James et ne voulût pas lui en parler déjà ? Elle savait que les médecins qui avaient une mauvaise nouvelle à annoncer repoussaient parfois cette démarche jusqu'à ce qu'elle fût absolument indispensable. Ou légèrement après. Voilà qui expliquerait la nervosité de Ferris.

Et il y avait aussi l'étrange comportement de London. Peut-être avait-il appris quelque chose de terrible au sujet de James, peut-être était-ce pour cela qu'il restait dans le couloir. Cinnie savait que les gens avaient tendance à parler librement en présence de patients tels que London. On oubliait facilement qu'ils étaient parfaitement capables d'entendre et de comprendre ce qu'on disait. C'était le cas de London. Et s'il avait glané quelque information intéressante, elle était plus que disposée à l'entendre – que la nouvelle fût bonne ou mauvaise.

Elle donna quelques coups sur la porte et demanda à London de reculer son fauteuil roulant. Quand son oreille lui eut appris qu'il s'était suffisamment éloigné, elle sortit dans le couloir. London avait l'air très malheureux. Ses yeux étaient entourés de cernes bistres.

– Qu'essayez-vous de me dire, monsieur London ?

Il fit un gros effort pour parler. Ses yeux étaient exorbités, les tendons de son cou saillaient.

– Doucement. Doucement. C'est au sujet de James ? Avez-vous appris quelque chose au sujet des résultats des analyses ?

La bouche de London s'ouvrit toute grande, sa figure s'empourpra. Cinnie craignit qu'il ne fût victime d'une nouvelle attaque.

– Allons, allons. Calmez-vous.

Mâchoires distendues, il poussa une dernière fois, puis renonça. Sa respiration était difficile et irrégulière. Il y avait une profonde tristesse dans son regard.

– Écoutez-moi, monsieur London. Vous vous surmenez. N'essayez plus de parler pendant un moment. Une bonne nuit de repos, et vous serez de nouveau en forme demain matin. Quoi que vous ayez à me dire, cela peut attendre jusque-là.

Vaincu, il baissait la tête. Il ne protesta pas quand Cinnie poussa son fauteuil vers les ascenseurs et enfonça le bouton d'appel. Elle attendit qu'une porte s'ouvre, manœuvra le fauteuil pour le faire entrer dans la cabine, et appuya sur le bouton de son étage.

Comme les portes se refermaient, elle se glissa hors de la cabine en lui envoyant un baiser.

– Ne vous en faites pas, monsieur London. À demain matin.

En passant devant la salle des infirmières, elle eut l'idée d'y prendre le dossier de James. Elle le dissimula sous son peignoir et retourna dans la chambre. Elle lut jusqu'à ce que sa vue finisse par se brouiller, étudia toutes les notes et tous les rapports de laboratoire pour la semaine écoulée. « Rien à la date d'aujourd'hui », constata-t-elle. Donc Ferris avait dit vrai. Si les résultats avaient été envoyés, une copie aurait été placée dans le dossier de James.

Elle alla le remettre à sa place, revint à pas feutrés dans la chambre, se laissa tomber sur le lit de camp et tira sur elle les couvertures.

Cette fois elle refusa d'écouter ces voix intérieures qui la harcelaient. C'était de sommeil qu'elle avait besoin pour le moment. Tout le reste devrait attendre.

James bougea dans son lit, rejeta un bras sur son oreiller, et bredouilla quelque chose. Cinnie éteignit la lampe de chevet et ferma les yeux.

## 49

Drum gara discrètement la Mustang derrière le bâtiment de la société d'histoire et profita d'un trou dans la haie de séparation pour s'approcher de la poste de Pound Ridge. Celle-ci ressemblait à une ancienne gentilhommière avec son crépi blanc, son toit de tuiles vertes, ses contrevents noirs et son aigle de fer rouillé au-dessus de la porte.

Drum avait travaillé pendant six mois dans l'atelier de réparation de la *Precision Alarm Company* et y avait appris à se familiariser avec les systèmes de sécurité. C'était, après un apprentissage de serrurier, la meilleure école préparatoire au monde pour un futur cambrioleur.

Il fit le tour du bâtiment et pigea le système en un rien de temps. On s'était contenté de piéger les ouvertures. Aucune trace de détecteur de mouvement ou d'alarme à ultrasons. Il y avait de simples contacts sur les portes extérieures et des détecteurs de chocs aux fenêtres du rez-de-chaussée. Les fils électriques étaient raccordés au réseau téléphonique, ce qui signifiait que la poste était directement reliée au commissariat du quartier.

Reculant de quelques pas, il se rendit compte qu'il n'y avait qu'un seul moyen de pénétrer à l'intérieur sans déclencher l'alarme. Pour cela il allait devoir sacrifier son pantalon et sa belle chemise mercerisée. Heureusement que Carmody était déjà furieux contre lui. Ça lui éviterait d'avoir à piquer une nouvelle crise quand il verrait sa dernière note de frais.

Il grimpa avec précaution sur une corniche de fenêtre, puis se hissa au niveau du premier étage et sur le toit à lucarnes. Ses chaussures à semelle de cuir glissaient sur les tuiles, alors il dut se mettre à quatre pattes pour escalader le versant abrupt et atteindre la cheminée.

La plaque de cuivre qui entourait la base de la cheminée était devenue verdâtre avec le temps. Quand Drum en saisit le bord pour se hisser plus haut, un morceau de cuivre moisi lui resta dans la main. Il glissa à reculons le long du toit en essayant de se raccrocher aux tuiles pour arrêter sa chute.

Il regagna lentement le terrain perdu et monta sur la cheminée de brique. Puis il s'introduisit, pieds d'abord, dans le trou, et lâcha tout.

Il passait tout juste dans l'étroit conduit. Lorsqu'il arriva en bas, après un parcours assez mouvementé, ses phalanges, ses coudes et ses genoux étaient tout écorchés et saignaient. Il était couvert de suie et de créosote.

Il en enleva le plus gros avec son mouchoir, se dirigea vers les bureaux, et commença à fouiller partout. Il trouva d'innombrables archives concernant des paquets et des lettres recommandés, des tas de formulaires colorés en triple exemplaire, des piles d'opuscules traitant de la fraude postale ou des règlements postaux.

Mais rien au sujet des boîtes postales.

Il fureta dans les tiroirs de plusieurs bureaux. En vain. Il était sur le point d'abandonner quand il aperçut le terminal d'ordinateur sur le comptoir du hall d'accueil.

Sa dernière chance. Il mit l'appareil en marche et enfonça quelques touches. Il avait vu Booker pianoter sur le clavier de l'Apple IIC qu'ils lui avaient acheté pour son anniversaire, et ç'avait eu l'air assez facile. Facile pour le môme en tout cas. Tout ce que Drum obtint pour sa peine, ce fut un tas de *bip-bip* courroucés et d'avertissements énigmatiques.

Le champion dormait probablement à cette heure-ci, mais c'était un cas de force majeure. Drum appela en PCV pour que sa présence en ces lieux en dehors des heures ouvrables passe inaperçue. Puis il baratina de son mieux Stella pour qu'elle consente à réveiller le moustique.

Quelques instants plus tard, la voix de Booker lui parvint. Le môme avait l'air abruti de sommeil, mais les brumes de son esprit se dissipèrent d'un seul coup quand Drum lui expliqua le problème.

Le gamin lui donna quelques conseils et suggestions pour l'aider à persuader l'appareil de chanter sa chanson. Cinq minutes plus tard, Drum avait devant les yeux la liste qui l'intéressait.

– Ça y est, champion. Merci.

– Pas d'quoi, m'sieur Drum. Où s'que vous êtes ? Qu'est-ce que vous faites ? Ch'rai heureux d'venir vous donner un coup d'main si vous avez besoin d'moi. J'ai pas sommeil.

– Ce n'est pas nécessaire. Tu as été formidable. Retourne au lit maintenant avant que Stella ne me passe un bon savon. D'accord ?

– J'suis pas fatigué, j'vous dis. Alors qu'est-ce que ça peut lui faire ?

– Je ne sais pas, petit. Ce qui est sûr, c'est qu'elle va me sonner les cloches si je t'empêche de dormir. Alors fais semblant d'être crevé et va te coucher, veux-tu ? Tu me rendras un grand service.

Gros bâillement à l'autre bout du fil.

– Ouais, d'accord. J'vais au lit maintenant, m'sieur Drum. V'savez, j'suis *réellement* crevé. À demain matin.

Drum fit défiler sur l'écran la liste des numéros de boîtes postales jusqu'à ce qu'il eût trouvé le nombre à quatre chiffres qui correspondait à celle de Raspoutine. Elle était attribuée à un certain Malcolm Cobb, qui habitait à environ trois kilomètres de la ville, le long de Hollow Tree Ridge Road.

Dans quelques minutes, il saurait s'il était revenu à la case départ ou non.

Il éteignit l'appareil et regarda autour de lui. La commande du système d'alarme se trouvait près de la porte d'entrée. Mais il ne pouvait le neutraliser sans numéro de code.

Il savait, grâce à son expérience de quelques mois dans

ce domaine, qu'il existait un moyen d'établir un faux contact qui lui permettrait d'ouvrir la porte sans déclencher l'alarme. Mais cela prendrait du temps, et il n'en avait pas à perdre. D'ailleurs il n'était pas sûr de réussir son coup.

Il ne restait donc qu'une chose à faire : ouvrir la porte et courir ventre à terre vers la Mustang.

Quelques secondes plus tard, il quittait la cour de la société d'histoire et roulait vers le nord. Huit cents mètres plus loin, il aperçut des voitures de police aux sirènes hurlantes qui venaient dans sa direction. Il tourna brusquement son volant vers la droite, remonta à toute allure une étroite avenue privée, et s'arrêta pile, tous feux éteints, sur un bout de pelouse, derrière une maison.

Une fois le danger passé, il rejoignit la rue et continua en direction de Hollow Tree Ridge Road, un mince et sinueux ruban de macadam qui s'enfonçait dans les collines boisées. Il trouva le numéro qu'il cherchait, mit des vêtements propres, et abandonna la Mustang à l'entrée du long et étroit chemin privé.

## 50

Un break Peugeot d'un modèle récent était garé au bout du chemin. Drum s'en approcha et n'y vit aucune trace de choc ou de sang séché. Pas de traces de réparations non plus. Le petit filou du garage avait fait du bon travail.

Accroupi derrière la voiture, il regarda attentivement le chalet. Rien ne bougeait, aucune paire d'yeux curieux ne se montrait à la fenêtre. Il ouvrit une portière et se glissa dans le véhicule. Le petit livre marqué *Braintrust* était encore sur le siège avant.

Il sortit de la voiture et parcourut du regard les abords du chalet. Une terrasse grossière s'étendait entre la façade et l'entrée du chemin. De longues herbes brunâtres poussaient entre les blocs de pierre fissurés et inégaux.

Le chalet lui-même avait grand besoin d'une nouvelle couche de peinture et d'un nouveau toit. Des taches de pourriture sèche envahissaient les murs de cèdre. La peinture des fenêtres s'écaillait. Les bardeaux du toit se recourbaient et le papier goudronné qui bordait les avant-toits était tout desséché. Les gouttières rouillées s'affaissaient sous le poids des débris boueux qui s'y étaient accumulés pendant des années.

Drum appliqua son oreille contre la porte et écouta. Toutes les lumières du chalet étaient allumées, mais il y régnait un silence de mort. Personne ne répondit quand il frappa à la porte. Il utilisa sa collection de rossignols pour la déverrouiller, puis il l'entrouvrit.

Le chalet semblait avoir été saccagé. Une pagaille incroyable, une puanteur telle qu'il en eut un haut-le-cœur.

Il inspira à fond et entreprit de fouiller chaque pièce. Il commença par la petite chambre carrée, meublée seulement d'une vieille commode en érable et d'un lit surmonté d'un baldaquin cassé. Tous les vêtements avaient été sortis de la commode et jetés par terre. Les draps et les couvertures étaient sales et enchevêtrés. À la place d'une descente de lit, il y avait un grand ovale d'écume blanchâtre. Drum y passa un doigt. La substance était gluante et sentait le derrière de bébé.

On pouvait voir, d'après les traces de poussière sur le plancher, que le lit n'était pas à sa place habituelle. Drum scruta le parquet et remarqua, sur une latte située près des pieds arrière, deux rainures qui n'auraient pas dû y être. Il ouvrit son canif et parvint à soulever un petit rectangle de bois. En dessous, il y avait un trou. Il y plongea la main, mais n'y trouva rien.

Le contenu de l'armoire à pharmacie avait été déversé dans le lavabo de la salle de bains : quelques tubes et flacons, un rasoir à main, et une bouteille à moitié vide d'eau de toilette à l'écœurante odeur de citron.

Drum revint dans la pièce principale et s'aperçut que la puanteur venait de deux grands sacs en papier posés dans un coin. L'un d'eux contenait deux belles assiettes en porcelaine, des couverts en argent ciselé pour deux personnes, et deux verres à vin en cristal enveloppés dans des serviettes de table. Il jeta un coup d'œil dans l'autre sac et vit qu'on y avait versé des plats préparés et le contenu de boîtes de conserve. Puis le tout avait été réduit en une infâme pâtée et couronné d'un étron humain.

L'estomac de Drum se souleva et il crut qu'il allait vomir. Mais il parvint à dominer sa nausée et se força à poursuivre ses investigations.

Il y avait un miroir brisé au-dessus d'un vieux buffet en érable. On avait sorti d'un antique bureau des livres d'exercices cérébraux et un manuel d'instructions provenant du club des grosses têtes. Drum trouva deux cahiers sous la pile. Il les feuilleta. Les deux étaient vierges.

On avait fait tomber d'une étagère une bonne douzaine de minces volumes identiques. Drum se pencha pour en ramasser un. La couverture était humide et maculée de la même substance pâteuse qu'il avait vue sur le plancher de la chambre.

C'était un livre d'enfant. L'illustration de la couverture représentait un jardin plein de ronces. Un frisson d'anticipation chatouilla sa nuque quand il ouvrit le volume.

Oui ! Il y avait la photo de l'auteur sur la page de garde. Un type jeune, avec de longs cheveux rebelles et un faciès de lapin effrayé. Le regard était vide et étrange, la bouche molle, le teint pâle et maladif.

– Je vais t'avoir, espèce de saligaud. Tu croyais pouvoir t'en tirer à bon compte, hein ? Eh bien, le moment de payer est venu.

Il alla jeter le sac nauséabond par la fenêtre de la chambre, puis s'installa dans le fauteuil à bascule et attendit, les yeux fixés sur la porte. Il tendait l'oreille, impatient d'entendre une voiture quitter la route et remonter le chemin. Seul lui parvenait le murmure du vent.

– Dépêche-toi, crapule. Le comité d'accueil est prêt.

Silence. Les minutes passèrent avec une lenteur exacerbée par l'attente.

Drum, énervé, reprit le livre d'enfant et le parcourut rapidement. C'était l'histoire de deux jeunes herbes qui sèment le trouble dans le voisinage. Un frère et une sœur nommés Élégant et Colombe. Les deux herbes survivent à un raid des voisins, mais elles tombent malades et ont ce curieux problème de déperdition de sève. La fin du récit faisait penser à une histoire de vampires transposée.

Ainsi ce Raspoutine s'intéresse vraiment au sang, pensa Drum. Il écrit même des livres d'enfant sur le sujet.

De bien mauvais livres d'enfant. Drum ne comprenait pas pourquoi des gens choisissaient de lire à leurs gosses des histoires aussi morbides que celle-ci.

Et pourtant ils le faisaient. Il le savait. Il était sûr d'avoir déjà vu ce fichu bouquin quelque part. Mais où, Drum ? Réfléchis.

Il essaya de se souvenir. Passa en revue tous les endroits où il avait pu voir des livres d'enfant. Ce n'était sûrement pas un des livres de Booker. Il connaissait très bien la petite bibliothèque du moustique.

Alors où ?

Il tourna et retourna le problème dans sa tête. Ferma les yeux et se concentra.

La réponse vint à lui comme une écharpe vaporeuse portée par la brise. Elle flotta doucement vers lui, jusqu'au moment où il put la saisir et la faire glisser entre ses doigts.

Inutile d'attendre le retour au logis du gredin détraqué. Drum avait flairé sa piste.

## 51

Il lui fallut moins de dix minutes pour parcourir à fond de train la distance qui le séparait du Bois-Tyler. Il tourna entre les colonnes brisées et suivit les méandres de la rue du Bois jusqu'à la deuxième avenue. Il roula vers le fond du cul-de-sac et rangea la Mustang au bord du trottoir.

En traversant la pelouse, il vit un rideau bouger à l'étage. Il sentait qu'on l'observait. Mais quand il sonna et martela la porte du poing, personne ne vint ouvrir.

Il devait donc se charger lui-même de l'opération.

Il tira les rossignols de sa poche et s'attaqua au verrou de sûreté. Il n'essayait pas de travailler en silence, mais le bruit de son crochetage fut couvert par celui des pas qui descendaient lourdement l'escalier et traversaient la salle de séjour. Drum fut dans la maison avant qu'elle ait eu le temps de composer un numéro de téléphone.

Il lui arracha le combiné des mains et agita un index sous son nez.

– Vous m'avez promis cette danse, ma belle. Vous ne vous rappelez pas ?

– Quel toupet ! De quel droit entrez-vous ainsi chez moi par effraction ? Qu'est-ce que vous voulez ?

Drum la dévisagea et ne put s'empêcher de sourire. Elle restait fidèle à son image, même à cette heure de la nuit. Ses cheveux tirés en arrière étaient noués en un chignon parfait, son masque austère de maîtresse d'école était bien en place. Elle portait un peignoir très convenable par-dessus un pyjama en soie assorti. Elle avait aux pieds d'irréprochables chaussons de cuir rose élégamment décorés.

– Je veux savoir quelle sorte de lien vous unit à Malcolm Cobb et où je peux le trouver.

Lydia Holroyd se raidit et repoussa une invisible mèche de cheveux.

– C'est absurde ! Je ne connais même pas d'individu prénommé Malcolm.

Drum prit le livre d'enfant placé bien en évidence sur le pupitre d'écolier et le brandit devant elle.

– Vous ne le connaissez pas ? Alors pourquoi gardez-vous précieusement son foutu bouquin ?

Elle ne se troubla pas.

– Parce qu'il se trouve être le livre préféré de mon fils Todd. Maintenant, si vous me laissez tranquille, je ne serai pas obligée d'appeler la police ou votre patron au journal.

Drum sentait la moutarde lui monter au nez.

– Je partirai quand vous m'aurez dit ce que je veux savoir, ma p'tite dame. Qui est Malcolm Cobb ?

– Je vous l'ai dit, je n'en sais rien. Maintenant allez-vous-en !

Elle s'avançait vers lui, une lueur meurtrière dans les yeux. Drum goûtait le spectacle à sa juste valeur, mais il fut distrait une seconde par un bruit de pas. Quelqu'un entrait dans la pièce. Quand il tourna la tête pour voir qui c'était, la femme tenta de l'assommer avec un serre-livres en bronze en forme de tête de lion.

Drum chancela, mais resta debout. Il lui prit les poignets, la désarma, et la poussa durement sur le divan. Elle s'y assit en paraissant se dégonfler comme un pneu crevé.

– Voilà qui n'est pas très aimable, madame Holroyd. Et l'hospitalité dans tout ça ?

Il se frotta le crâne. Une grosse bosse s'était déjà formée et le sang battait dans ses tempes avec la force d'un tam-tam africain. Il dut faire appel à toute sa volonté pour empêcher sa colère d'exploser. La femme glapit :

– Je suis chez moi, et je veux que vous partiez d'ici. Immédiatement !

Drum retroussa ses lèvres et dit sans élever la voix :

– Je ne demande pas mieux, ma chère. Mais d'abord il faut que vous me parliez de Malcolm. J'ai un cadeau très spécial à lui remettre en main propre.

– Oncle Malcolm, vous voulez dire ?

– Tais-toi, Todd, dit Lydia Holroyd entre ses dents.

Trop tard. Drum sourit à l'enfant, s'approcha de lui et lui ébouriffa les cheveux. Le gosse lui adressa en retour un petit sourire timide. Manifestement, il n'avait guère l'habitude des témoignages d'affection.

– Oui, petit. C'est exactement de qui je veux parler. Merci, tu m'as bien aidé. Sauve-toi maintenant, veux-tu, champion ? Je dois parler un instant en tête à tête avec ta maman.

Le môme regarda sa mère, mais elle avait détourné les yeux. Encouragé par un clin d'œil et un signe de tête de Drum, il remonta vite à l'étage.

– Maintenant vous allez me dire tout ce que vous savez sur *Oncle* Malcolm, madame Holroyd. De gré ou de force.

Elle regardait par terre. Drum la vit soupirer et se mordre la lèvre inférieure.

– Très bien. Je suppose que je n'ai pas le choix. Malcolm est mon frère cadet.

– Ça vous était sorti de la tête, probablement ?

Elle releva vivement les yeux. Ils étaient froids et chargés de haine.

– C'est toute la famille qui me reste. C'est bien naturel de chercher à le protéger, du moment que j'ignore vos intentions. Qu'est-ce que vous lui voulez au juste, à ce cher Malcolm ?

Drum voulut l'envoyer une bonne fois au tapis.

– Ce *cher* Malcolm a renversé un des enfants de votre quartier et a failli le tuer. Il a pris la fuite et laissé le gosse blessé et inconscient sur le bord de la route.

Elle parut manquer d'air. Sa lèvre trembla et ses yeux s'emplirent de larmes.

– C'est impossible. Pas après...

– Après quoi, madame Holroyd ?

– Rien. Vous devez leur faire comprendre... Ce n'est pas sa faute. Il n'est pas responsable...

– Pourquoi diable ne le serait-il pas ?

Drum regarda les lèvres de la femme remuer et ses mains s'agiter nerveusement.

– C'est une longue histoire, terriblement compliquée, dit-elle enfin.

– Raison de plus pour commencer tout de suite.

Les yeux de la femme se firent un instant suppliants, mais elle se raidit à nouveau et son expression redevint glaciale.

– Très bien. Je suppose que cela finira par se savoir de toute façon... Malcolm était un enfant brillant, pas seulement précoce mais très doué dans les domaines artistiques, la peinture, la musique, l'écriture. Dire qu'il aurait pu être...

« Notre mère voulait lui donner tout ce qui pouvait enrichir et stimuler son esprit. Mais c'était si dur pour elle... Mon père nous a abandonnés quand Malcolm n'était encore qu'un bébé. Maman était obligée d'avoir deux emplois pour pouvoir s'en tirer.

« Malcolm et moi étions livrés à nous-mêmes la plupart du temps. En tant qu'aînée, j'étais responsable de lui. J'essayais de le surveiller, de le faire obéir, mais je n'étais qu'une enfant moi-même. Et il était si terriblement difficile... Il cassait des objets exprès, blessait des gens...

« Ça a empiré avec le temps. Malcolm s'attirait sans cesse d'horribles ennuis, et Maman devait à chaque fois le tirer d'affaire.

– Quel genre d'ennuis ? demanda Drum.

Lydia Holroyd rougit.

– Il se… s'exhibait devant d'autres enfants. Les menaçait pour qu'ils le sodomisent. Pour qu'ils fassent ce qu'il voulait.

Drum sentit une nausée monter en lui.

– Des garçons ?

– Oui, surtout. (Leurs regards se croisèrent une seconde, puis elle détourna à nouveau les yeux.) Surtout des jeunes garçons.

« Maman devait économiser au maximum et emprunter de l'argent, mais elle arrivait toujours à prendre les meilleurs avocats. Et ils se débrouillaient toujours pour que Malcolm ne soit pas inquiété. Elle n'a jamais voulu croire qu'il était sérieusement malade. Il s'ennuyait, c'est tout. Pour elle, c'était un surdoué qui s'ennuyait.

« Chaque fois que Maman l'avait sorti du pétrin où il s'était fourré, elle faisait de son mieux pour le discipliner, pour lui faire comprendre à quel point il s'était mal conduit. Et cela semblait marcher pendant quelque temps. Mais il recommençait à se comporter affreusement. C'était pire à chaque fois.

– Pire ? Dans quel sens ?

Elle baissa la voix ; ce n'était plus qu'un murmure.

– Il est devenu paranoïaque, il s'imaginait que des mauvais esprits le poursuivaient, sapaient ses forces. Il était si irrationnel, si effrayant… La violence et les abus n'ont fait que s'aggraver.

Drum en avait assez entendu. C'était déjà trop.

– Écoutez, vous me dites où je peux trouver Malcolm, et je veillerai personnellement à ce que les autorités judiciaires entendent toute l'histoire de ses troubles mentaux et de son éventuelle non-responsabilité.

– Je ne peux pas. Je ne sais pas où il est.

Quelque chose dans son expression changea. Drum était sûr qu'elle mentait.

– Si, vous le savez !

Son visage se crispa.

– Je croyais que c'était fini. Je croyais vraiment qu'il allait mieux. Mais maintenant cette…

– Où est-il ?

Elle se mit à pleurer. Son corps fut agité de sanglots et des larmes coulèrent sur ses joues.

– Oh mon Dieu ! Ça ne va pas recommencer…

– Où est-il, madame Holroyd ? Il faut me le dire.

Elle s'essuya la figure avec son mouchoir et se moucha. Puis, joignant les mains, elle fit un effort visible pour retrouver son sang-froid.

– Vous devez comprendre, c'était des années avant que je puisse enfin le faire soigner. Car je n'ai pas pu lui venir en aide du vivant de Maman. Elle ne voulait pas en entendre parler. « Pas de docteurs, disait-elle. Malcolm est parfaitement capable de s'amender tout seul. »

« Sur son lit de mort, elle a fini par m'avouer pourquoi elle n'avait pas pu regarder en face la maladie de Malcolm. Elle m'a dit que notre père souffrait de schizophrénie profonde. Quand Malcolm avait commencé à se conduire bizarrement, elle s'était douté au fond d'elle-même qu'il avait hérité de cette maladie.

« Elle se sentait coupable, vous comprenez. Elle pensait qu'elle aurait dû se rendre compte à quel point notre père était dérangé avant de prendre le risque de transmettre cette terrible malédiction à ses enfants.

Drum commençait à perdre patience.

– Tout cela est fort intéressant, madame Holroyd. Mais ça ne m'aide pas à retrouver votre frère.

– Comme je vous l'ai dit, il se figurait dans sa psychose que des esprits le pourchassaient pour le vider de son énergie. Quand j'ai pu faire soigner Malcolm, il a confié au docteur qu'il avait trouvé un moyen de déjouer les plans de ses assaillants. Chaque fois qu'ils lui volaient ses précieuses humeurs, il reconstituait ses forces en s'appropriant les humeurs d'un enfant robuste et intelligent.

Drum comprenait mal, et il le dit.

– Le sang. Il blessait un enfant, puis il allait à l'hôpital, se glissait dans sa chambre et prélevait son sang. (Elle hocha tristement la tête.) Je croyais que c'était fini. Il y a si longtemps que tout semblait rentré dans l'ordre… Il travaillait, se consacrait à ses passe-temps favoris, organisait sa vie à son gré. C'est vrai que pendant longtemps il a vécu en reclus, il ne quittait son chalet que pour aller travailler. Mais l'année dernière il a même réussi à voyager.

Les morceaux du puzzle se mettaient en place.

– En Afrique ?

– Mais… oui, comment l'avez-vous…

– Et le tir à l'arc fait-il partie des passe-temps favoris de votre petit frère, madame Holroyd ?

– Il a pratiqué ce sport dans un des centres où il a été soigné. Il a atteint un très bon niveau, comme dans tout ce qu'il entreprend. Mais comment savez-vous cela ?

Drum était pris de vertige. Tout commençait à s'expliquer. L'étrange poison à flèche retrouvé dans le sang du petit Merritt. Le curieux hématome rond sur sa tempe, dont Driscoll affirmait qu'il ne pouvait pas être imputé à la collision. Un murmure dans le vent…

Et puis il y avait l'horloge du studio d'enregistrement et son retard d'une heure. Tout cela devenait logique si l'accident avait été délibérément provoqué.

Un sentiment de dégoût, de rage et d'urgence l'envahit. Il se précipita vers le téléphone. La femme se pendit à son bras en l'implorant de ne pas faire de mal à Malcolm. Il se libéra d'une secousse.

Personne ne décrocha chez Carmody. Drum composa le numéro de son bureau. Trois sonneries… quatre.

Pas de réponse.

Bon sang, pourvu que le chef ait sur lui son bip. Drum appela, laissa le numéro de la femme, et pria jusqu'à ce que la sonnerie du téléphone retentisse une minute plus tard.

Pas une seconde à perdre. Drum parla très vite et en dit juste assez au chef pour le convaincre de passer à l'action. Carmody promit de boucler le périmètre de l'hôpital et de le faire fouiller de fond en comble. Personne ne s'approcherait de James Merritt.

Drum se sentit formidablement soulagé.

– Je vous retrouve là-bas, Chef.

– Pas question. Si tu te pointes à Fairview, je double le temps de ta mise à pied. Dans cette affaire, tu n'existes pas, Jerry. N'oublie pas ça.

Drum ne prit pas la peine de discuter. Ce que le chef ne saurait pas ne l'indisposerait pas. Et si le fait de désobéir à

Carmody entraînait une prolongation de son exil sibérien, eh bien, c'était là un prix qu'il était prêt à payer. Il avait mangé tous ses foutus épinards. Le moment du dessert était venu.

Des larmes de crocodile ruisselaient sur les joues de la femme. Drum n'en fut pas impressionné.

– Ils ne lui feront pas de mal, n'est-ce pas ?

– Ne vous inquiétez pas. Ce *cher* Malcolm sera traité exactement comme il le mérite.

## 52

Dan Carmody et Charlie Allston dirigeaient les opérations à partir du bureau – transformé pour l'occasion en poste de commandement – de Walter Kampmann, le directeur de l'hôpital Fairview. Kampmann, un digne septuagénaire, était arrivé quelques minutes après le coup de fil de Carmody. Depuis, il ne cessait de passer nerveusement ses doigts dans ses beaux cheveux blancs, et paraissait décidé à creuser un sillon dans la moquette du bureau près de la fenêtre.

Le rapport final de l'officier chargé de la fouille arriva moins de quarante minutes après que des douzaines de policiers eurent entrepris de passer le bâtiment de dix étages au peigne fin. Carmody écouta la voix éraillée qui sortait du talkie-walkie, donna ses instructions à l'officier, et reposa l'appareil en poussant un gros soupir de soulagement.

– Bon, dit-il aux autres. Le loup n'est pas dans la bergerie.

– Et maintenant ? Que va-t-on faire ? demanda Kampmann.

– Maintenant, on attend, répondit Allston.

– Exact, dit Carmody – et il sentit en lui-même un regain de tension. On attend.

Il se renversa en arrière dans le fauteuil de bureau capitonné de cuir gris, croisa ses doigts derrière sa tête, et pensa au comité d'accueil qu'il avait constitué à l'intention de Malcolm Cobb.

On entendait au loin le bruit syncopé et persistant d'un rotor d'hélicoptère. C'était un de ces appareils que les stations de radio utilisent pour leurs informations routières. Il avait été réquisitionné pour balayer le secteur compris entre l'autoroute et la route des Parcs et signaler les véhicules qui s'approchaient de Fairview. Il éviterait délibérément de survoler les abords immédiats de l'hôpital pour ne pas éveiller les soupçons du type.

Cinq ambulances, vides en apparence, étaient disposées stratégiquement devant le bâtiment. On y avait installé des micros ultrasensibles et des caméras vidéo à infrarouge pour immortaliser la grande entrée en scène du sieur Cobb. Dans chacune d'elles se trouvaient deux tireurs d'élite armés de semi-automatiques Heckler & Koch MP-5. Cinq autres hommes, équipés de carabines de précision McMillan M-82, étaient postés sur le toit. Deux voitures banalisées aux vitres teintées surveillaient l'entrée de derrière et celle des urgences.

Si Cobb ne flairait pas le piège, il était prévu de le laisser entrer dans le hall, où trois hommes l'attendaient pour le neutraliser d'une façon ou d'une autre. Et si, par impossible, il parvenait à se glisser entre les mailles du filet et essayait d'arriver près du petit Merritt, il lui faudrait encore compter avec les deux gardes que Carmody avait postés à chaque étage, près de l'escalier.

Le prétexte de la fuite de gaz était passé comme une lettre à la poste. Personne n'avait mis en doute la nécessité d'inspecter chaque pièce pour les besoins de la cause. La plupart des patients avaient dormi pendant l'opération, et les autres s'étaient satisfaits des explications qu'on leur donnait. Le personnel soignant avait gardé tout son calme aussi. Pas un sourcil ne s'était levé. Exactement ce que Carmody avait espéré accomplir.

Comme quoi Jerry Drum n'était pas le seul flic de la ville à pouvoir user avec succès de subterfuges. Dan Carmody émit un gloussement désabusé en l'honneur de Drum. C'était un gaillard aussi rude que doué, et de loin le subordonné le plus exaspérant qu'il ait eu en quarante ans de service. Drum avait hérité de son père le cran et l'instinct, mais les ressemblances s'arrêtaient là.

Carmody se souvenait très bien de Jerry enfant. C'était son père tout craché alors, au point que c'en était troublant. L'enfant avait adopté la démarche énergique du grand Matt, et jusqu'à sa façon de parler et de s'exprimer. Il avait même imité ses manières courtoises.

Mais en grandissant le jeune Jérémie était devenu un ours mal léché, et si irritable qu'un rien suffisait à mettre le feu aux poudres.

Carmody avait supporté tant bien que mal ses éclats et ses dépenses éhontées par fidélité à la mémoire de Matthew – et dans son propre intérêt. Jerry Drum utilisait son caractère de cochon à son avantage, en allant toujours bien au-delà du point où les flics normaux abandonnaient la partie. Ce qui faisait de lui un incomparable atout dans les affaires apparemment insolubles comme celle-ci.

Une affaire insoluble proche de son dénouement.

Carmody essaya de cerner la personnalité du rôdeur fou. D'après ce que Drum lui avait dit, il s'agissait d'un malade très intelligent qui avait des antécédents familiaux de schizophrénie profonde.

Il avait trop souvent eu affaire à ce genre de détraqués dans le passé. Ils souffraient de cette sorte de perception faussée de la réalité qui mène à des actes de violence désespérée contre des ennemis ou des menaces imaginaires.

Il aurait pu dresser la liste des pires criminels dont lui et ses hommes avaient eu à s'occuper. Beaucoup appartenaient à cette catégorie. Il y avait ce meurtrier en série qui avait jonché de corps décapités les berges de la rivière Rippowam, et prétendu ensuite qu'il avait agi sous les ordres d'un personnage secondaire de bande dessinée. Ou encore ce jeune type qui se prenait pour Jésus-Christ et qui était entré dans la cour de récréation d'une école primaire avec une mitraillette pour qu'on le prenne enfin au sérieux. Il se souvint aussi de cette femme qui poussait si loin l'amour des animaux qu'elle posait des bombes chez les directeurs de laboratoires pharmaceutiques qui utilisaient des souris et des singes pour leurs expériences.

Les hommes qui avaient visité le cinquième étage étaient

tombés sur un vieux débarras oublié dont le type avait manifestement fait son propre quartier général. Ils avaient appelé Carmody pour qu'il y jette un coup d'œil. La vue de cette petite pièce sombre lui avait donné la chair de poule. Il y régnait une propreté et un ordre maniaques. Les provisions et le matériel suggéraient que quelqu'un avait envisagé d'y soutenir un long siège, ou l'avait déjà fait. L'odeur était forte et primitive.

Surmontant sa répulsion, Carmody avait examiné les meubles : un lit de camp, une petite table. Des tenues de chirurgien, des blouses de laboratoire et une combinaison jaune utilisée pour les maladies contagieuses étaient suspendues côte à côte dans une armoire métallique. Un carton près du lavabo contenait une trousse de première urgence, des aliments moisis, des livres, et des seringues hypodermiques pleines.

Carmody était horrifié à l'idée que le fou s'était trouvé si près des enfants, qu'il avait pu se déplacer dans l'hôpital sans se faire remarquer. Il se demandait depuis combien de temps cela durait, combien d'autres « accidents » ce Malcolm Cobb avait sournoisement provoqués pour satisfaire sa morbide soif de sang.

Wally Kampmann arpentait toujours le bureau. En le voyant si anxieux, Carmody eut pitié de lui.

– Nous allons pincer ce salaud, M. Kampmann. C'est comme si c'était fait. Ne vous inquiétez pas.

Kampmann tourna vers lui un regard accablé.

– Je n'arrive pas à y croire, shérif. Dire qu'il était *ici* et que personne ne savait…

– Essayez de ne plus y penser, dit Carmody. C'est terminé. Malcolm Cobb est un homme fini.

Allston commença à rédiger un rapport. Tout était bon pour tuer le temps. Carmody s'y employait en rongeant la cuticule de ses ongles. Si personne ne prévenait Cobb – ce qui était fort probable, car la maison de sa sœur était surveillée, et son téléphone mis sur écoute –, il finirait bien par se montrer.

Mais rien n'était pire que l'attente. Et Carmody savait que rien ne serait définitivement acquis tant que l'attente durerait.

# 53

Oliver London voyait la poitrine de l'enfant se soulever régulièrement, et régla sa respiration sur la sienne. Il avait reculé son fauteuil roulant dans le coin le plus obscur de la chambre. De là, silencieuse sentinelle, il pouvait surveiller la porte, tout en gardant un œil sur la mère et l'enfant endormis.

Lorsque Cinnie l'avait mis dans l'ascenseur, il avait attendu un moment, puis il était revenu dans le couloir du cinquième étage. Et quand Peterson et Daitch étaient arrivés pour inspecter chaque chambre du service pédiatrique, London en avait vu assez pour être certain que l'histoire de la fuite de gaz était bidon. Les deux policiers s'étaient approchés de chaque porte avec des revolvers discrètement dégainés, et s'y étaient pris comme on le fait quand on recherche un délinquant soupçonné d'être armé et dangereux : portes ouvertes à la volée, hommes sur le qui-vive, prêts à faire face à toute mauvaise surprise.

Quand London avait essayé de se renseigner auprès de ses anciens collègues, Peterson lui avait répondu avec condescendance que ce n'était rien du tout, qu'il n'y avait aucune inquiétude à avoir. Et n'avait-il pas besoin de repos ? Et pourquoi ne rentrait-il pas bien vite dans sa propre chambre comme un bon garçon ?

London avait eu très envie de dire au jeune morveux où aller lui-même et dans quel but, mais sa langue nouée lui avait refusé ce service, comme c'était souvent le cas depuis son attaque, surtout quand il était en colère ou très ému.

Il était persuadé que Jerry Drum lui aurait dit la vérité sur cette opération, mais il n'était pas là. Alors le vieil homme avait attendu que Peterson et Daitch aient visité quelques autres chambres, puis il s'était glissé dans celle de James Merritt, bien décidé à monter la garde le temps qu'il faudrait. Quelle que fût la menace qui pesait sur Cinnie et sur son fils, il serait là pour les défendre.

Quiconque projetait de faire du mal à l'un ou à l'autre devrait lui passer d'abord sur le corps.

# 54

Les heures passèrent. Les hommes étaient tendus et silencieux. Dans les ambulances, les tireurs d'élite étaient à l'affût derrière leurs vitres fumées. En face de l'entrée des urgences, deux policiers embusqués dans une Chevrolet buvaient du café tiède dans des gobelets en carton et cachaient la lueur de leurs cigarettes dans le creux de leur paume. Les tireurs en faction sur le toit allaient à tour de rôle réchauffer dans la cage d'escalier leurs mains et leurs pieds engourdis par le froid mordant et le béton glacé sur lequel ils devaient s'allonger pour rester invisibles.

Les hommes postés dans le hall et à chaque étage étaient eux aussi à cran. Ils redoublaient de vigilance à chaque bruit imprévu : une brusque rafale de vent, une branche heurtant un carreau, des craquements ou des frémissements dans la façade du bâtiment.

Personne ne savait quand, ni par où, Malcolm Cobb allait arriver. Personne ne pouvait prévoir ce que le déséquilibré ferait quand il s'apercevrait qu'il était pris au piège.

L'attente avait aussi éprouvé Oliver London. Il avait lutté vaillamment contre le sommeil, mais ses paupières étaient si lourdes qu'il avait fini par les laisser se fermer complètement. Juste pour se reposer un moment, s'était-il dit. S'il se passait quelque chose, il l'entendrait.

Mais l'homme se déplaçait sans le moindre bruit. Il longea à pas de loup le couloir désert et se dissimula dans le recoin aux extincteurs. Il tourna les yeux vers la chambre du spécimen et exulta.

Il eut envie de rire, mais il se retint. Il avait déjoué les plans de toute cette vermine aveugle, stupide et malveillante.

Triomphe de la lune noire ascendante.

Cobb sortit trois seringues hypodermiques de la poche de la blouse blanche qu'il portait, en choisit une, et après avoir ôté le capuchon qui protégeait l'aiguille, injecta son contenu dans sa cuisse. Aussitôt il sentit la chaleur de sa propre énergie brusquement stimulée. Son pouls s'accéléra et son cœur battit violemment dans sa poitrine. Flot tumultueux d'humeurs sacrées, puissance de l'astre noir.

Maintenant il était prêt.

Il lança un dernier coup d'œil dans le couloir et se remit en marche. Il était à mi-chemin de la chambre de l'enfant, quand deux infirmières caquetantes apparurent au bout du couloir et vinrent vers lui. Son premier mouvement fut de faire demi-tour et de s'enfuir, mais il résista à cette tentation. Sous l'effet de l'adrénaline, ses forces étaient à leur point culminant ; il ne pouvait se permettre de les gaspiller ou de les laisser décroître. Il savait qu'une autre dose de stimulant, injectée trop rapidement, pourrait lui être fatale.

Contrôle ! Levier de volonté en prise.

Il alla à la rencontre des infirmières d'un pas égal et mesuré. Heureusement, elles semblaient accaparées par leur futile discussion.

Mais lorsqu'elles furent plus près de lui, elles se turent et concentrèrent leur attention sur sa personne. Cobb s'efforça d'endiguer sa terreur et continua à marcher.

Contrôle !

Tant pis pour elles si… Il lui faudrait éliminer quiconque se mettrait en travers de sa route.

Les deux femmes n'étaient plus qu'à quelques mètres de lui. Il leva hardiment les yeux sur elles et leur adressa un sec hochement de tête. Leur vie dépendait de leur réaction. Cobb ne se souciait plus des conséquences possibles. Il était la lune noire, majestueuse et inviolée.

– Bonsoir, dit une des infirmières en penchant coquettement la tête.

Cobb hocha à nouveau la sienne.

– Bonsoir, docteur Ferris, dit l'autre. Quel temps fait-il dehors ? Vous croyez qu'il va neiger ?

Cobb haussa les épaules et continua son chemin. Les deux oies en firent autant. Il entendit la porte de l'ascenseur s'ouvrir et se refermer sur elles avec un bruit chuintant.

Il était hors de danger. Il pouvait se débarrasser enfin de la femme ; il aurait alors le spécimen pour lui tout seul.

Il s'arrêta près de la porte de la chambre et écouta. Tout était silencieux. Le moment tant espéré était arrivé.

Toute cette maudite comédie et cette attente interminable étaient derrière lui. Enfin l'heure était venue de récolter les fruits de ses efforts. Il s'octroya quelques secondes d'autosatisfaction. Il les avait tous roulés dans la farine.

Crétins. Il les avait bernés d'un bout à l'autre, méthodiquement. Il n'avait négligé aucun détail. Ils avaient été abusés par les diplômes falsifiés, les connaissances qu'il avait acquises par ses lectures, les recommandations élogieuses de collègues d'outre-Atlantique imaginaires.

En cet instant, comme à chaque aboutissement, les années d'attente semblaient justifiées. Il pensa à toutes les choses infectes qu'il avait dû endurer, les mesquines inquiétudes de parents sourcilleux, les cris et les plaintes de leurs répugnants rejetons. Tant de ceux-ci n'étaient que d'inutiles petits merdeux. Bien peu étaient assez brillants pour servir sa magnifique cause.

Lydia l'avait aidé, c'est vrai. C'est en l'écoutant qu'il avait trouvé ses plus beaux spécimens. Elle n'arrêtait pas de parler de celui-ci ou de celui-là et de répéter que son Todd était le plus brillant de tous. Bien sûr, le pauvre Todd était loin d'avoir développé son étonnant potentiel intellectuel. Du moins c'est ce qu'elle pensait. Elle se plaignait sans discontinuer de tel ou tel enfant qui avait la prétention d'être plus intelligent que son fils, de la fourberie de ces gamins qui essayaient de rabaisser les capacités de son cher Todd.

À une exception près, ses indications s'étaient révélées judicieuses. D'ailleurs il fallait être juste : c'était lui qui avait fait une faute ce jour-là. Son objectif avait été un jeune garçon dont il avait repéré la maison, mais il avait renversé par erreur un cousin en visite. Un examen rapide l'avait convaincu que l'enfant blessé ne valait pas d'être sauvé. Il était gros, d'aspect négligé, et visiblement d'une balourdise irrémédiable. Cobb avait rectifié l'erreur en envoyant le gamin dans la salle des urgences. Une injection bien choisie, et le problème avait été réglé.

Un embarras mineur, vite oublié.

Une simple erreur. Cobb se renfrogna à la pensée des châtiments qu'il avait dû subir pour les plus simples erreurs. Des tortures cruelles, des humiliations sans fin.

Rien de ce qu'il avait accompli ne l'avait satisfaite. Ses efforts, comme ceux du pauvre Todd, avaient toujours été jugés insuffisants. Une seule fois il avait vu dans ses yeux une lueur d'approbation sans réserve : quand son livre avait été publié. Et puis il s'était montré incapable d'en écrire un autre d'égale valeur. La honte ! L'abominable ignominie.

Mais après ceci, ses chaînes tomberaient et il pourrait reprendre son essor.

Il tourna le bouton de la porte, entrouvrit celle-ci, et se glissa dans la chambre du spécimen.

La femme dormait sur le lit de camp dans le coin opposé. Il fallait commencer par elle. Il ne pouvait prendre le risque de trouver encore cet obstacle sur son chemin.

Il ôta le capuchon de la deuxième seringue. Le réservoir était rempli de Norcuron, un inhibiteur neuromusculaire qui paralyserait la femme, la rendrait incapable de parler, de bouger, de respirer. Son agonie serait lente et atroce – un quart d'heure ou plus de terrifiante lucidité. Cette vile créature serait prise au piège de son inutile enveloppe charnelle. Réduite à l'impuissance.

Rien de plus que ce qu'elle méritait.

Une fois qu'il lui aurait injecté la dose mortelle, il s'approprierait les humeurs régénératrices de l'enfant. Il avait décidé de lui administrer un sédatif pour prévenir toute bruyante réaction. Il ne l'avait pas fait avant pour ne pas risquer d'affaiblir les vertus du précieux liquide, mais il ne pouvait plus se soucier de conditions optimales. Il lui fallait maintenant restaurer ses forces par n'importe quel moyen.

La femme remua, se tourna sur le côté. Cobb la regarda avec haine. Impatient d'en avoir fini avec elle, il s'approcha du lit de camp. L'aiguille luisait entre ses doigts. La folie brillait dans ses yeux.

Il rabattit les couvertures et essaya de localiser une veine prometteuse sur la main ou l'avant-bras de la femme, mais la lumière était insuffisante. Il devait se contenter d'une injection intramusculaire. La paralysie mettrait un peu plus longtemps à gagner tout le corps, mais le résultat final serait le même. Il s'apprêtait à faire la piqûre quand il sentit une main se poser sur son dos.

Il se retourna vivement et fut très surpris de voir un vieil homme dans un fauteuil roulant, sec, noueux et à demi paralysé, qui essayait de parler, mais ne réussissait qu'à émettre quelques grognements porcins. Pour un peu, Cobb en aurait ri.

Quoi ? Cette gargouille tentait de s'attaquer à lui ? L'homme tirait sur la seringue avec sa patte crochue.

– Arrière ! Fichez-moi le camp. Je vais vous tuer, espèce de ruine putride !

Cobb entendit un bruit derrière lui : la femme se réveillait, se levait. Il ne pouvait laisser ce vieillard rabougri lui mettre des bâtons dans les roues. Avec une énergie décuplée par la rage, il poussa le fauteuil, qui alla heurter le mur à reculons et bascula sur le côté. Puis il se tourna vers la femme, saisit son bras levé, enfonça l'aiguille dans son avant-bras, et y injecta le contenu de la seringue.

Il observa, ravi, les premiers effets du Norcuron sur la femme. Sa voix faiblit, et elle retomba sans forces sur le lit de camp. Satisfait, il la laissa à sa terreur et s'approcha de l'enfant.

Celui-ci dormait à poings fermés, mais Cobb décida d'être prudent et de procéder comme prévu. Il tira la dernière seringue de sa poche et injecta dans la fesse du gosse une petite dose de Valium qui suffirait à le rendre parfaitement docile.

Cobb se risqua à allumer un instant la lampe de chevet pour mieux y voir. Il enfonça l'aiguille creuse dans une veine de la main du spécimen, et les humeurs s'infiltrèrent dans le tuyau de plastique clair. Alors il porta l'autre bout du tuyau à ses lèvres et commença à aspirer vigoureusement pour faire monter le liquide plus vite. Il était tellement absorbé par ce qu'il faisait qu'il fut pris au dépourvu quand un bras s'enroula autour de ses genoux, tira avec toute la force d'une volonté obstinée, et le fit trébucher.

Il lutta avec le vieil homme, mais ses forces le trahissaient à nouveau. Un engourdissement familier gagnait son bras, et il sentait s'affaisser les muscles de son visage. Non loin de lui, le précieux liquide tombait goutte à goutte du tuyau sur le sol. Si seulement il pouvait s'en rapprocher…

Il tendit la main pour l'amener à lui, mais ne parvint qu'à le détacher de l'aiguille. Furieux et dépité, il se tourna vers le vieillard pour le frapper. Une lutte confuse s'ensuivit : deux carcasses pourrissantes mues par une folle détermination et l'énergie du désespoir.

Mais Cobb prenait le dessus, maintenait le vieil homme sur le dos, immobilisait son bras valide. Il griffa jusqu'au sang la chair molle de son visage, puis il posa sa main libre sur la pomme d'Adam du vieux, appuya de tout son poids et commença à serrer. Bientôt ce serait fini. Une question de secondes…

Il ne vit pas l'autre bras du vieillard se tendre avec des efforts infinis vers le bouton d'appel qui pendait du châlit, au bout de son fil. Il perçut le rauque grésillement de l'interphone et la voix de l'infirmière. « Oui, James ? Tu as besoin de quelque chose, mon chou ? »

Affolé, Cobb arracha le bouton de la main du vieil homme. Il entendit un autre bruit rauque. C'était le vieux qui, à grand-peine, aspirait un peu d'air et éructait les mots : « Code Bleu-u-u. »

## 55

Un silence mortel envahit la pièce. Cobb bâillonna le vieil homme avec sa main et fixa des yeux la grille métallique de l'interphone. Sa respiration était rapide et laborieuse. Il lui imposa un rythme plus normal pour que sa voix ne le trahisse pas.

L'interphone crépita à nouveau. « Oui, mon chou ? Qu'est-ce que tu veux ? Je n'ai pas compris. »

– Ici le docteur Ferris, dit Cobb. J'ai dû appuyer sur le bouton par mégarde. James dort et il va bien.

Bruit de friture, hésitation. « Oui, docteur Ferris. Merci. »

D'un pouce tremblant, Cobb comprima la veine jugulaire du vieil homme jusqu'à ce que ses paupières se ferment en frémissant et que son corps devienne inerte. Il n'avait que quelques minutes pour effectuer son prélèvement et disparaître. Il ne pouvait s'attarder là trop longtemps et risquer d'être découvert.

Il ramassa gauchement le fin tuyau tombé par terre et s'efforça d'en assujettir le bout sur l'aiguille toujours fichée dans la veine de l'enfant. Ses doigts tremblaient de faiblesse, la tête lui tournait à force de concentration.

Là !

Il regarda le fluide salvateur monter dans le tuyau avec une lenteur exaspérante.

Comme un homme assoiffé, il pencha la tête vers l'autre bout du tuyau, referma sa bouche sur le plastique froid, et se mit à aspirer goulûment. C'est alors qu'il reçut le premier coup.

## 56

Drum leva la cuvette et asséna un deuxième coup sur la tête baissée du fou. Il entendit un craquement satisfaisant et un bruit d'air expulsé, mais le fils de pute ne voulait pas aller au tapis.

– Un pour maman, dit-il en cognant encore. Un pour… le petit. Et un pour Oncle Oliver ! Maintenant rends-toi, espèce de salopard détraqué ! Jette l'éponge avant que je me fâche pour de bon.

Le type fit volte-face en poussant un cri d'animal et brusquement ses mains se refermèrent sur la gorge de Drum. Celui-ci sentit des doigts d'acier s'enfoncer dans son larynx et vit trente-six chandelles.

Déjà tout étourdi, il donna un coup de genou dans le basventre du fou. La pression sur son cou se relâcha. Il recula en titubant et en frottant la partie endolorie.

– Ce n'était *pas* une bonne idée, l'ami, grogna-t-il. Maintenant je suis *vraiment* fâché.

Respiration bloquée, il prit son élan et, d'un coup de tête en pleine poitrine, fit perdre l'équilibre au type. Quand il retrouva son aplomb, Drum serra le poing et le lui écrasa sur le nez. Anesthésie locale.

Cobb s'écroula par terre dans une position fœtale et se mit à sangloter.

– Vas-y, pleure, mon mignon. C'est ton droit. La fête est bien finie pour toi.

Drum regarda autour de lui pour évaluer les dégâts. London et l'enfant étaient inconscients, mais ne paraissaient pas trop mal en point. On ne pouvait en dire autant de la mère. Elle était rigide. Même ses globes oculaires semblaient figés. Drum alluma le plafonnier et vit que sa peau était couleur de cendre. Il se pencha par-dessus le lit, enfonça le bouton marqué URGENCE, et se précipita dans le couloir pour faire activer les choses.

Bon sang, pourvu qu'ils puissent la sauver. Cette foutue histoire était censée bien finir.

## 57

C'est au volant d'une Mustang particulièrement fringante que Drum roulait vers le détroit de Long Island. Il introduisit une cassette de Nancy Wilson dans la fente du lecteur. Ça allait chauffer. En ce qui le concernait, l'affaire était terminée, mais il avait encore une question importante à régler. Sa bouche devenait sèche comme de la craie quand il y pensait, mais il savait que le moment était venu. L'échéance de cette dette était passée depuis longtemps.

Il baissa la vitre et sentit sur sa peau la morsure du vent glacé. Nuit noire. Pas d'étoiles, ni de lune. Parfait. Cela s'accordait beaucoup mieux à la nature de son expédition solitaire.

Sur la route à quatre voies qui longe le détroit, Drum leva le pied et essaya de se concentrer. Il devait garder à l'esprit l'objet de sa visite et s'y tenir coûte que coûte. Ça n'allait pas être facile.

La maison se profilait comme un colosse trapu sur le ciel

maussade. Cette vue déclencha une violente pulsation dans les artères de son cou. Il tenta de repousser les souvenirs qui l'assaillaient. En vain.

Il utilisa un de ses petits rectangles de plastique pour ouvrir le portail électrique et entra dans le parc. Cinquante mètres plus loin, il prit l'allée qui menait à l'entrée de service et se gara derrière la maison.

Il laissa le moteur tourner au ralenti et ouvrit sans peine la porte de l'office. La cuisine était très sombre, mais il en vit assez pour se rendre compte que tout était comme avant. Des marmites et des casseroles pendaient comme des suppliciés au-dessus de la cuisinière. Tout était froid et dur.

Il longea le couloir de derrière en prenant garde de ne pas faire de bruit. Il voulait surprendre le vieux salaud. Mettre toutes les chances de son côté.

Il s'immobilisa près de la porte du bureau. Elle était entrebâillée, et Drum put voir le canapé et les fauteuils de cuir, les tapis de peaux de bête, le mur recouvert d'un miroir divisé en carrés. Exactement le même décor qu'avant l'incendie. Restauration parfaite du musée des horreurs.

Assis à son bureau, le vieux était absorbé dans sa lecture – sans doute une saleté quelconque, pensa Drum. Il poussa brusquement la porte et entra dans la pièce.

– Ça fait une paye qu'on ne s'est vu, hein, Oncle Liam ?

Liam leva les yeux et sa figure trop grasse devint blême. Sa main trembla. Mais le vieux sagouin se força à sourire.

– Jérémie ? Comment vas-tu ?

– Très bien. À merveille. Et vous ?

– Je me fais vieux, tu sais. Des douleurs partout. Les forces qui flanchent. La merde habituelle.

Drum ricana.

– Mais vous n'êtes pas encore mort, hein, cher tonton ? Je lis chaque jour la rubrique nécrologique, mais mon espoir est toujours déçu.

La main de Liam s'approchait lentement du tiroir de son bureau. Tant mieux. Drum avait besoin d'un peu de distraction.

– Oh, tu n'auras plus à attendre bien longtemps, Jérémie.

Tu pourras venir cracher sur ma tombe chaque dimanche. C'est ce que tu veux, hein, mon gars ? Tu es comme ton père. Il n'arrêtait pas de me critiquer, de raconter ses petites plaisanteries…

Maintenant ! Drum saisit le poignet du vieillard alors qu'il refermait ses doigts sur la crosse d'un gros Lüger.

– Tss, tss. Vous ne savez pas que c'est dangereux de jouer avec une arme à feu ? Vous pourriez vous faire bobo.

Tout en tenant fermement le bras flasque du vieux, il plongea son regard dans ses yeux délavés et sourit. « Fais un vœu, mon amour. » Puis il tordit sa main jusqu'à ce qu'il entende le poignet craquer.

Liam hurla et se recroquevilla de douleur.

Drum s'assit sur le bureau et commença à compter sur ses doigts.

– Voyons… Je te devais un poignet cassé, et de ce côté-là nous sommes quittes. Mais je dois encore m'occuper de ton nez, agrémenter de quelques balafres bien profondes ta vilaine tronche, écrabouiller ce gros genou. On en a pour un bon bout de temps, hein, tonton ? J'espère que tu n'avais rien prévu pour la soirée.

– Arrête, Jérémie. Qu'est-ce que tu veux, mon garçon ? Fixe ton prix et laisse-moi en paix.

Liam pleurnichait comme un bébé effrayé.

– Tu n'y es pas, enflure. Je ne veux pas de ton argent. Je veux que tu souffres comme j'ai souffert. Je veux que tu t'enfuies et que tu te terres dans un trou et que la peur ne te lâche plus. Je veux te retrouver et te passer la cervelle à la moulinette et ruiner ta foutue existence…

« Dis-moi, *Oncle* Liam, continua Drum. Est-ce que ça t'a bien amusé de dire aux flics que j'avais mis le feu à la maison sans aucune raison ? Est-ce que ça t'a bien excité de témoigner contre moi pour qu'ils me collent le maximum ?

« Tu étais formidable à la barre des témoins, M. Super Propre, quand tu racontais comment tu avais hébergé un pauvre orphelin et lui avais tout donné, l'amour et l'affection, tous les foutus avantages…

« Qu'est-ce que tu leur as dit à mon sujet déjà ? Ah ouais, que j'étais incorrigible. C'est ça. J'étais de la mauvaise graine, hein, mon pote ? J'ai mis dix ans à ramper hors du trou que tu avais creusé pour moi. D'ailleurs je rampe encore.

Liam, lui, couinait toujours.

– S'il te plaît, Jérémie. Arrête. Je suis un vieil homme. Aie pitié de moi.

Drum s'esclaffa.

– Ça alors, c'est vraiment la meilleure ! C'est toi qui parles de pitié ? J'étais un gosse, bon Dieu ! Tu m'as haché menu et tu as rongé mes os. Et pour toi ce n'était qu'un jeu, hein ? Tu te tenais les côtes en me regardant couler à pic.

– Tu ne lâches jamais prise, hein ? Tu es comme ton maudit père, puisse-t-il pourrir en enfer !

Drum se pencha brusquement et saisit Liam au collet.

– D'accord, gros fumier. Tu veux de la pitié, je vais t'en donner. Je vais mettre fin à tes putains de souffrances !

Il serra le cou du vieux jusqu'à ce que ses yeux sortent à demi de leur orbite et que sa figure prenne la couleur sombre et violacée d'une vieille ecchymose. Il tremblait de fureur.

La peau de Liam virait au noir. Un gargouillis qui ressemblait à un râle d'agonie sortait de sa gorge. Drum se força à le lâcher. Liam retomba dans le fauteuil en aspirant convulsivement des bouffées d'air.

– Maintenant voilà ce que tu vas faire, Oncle Liam. Tu vas téléphoner à un des nombreux gros bonnets de cette ville qui te mangent dans la main, et arranger quelque chose pour moi. Ensuite, tu oublieras que tu m'as jamais connu. Et de mon côté j'en ferai autant, à moins que tu me donnes une bonne raison de me souvenir de toi. Compris ?

Le nez du vieux saignait. Une tache humide s'agrandissait sur le devant de son pantalon. Drum sentit l'odeur d'urine et grimaça.

– Décroche, enflure, dit-il. Je te donnerai les détails au fur et à mesure.

# 58

Le lendemain soir, l'échiquier était prêt devant Drum quand le môme descendit l'escalier après avoir pris sa douche.

– Un petit massacre vite fait, champion ?

– Ouais, si vous voulez, m'sieur Drum. On joue pour cent briques comme d'habitude ?

– Centimes ? (Drum leva un sourcil.) À vrai dire, je pensais à une plus grosse mise. À moins bien sûr que tu te dégonfles.

– Jamais d'la vie. Allez, dites. Je suivrai.

Drum tripota son roi et regarda le moustique par en dessous.

– Je parle d'une vraie mise, Book. Une mise de grande personne.

– J'suis pas un dégonflé, j'vous dis. Allez-y, m'sieur Drum. J'suis prêt.

– D'accord. Voilà l'enjeu. Le perdant doit changer de nom – définitivement.

Les yeux de Booker se firent méfiants.

– J'pige pas, dit-il.

– C'est simple, fiston. Si tu gagnes, je devrai porter le nom que tu choisiras, quel qu'il soit.

Booker rigola. « Mary Lou, par exemple ? »

– Si c'est ce que tu veux, ouais.

– Et si vous gagnez, vous choisirez mon nouveau nom ? reprit Booker. Bah, vous gagnez jamais, alors j'suppose que j'peux tenter l'coup.

– D'accord, Book. Mais j'aime mieux te prévenir tout de suite. Si je gagne, je te ferai prendre le nom de Drum. Booker Drum.

La perplexité, la compréhension, puis une timidité feinte se peignirent tour à tour sur le visage de Booker.

– Vous voulez dire que vous m'demandez en mariage, m'sieur Drum ? Pasque Mme Drum va sûrement pas êt'd'accord.

– Non, Book. Il ne s'agit pas de mariage.

– Alors vous devez penser à l'adoption. C'est ça ?

– Ouais, c'est ce que j'avais en tête.

Grand sourire, vite effacé.

– Vous oubliez cette Bergmuller, l'assistante sociale, m'sieur Drum. Elle va pas vous laisser faire, vous savez. Elle aime que tout soit bien en ordre. Les Noirs avec les Noirs... Vous êtes beaucoup trop blanc.

– Beaucoup trop blanc, beaucoup trop moche, beaucoup trop des tas de choses. Mais tout ça est arrangé. Quelqu'un que je connais a fait le nécessaire. Alors maintenant c'est à toi de voir.

Le môme haussa les épaules.

– Oh, moi ça m'est égal, m'sieur Drum. On n'a qu'à jouer ça aux échecs, comme vous avez dit. On verra bien c'que ça donne.

Drum tendit une main par-dessus la table. Le moustique la lui serra avec chaleur et la secoua énergiquement.

– Entendu, champion. Voyons ce que ça donne.

Drum avait les noirs. Booker avança un premier pion, celui du fou de sa reine.

## 59

Moins de vingt-quatre heures s'étaient écoulées depuis les violents incidents dont la chambre de James avait été le théâtre, mais déjà ils s'estompaient dans l'esprit de Cinnie à la façon des souvenirs anciens. Elle avait tant de mal à assimiler les faits... Le docteur Ferris, médecin réputé et praticien accompli, était en réalité un tueur fou à tendances vampiriques. Plus étrange encore, Malcolm Cobb, l'*alter ego* de Ferris (à moins que ce ne fût l'inverse), s'était révélé être le frère fantôme de Lydia Holroyd.

Il y avait aussi l'histoire bizarre de cet homme que personne n'avait pu identifier et qui avait surgi de nulle part pour sauver Cinnie avant que le poison mortel qu'on lui avait injecté ait eu le temps de faire son œuvre.

Qui que fût cet homme, Cinnie lui en serait à jamais redevable.

Elle avait commencé à sentir la terrifiante constriction des muscles de sa gorge et le poids écrasant que la paralysie faisait peser sur sa poitrine, quand l'équipe d'intervention rapide était entrée en trombe avec son matériel. Avant de disparaître, l'inconnu avait tendu au médecin-chef la seringue étiquetée pour qu'ils sachent qu'on lui avait injecté du Norcuron.

L'antidote avait neutralisé les effets du poison en quelques secondes – à coup sûr les secondes les plus longues que Cinnie eût jamais vécues.

Dieu merci, personne n'avait trop souffert. M. London avait la peau toute meurtrie et égratignée, mais rien de plus grave. Cinnie avait craint que toute cette agitation ne provoque une nouvelle attaque. Mais le vieil homme avait été placé sous observation pour la nuit. Et le cher entêté n'avait pas paru trop affecté par l'épreuve qu'il venait de subir.

Il avait même réussi à persuader une des infirmières de nuit de revenir lui apporter en douce un sandwich au corned-beef pour son déjeuner. Cinnie en avait senti l'odeur quand elle était allée le remercier d'avoir risqué sa vie pour les protéger, James et elle. Aussi avait-elle décidé de garder le super hamburger qu'elle avait dans son fourre-tout. Ce serait pour une autre fois.

James était sorti indemne de ce cauchemar. À cause du sédatif, il ne se souvenait même pas clairement de l'épisode. Ce matin, il avait parlé d'un rêve étrange dans lequel l'homme-ombre était venu lui faire une piqûre. Textuellement : « Rêve, maman. Homme-ombre vient. Pique ma main. Aïe ! »

Cinnie se répéta ses paroles. Non, elle n'était pas victime de son imagination. James parlait mieux, plus clairement. Même cet affreux docteur Silver avait noté le changement à sa façon inimitable : « Il a moins l'air d'une chiffe molle aujourd'hui, Cinnie. Il n'est pas encore mûr pour le club de rhétorique, mais ça va mieux. C'est encourageant. »

Oui, elle sentait son courage revenir. Demain, elle ramènerait James à la maison. Pour de bon, cette fois. Sa pseudo rechute avait été causée par l'insuline que Ferris lui avait injectée. Heureusement, le taux de sucre dans son sang était élevé après la petite fête, et l'effet de l'insuline en avait été atténué.

Paul avait tenu à annuler tous ses rendez-vous du lendemain pour être avec eux, et cette fois Cinnie n'avait pas protesté. Ce serait bien qu'il soit là aussi pour le retour de leur fils – mais elle savait que leurs difficultés conjugales étaient loin d'être aplanies. De fait, Paul était dans son cher studio en ce moment même. Il l'avait ramenée à la maison, et était resté quelques instants auprès d'elle. Mais sa vieille nervosité l'avait bientôt repris.

– Je serai de retour dans une heure, c'est promis, avait-il dit. J'ai deux ou trois choses à finir.

Elle l'avait regardé partir. Elle n'en finissait pas de le regarder partir.

Maintenant elle avait fini de préparer la chambre de James. Paul ne reviendrait pas avant une bonne demi-heure, mais elle avait sa propre offensive de charme à préparer. Peut-être ne pourrait-elle jamais rivaliser avec cette fichue console électronique, mais ça ne coûtait rien d'essayer.

Elle prit une douche, mit sa chemise de nuit lavande, vaporisa de Chanel 19 quelques endroits stratégiques, et se glissa entre les draps frais. Une délicieuse torpeur l'envahit, et elle laissa ses pensées flotter entre rêve et réalité. Des images riantes défilèrent dans sa tête : James jouant au football, retournant des touffes d'herbe au cours d'un barbecue, ou se lançant dans une imitation de Springsteen.

Des confins de sa conscience lui parvint le léger bruit de la porte d'entrée qui s'ouvrait. Paul était en avance. C'était bon signe.

Couchée sur le côté, yeux clos, elle l'entendit refermer la porte et traverser le vestibule. Il marchait si lentement et silencieusement qu'elle se dit qu'il voulait sans doute lui faire aussi une surprise.

Les pas s'arrêtèrent dans la cuisine. Le cher ange voulait lui apporter quelque chose. Il en mettait un temps !

Enfin il se remit en marche. Maintenant il entrait dans la chambre, s'approchait du lit. Elle se retourna pour l'accueillir.

Ce n'était pas Paul.

Elle vit un visage étrangement aplati et menaçant à quelques centimètres du sien. Elle sentit la chaleur de son haleine fétide. La créature poussa un cri sauvage et se jeta sur elle. Elle se débattit, mais l'intrus, d'une poigne de fer, maintenait réunis ses deux poignets. Tournant la tête d'un côté et de l'autre pour chercher un moyen de se libérer, elle aperçut le couteau. Sa lame acérée reflétait la lumière tamisée de la lampe de chevet.

– Non ! hurla-t-elle. Lâchez-moi !

Elle ne pouvait bouger. L'intrus s'était assis sur ses jambes. Le monstre levait le couteau ; il visait son cou. Cinnie hurla encore et regarda, horrifiée, la lame s'immobiliser au bout du bras tendu. « Non ! Non ! » Elle essaya encore désespérément de se dégager. Le couteau descendait maintenant, plongeait vers sa gorge.

Mais le temps s'arrêta. Son assaillant lâchait prise, se tournait pour lutter avec quelqu'un d'autre.

Cinnie se redressa et frotta ses poignets endoloris. Les traits de son agresseur étaient déformés par un bas de nylon. Une main gantée leva le couteau pour l'enfoncer dans le dos de Paul.

Encore tout étourdie, Cinnie empoigna son oreiller et l'abattit violemment sur la lame. La pointe s'y accrocha et le couteau tomba sur le parquet.

Quelqu'un cria. Paul et l'intrus masqué se rouaient mutuellement de coups. Leurs corps emmêlés s'écrasèrent sur le plancher et ils essayèrent tous les deux d'attraper le couteau. Cinnie retint son souffle – mais Paul maîtrisa le monstre et lui cogna durement la tête contre le parquet.

L'agresseur ne bougea plus.

Paul leva les yeux vers elle ; son teint était terreux.

– Appelle la police, dit-il, pantelant.

Cinnie composa le numéro. Le policier nota les coordonnées et lui dit de rester en ligne. « Je vous envoie une voiture. »

– Ils seront là dans cinq minutes, dit Cinnie.

Elle vit remuer le corps sur le plancher.

– Attention !

De sa main libre – l'autre tenait le couteau –, Paul retira

le bas qui masquait le visage de l'individu. Il en resta bouche bée.

Cinnie en eut aussi le souffle coupé. « Lydia ? »

– Bon Dieu, qu'est-ce que ça veut dire ?

À ce moment, un homme fit irruption dans la pièce, un pistolet à la main. Il rappelait vaguement quelqu'un à Cinnie, mais elle n'aurait pu dire qui au juste.

– Ça va ? Vous n'avez rien ? demanda-t-il.

– Non, Dieu merci, mon mari est arrivé à temps, dit Cinnie.

Paul s'approcha d'elle et la prit dans ses bras.

– Je t'aime, Cin, lui chuchota-t-il à l'oreille. S'il t'était arrivé quelque chose…

Cinnie lui caressa la joue et se tourna vers l'inconnu.

– Comment avez-vous fait pour arriver si vite ?

– Je regrette de ne pas être arrivé plus tôt. Vous n'auriez pas été forcés de toucher à cette ordure vous-même.

Fouettée par cette insulte, Lydia Holroyd reprit tous ses esprits.

– Vous en avez un toupet, misérable !

– Vous, fermez votre clapet de merde.

– Je vous interdis de me parler sur ce ton !

Lydia commença à remettre de l'ordre dans ses vêtements et ses cheveux ébouriffés.

– *S'il vous plaît*, fermez votre clapet de merde. C'est mieux comme ça, salope ?

– Qu'est-ce que ça veut dire ? répéta Paul. Pourquoi diable voudriez-vous faire du mal à Cinnie, Lydia ?

– Dites-leur pourquoi vous êtes venue ce soir, *Lydia*.

Lydia lança à l'inconnu un regard noir. Sa bouche paraissait cousue.

– Ce monsieur vous a posé une *question*, madame Holroyd. Il vous l'a posée poliment. Alors *répondez*.

L'inconnu saisit les cheveux de Lydia à pleine main et tira si fort que sa peau se tendit sur ses os.

– Je n'avais pas le choix, grommela-t-elle. J'ai souvent dit à Malcolm qu'elle était dangereuse, mais il était si faible, et si démuni devant elle… Elle lui rappelait maman, je suppose. Il n'a jamais pu tenir tête à cette garce non plus. Malcolm laissait toujours maman le mortifier, le rabaisser plus bas que terre. Je ne pouvais pas vous laisser faire la même chose, Cynthia. Je ne pouvais pas vous laisser tout gâcher.

– De quoi parle-t-elle ? dit Cinnie.

– C'est l'autre moitié de ce dynamique duo, répondit l'inconnu. C'est elle qui incitait le cher Malcolm à blesser les enfants. Elle avait persuadé son cinglé de frère qu'il avait besoin de leur sang pour survivre. (L'homme se tourna vers Lydia Holroyd.) Mais vous saviez ce que vous faisiez, hein, vermine ? Ce que vous vouliez en réalité, c'était vous débarrasser de tous les gosses intelligents du quartier pour que votre Todd n'ait plus de rivaux. Puisque Mme Merritt veillait de trop près sur James, vous avez décidé que Malcolm devait l'éliminer aussi. Tout ce qui comptait pour vous, c'étaient ces bonnes notes et ces prix d'excellence, hein, Lydia ? Vous êtes bien malade, ma pauvre femme. Plus malade même que ce vieux Malcolm, ce qui n'est pas peu dire.

Lydia Holroyd se redressa, rejeta ses épaules de reine en arrière, regarda Drum dans les yeux, et lui cracha au visage.

Il appuya le canon du pistolet sur la tempe de la femme, et une lueur terrible passa dans ses yeux.

« Non ! » s'écria Cinnie. La police arrivait. On entendait un bruit aigu de sirène et on apercevait par la fenêtre un clignotement de gyrophares.

– Voilà votre escorte royale, princesse. Mais je peux vous épargner ce voyage, n'est-ce pas ?

Drum serra les dents, et sa main trembla de rage. Cinnie tressaillit en entendant le déclic du cran de sûreté, mais il ne tira pas.

Trois flics en uniforme emmenèrent une Lydia récalcitrante après lui avoir passé les menottes. Cinnie et Paul les suivirent des yeux. Ils l'embarquèrent de force à l'arrière d'une voiture de police et démarrèrent.

L'inconnu s'était éclipsé pendant l'arrestation, mais il était déjà revenu dans la chambre.

– Vous êtes sûrs que ça va aller ?

– Oui, et merci de votre intervention, monsieur… ?

Le nom qu'il prononça ne rappela rien à Cinnie, mais

elle reconnaissait la voix. C'était celle de cet agent d'assurances qui était venu lui parler à l'hôpital. Mais le visage...

Il semblait lire dans ses pensées.

– En général, je camoufle les cicatrices quand je travaille, madame Merritt. Elles ont tendance à distraire les gens.

Cinnie était ébahie de voir à quel point la balafre irrégulière de sa joue, la paupière tombante et l'épaisse mèche de cheveux gris changeaient son apparence. Elle dut faire un effort pour ne pas manquer de tact en le dévisageant trop longtemps.

– Comment avez-vous su pour Lydia ?

– C'est mon gamin qui m'a aidé à y voir clair. Je lui avais parlé des mots que j'avais entendu votre fils répéter pendant ma visite à l'hôpital. Hier soir, après avoir pris une bonne raclée aux échecs, il s'est mis à réfléchir à ce qu'ils pouvaient signifier. Il est arrivé à la conclusion que le « tunnel vert volant » était le break vert de Cobb et que « Pop la fouine » avait un rapport avec la flèche empoisonnée qu'il a utilisée pour provoquer des troubles cardiaques et s'assurer que James serait hospitalisé. Votre fils avait dû apprendre peu avant qu'une fouine est aussi une sorte de harpon. L'« homme-ombre » était Cobb lui-même quand il suivait James pour se familiariser avec ses habitudes quotidiennes. Restaient « Mme Bateau » et la « dame au manteau bleu ». Le môme pense que cette « dame au manteau bleu » devait être la personne qui a pris votre apparence pour décider James à traverser la route. Avec le soleil aveuglant qu'il y avait ce jour-là, il n'en fallait pas beaucoup pour lui faire croire que c'était vous : une perruque bouclée, un manteau identique.

– Votre fils a deviné tout ça ? dit Paul. Il est fort, ce gosse.

– Ouais. (Drum ne put s'empêcher de sourire.) Mon fils. Et après l'arrestation de Ferris, j'ai compris que « Mme Bateau » se rapportait à lui. C'était une de ces substitutions de termes comme en fait Oliver London. James voulait dire *ferry*, mais il disait *bateau*.

– Oui, c'est sûrement ça, dit Cinnie.

Médusée, elle écouta le reste. Rien n'était comme on

l'avait cru. Ferris n'avait jamais été un vrai docteur, et Lydia Holroyd n'avait jamais été une voisine comme les autres.

Drum avait continué le petit jeu des déductions inauguré par Booker. Il avait pensé au livre d'enfant que Malcolm Cobb avait écrit, et dont les héros doublement en herbe semblaient aussi tordus l'un que l'autre.

Pressentant que ces deux mots, *colombe* et *élégant*, pourraient lui apprendre quelque chose, Drum avait ouvert un bouquin sur les prénoms que Stella avait acheté bien des années plus tôt. Il s'était aperçu qu'on les associait respectivement aux prénoms Lydia et Malcolm.

Après cela, il avait demandé à un de ses copains de se brancher sur une banque de données médicales confidentielles, et il avait eu la confirmation que Malcolm Cobb et Lydia Holroyd avaient déjà fait de longs séjours dans différents asiles psychiatriques.

Une heure plus tôt, l'idée lui était venue que l'histoire de mauvaises herbes pouvait bien être une transposition de la réalité. Il en avait déduit que, puisque Cobb était mis hors d'état de nuire, l'« herbe » survivante serait sans doute très impatiente de prendre la relève et de finir le travail commencé. Aussitôt il était accouru pour veiller au grain et empêcher Lydia d'assouvir à son tour sa soif de sang. Malheureusement il était arrivé un peu trop tard.

– C'est vraiment du bon travail pour un agent d'assurances, monsieur Drum, dit Paul.

– Merci, monsieur Merritt. Mais il faut que je vous dise la vérité. Je ne suis pas un agent d'assurances.

Paul se mit à rire. Au bout d'un petit moment, Cinnie joignit ses rires aux siens.

## 60

Paul était déjà descendu afin de régler la note d'hôpital et d'amener la voiture devant l'entrée. L'infirmière Evelyn Larwin était partie chercher le chariot dont elles auraient besoin pour transporter la collection de jouets et les autres affaires de James jusqu'à la voiture.

James était habillé pour la première fois depuis l'accident. Ils avaient fendu la toile de son jean sur toute la longueur de son plâtre, et lui avaient trouvé un nouveau tee-shirt marqué HARD ROCK CAFÉ. Le petit bonhomme était adorable ; il y avait des semaines que Cinnie n'avait rien vu d'aussi ravissant.

Elle jeta un coup d'œil à sa montre.

– Où donc est passée Evelyn ? Je suis prête à quitter cet endroit de malheur. Et toi, Jimbo ? Tu n'es pas pressé de rentrer à la maison ?

Il resta pensif un instant et la regarda d'un air empreint de circonspection.

– Vinton ?

– Il est parti, mon ange. Il était si fatigué de t'attendre qu'il a décidé de prendre sa retraite de monstre et d'aller vivre en Floride.

James pouffa de rire.

– Maman blague.

– Pas du tout. Il a pris un appartement dans une nouvelle marina de luxe à Boca Mocha, qui se trouve juste à côté de Fort Dieu-sait-où. Ils ont un golf et tout ce qu'il faut. Chambres spacieuses, terrasses privées, piscines chauffées. Les placards ne sont pas terribles, mais ce vieux Vinton a décidé de s'en arranger. Arrivé à un certain âge, on aspire au repos, James. Dans soixante-dix ou quatre-vingts ans tu comprendras ce que je veux dire.

– Evelyn vient ?

– Elle ne va pas tarder. Tu t'impatientes aussi ?

Il posa les yeux sur le sac plein de livres, et une ombre fugitive passa sur son visage.

– Maman lire ?

– Tu penses à un livre particulier ?

« Livre », dit-il. Cinnie savait très bien de quel livre il voulait parler.

Elle avait été fortement tentée de jeter l'affreux bouquin à la poubelle, mais réflexion faite, elle avait décidé de laisser James s'en fatiguer de lui-même. Le pauvre chéri avait bien gagné le droit de s'affranchir de ce cauchemar comme il l'entendait. Elle sortit le vilain petit volume d'un des sacs, l'ouvrit, et commença à lire.

« Il était une fois une vieille femme qui avait un jardin plein de mauvaises herbes… »

Il fut donc à nouveau question de voisins en colère et d'étranges herbes parasites nommées Colombe et Élégant et des maladies qui affectaient le frère et la sœur au cours d'un long hiver. Une fois arrivée au début du dernier chapitre, elle s'arrêta et embrassa James.

– Après ? dit James, qui voulait entendre la fin.

– Après, le printemps arriva et il fut temps pour les herbes de retourner dans le jardin, dit-elle. Mais quand la vieille voulut les replanter, elle s'aperçut qu'il n'y avait plus de place pour elles dans le jardin et elle changea d'avis.

« Tu vois, Jimbo, pendant qu'elle s'occupait de ces vilaines herbes, quelqu'un s'était glissé dans le jardin et y avait planté des rangées et des rangées de croquettes de chocolat.

James eut l'air étonné, puis il sourit timidement.

– Croquettes ?

– Oui, mon cœur. Comme tu vois, c'est une histoire qui finit très bien.

Cet ouvrage a été composé dans les ateliers
d'INFOPRINT à l'île Maurice.

IMPRIMÉ EN FRANCE PAR BRODARD ET TAUPIN
Usine de La Flèche (Sarthe).
LIBRAIRIE GÉNÉRALE FRANÇAISE - 43, quai de Grenelle - 75015 Paris.
ISBN : 2 - 253 - 07678 - 3

30/7678/3